# DE MILJARDAIR

# DEAN KOONTZ

# DE MILJARDAIR

Luitingh-Sijthoff

Uitgeverij Luitingh-Sijthoff en drukkerij Bariet vinden het belangrijk om op milieuvriendelijke en verantwoorde wijze met natuurlijke bronnen om te gaan.

Oorspronkelijke titel: *Odd Apocalypse*
Vertaling: Jan Mellema
Omslagontwerp: Studio Jan de Boer
Omslagfotografie: Claire Morgan/Trevillion Images en Getty Images

ISBN 978 90 245 5456 0
NUR 332

www.boekenwereld.com
www.lsamsterdam.nl
www.watleesjij.nu

Opgedragen aan Jeff Zaleski,
met dankbaarheid voor
zijn inzicht en integriteit.

*Ghost cries out to ghost –*
*But who's afraid of that?*
*I fear those shadows most*
*That start from my own feet.*
– Theodore Roethke, 'The Surly One'

# 1

Aan het eind van mijn tweede hele dag als gast op Roseland liep ik tegen zonsondergang over het uitgestrekte gazon van het hoofdgebouw naar het eucalyptusbos, toen ik intuïtief mijn pas inhield en me omdraaide. In volle vaart galoppeerde er een zwarte hengst op me af, een groot en zwart dier dat ik al eerder had gezien. Ik had er boeken op nageslagen, zodat ik inmiddels wist dat het om een Fries raspaard ging. Het dier werd bereden door een blonde vrouw in een wit nachtgewaad.

Doordat ze een geest was, maakte ze geen enkel geluid. Ze gaf het paard flink de sporen, en het dier galoppeerde in stilte voort, dwars door me heen, zonder dat ik daar iets van voelde.

Ik beschik over bepaalde talenten. Niet alleen ben ik een heel behoorlijke snelbuffetkok, maar ook heb ik soms voorspellende dromen. En in wakkere toestand zie ik soms geesten van overledenen die om uiteenlopende redenen de oversteek naar gene zijde nog niet hebben gemaakt.

Dit paard en deze vrouw leefden niet meer, waren slechts als geesten in onze wereld aanwezig en wisten dat ik de enige was die hen kon zien. De vorige dag was de vrouw al twee keer aan me verschenen, en vanmorgen weer, maar toen op een afstand.

Nu had ze kennelijk voor een iets agressievere aanpak gekozen om mijn aandacht te trekken.

Paard en ruiter reden in een grote kring om me heen. Ik draaide mee om te kijken wat ze nog meer zouden doen. Op een gegeven moment kwamen ze weer op me af, maar toen ze vlak voor me waren, haalde de vrouw de teugels aan. De hengst steigerde en maaide wild met zijn voorbenen door de lucht, de neusgaten opengesperd, de ogen alle kanten op draaiend, een wezen met zoveel kracht dat ik achteruitdeinsde, ook al wist ik dat vrouw en paard net zo onstoffelijk waren als in een droom.

Geesten voelen warm en stoffelijk aan als ik ze aanraak. In dat opzicht verschillen ze niet van mensen die nog leven. Maar voor hen ben ik niet stoffelijk, en ze kunnen net zomin door mijn haar strijken als me een dodelijke klap geven.

Omdat mijn zesde zintuig een behoorlijk complicerende factor in mijn leven is, probeer ik mijn bestaan verder zo simpel mogelijk houden. Ik heb minder persoonlijke bezittingen dan een monnik. Ik heb de tijd noch de rust om een carrière als snelbuffetkok of wat dan ook op te bouwen. Ik plan niets vooruit maar treed de toekomst tegemoet met een glimlach op mijn gezicht, hoop in mijn hart en rechtopstaande nekharen.

De aantrekkelijke vrouw bereed het paard zonder zadel. Ze had blote voeten en droeg een gewaad van witte zijde en kant, waarop grillige bloedstrepen te zien waren, en ook in haar haar zat bloed, al zag ik geen wond. Ze drukte haar knieën tegen de zwoegende flanken van de hengst; haar nachtgewaad was tot aan haar dijen omhooggeschoven. Met haar linkerhand hield ze de manen vast, alsof ze zich zelfs in de dood aan het paard moest vastklampen om te voorkomen dat ze elkaar kwijt zouden raken.

Iets wat je krijgt, mag je niet weigeren, want dat is onbeleefd, maar anders had ik mijn bovennatuurlijke gave allang ingeleverd. Ik zou mijn dagen best willen slijten met het bakken van omeletten die zo lekker zijn dat je ervan gaat grommen als je ze proeft, en pannenkoeken die zo luchtig zijn dat ze al bij het geringste briesje van je bord dreigen te waaien.

Talent heb je zonder er iets voor te hoeven doen, en dat brengt de verplichting met zich mee er op een verstandige, goede manier mee om te gaan. Als ik niet geloofde in de wonderbaarlijke aard van gaven en in de heilige plicht waarmee de desbetreffende persoon gezegend is, zou ik inmiddels zo geschift zijn geraakt dat ik allang naar een hoge overheidsfunctie had gesolliciteerd.

Terwijl de hengst op zijn achterbenen danste, stak de vrouw haar rechterarm uit en wees naar me, alsof ze wilde aangeven dat ze me kon zien en een boodschap voor me had. Op haar lieftallige gezicht lag een grimmige, vastberaden uitdrukking, en in haar korenbloemblauwe ogen, waaruit het levenslicht geweken was, lag een gekwelde blik.

Ze liet zich bij het afstappen niet van het paard glijden, maar kwam er zwevend vanaf, en zo leek ze ook over het gras naar me toe te komen. Het bloed in haar haar en op haar nachtgewaad verdween, en ze kreeg weer het uiterlijk dat ze had gehad voordat ze haar dodelijke wonden had opgelopen, alsof ze bang was dat al dat bloed me zou afschrikken. Ik voelde het toen ze mijn gezicht aanraakte, alsof ze als geest meer moeite had in mij te geloven dan ik in haar.

Achter de vrouw zakte de zon in de zee, en een grote wolkenmassa gloeide als een vloot oude oorlogsschepen waarvan de masten en zeilen door het oorlogsgeweld felrood waren gekleurd.

Ik zag dat haar angst afzakte en plaatsmaakte voor hoop, en ik zei: 'Ja, ik kan u zien. En als u het me toestaat, kan ik u helpen de oversteek te maken.'

Ze schudde wild haar hoofd en deed een stap naar achteren, alsof ze bang was dat ik haar zou aanraken of een toverspreuk zou uitspreken en de wereld om haar heen dan zou verdwijnen.

Ik dacht dat ik haar reactie begreep. 'U bent vermoord, en voordat u deze wereld verlaat, wilt u dat het recht zijn loop heeft.'

Ze knikte, maar daarna schudde ze haar hoofd, alsof ze wilde zeggen: *Ja, maar dat niet alleen.*

Omdat ik mijns ondanks veel ervaring heb in de omgang met overledenen, meer dan ik zou willen, kan ik je vertellen dat geesten die op aarde blijven rondhangen, niet kunnen praten. Ik weet niet waarom dat zo is. Zelfs als ze op brute wijze om het leven zijn gebracht en willen dat hun moordenaars berecht worden, zijn ze niet in staat essentiële informatie over te brengen, telefonisch noch in persoonlijk contact. En ze sturen ook geen smsjes. Misschien omdat ze dan eventueel iets over de dood en het hiernamaals zouden onthullen wat we niet mogen weten.

Maar goed, soms is het nog frustrerender om met de doden om te gaan dan met de levenden, wat verbazingwekkend is als je bedenkt dat het de levenden zijn die bijvoorbeeld de Dienst van het Wegverkeer runnen.

De hengst ving de laatste stralen van de ondergaande zon, zonder dat het dier een schaduw wierp, en hief zijn hoofd, zo trots als een patriot bij het hijsen van de vlag. Zijn enige vlag was de gouden haardos van zijn ruiter. Hij ging niet grazen maar bewaarde zijn trek blijkbaar voor de Elysese velden.

De blonde vrouw deed weer een stap in mijn richting en keek me zo indringend aan dat ik haar wanhoop bijna kon voelen. Ze deed alsof ze een baby wiegde.

Ik vroeg: 'Een kindje?'

*Ja.*

'Uw kindje?'

Ze knikte, maar meteen daarna schudde ze haar hoofd.

Ze fronste haar wenkbrauwen, beet op haar onderlip, en stak aarzelend een hand uit, de handpalm naar beneden gekeerd, en hield die zo'n 1,20 meter boven de grond.

Omdat ik veel ervaring heb in raadspelletjes met geesten, snapte ik onmiddellijk dat ze de lengte van haar kind aangaf, dat zo te zien een jaar of tien jaar moest zijn. 'Geen klein kind meer. Uw kind.'

Ze knikte heftig.

'Leeft uw kind nog?'

*Ja.*

'Hier op Roseland?'

*Ja, ja, ja.*

De oude oorlogsschepen in de lucht kleurden nu bloedrood terwijl de hemel langzaam donkerpaars werd.

Toen ik vroeg of haar kind een jongen of een meisje was, maakte ze me duidelijk dat ze een zoon had. Gezien de lengte die ze had aangegeven, vroeg ik of hij ongeveer tien was, wat ze bevestigde.

Ik had op dit landgoed geen kinderen gezien. Toen ik haar zorgelijk zag kijken, stelde ik een voor de hand liggende vraag: 'Wat is er met uw zoon? Zit hij in de problemen?'

*Ja, ja, ja.*

Een eind bij het hoofdgebouw van Roseland vandaan, verscholen achter een heuveltje met eiken, lag een door onkruid overwoekerde oefenweide. De omheining was half in elkaar gezakt.

De stallen zagen er echter zo nieuw uit dat het leek alsof ze vorige week opgeleverd waren. De paardenboxen waren brandschoon; er was geen strootje, pluisje of spinnenweb te bekennen, alsof er met grote regelmaat en zeer grondig geboend werd. Bovendien rook het er heerlijk fris, als op een winterdag wanneer het net gesneeuwd heeft. De conclusie leek dan ook gerechtvaardigd dat er op Roseland al tientallen jaren geen paarden meer gehouden werden. Hoogstwaarschijnlijk was de vrouw in het wit lang geleden overleden.

Hoe kon haar zoon dan nog maar tien zijn?

Sommige geesten raken zo uitgeput of van slag door langdurig contact met levenden, dat ze uren- of dagenlang verdwijnen om zich te herstellen en zich dan weer te manifesteren. Deze vrouw had blijkbaar een sterke wil, waardoor ze het lang volhield. Maar toen de lucht begon te flakkeren en groengeel kleurde, verdwenen zij en het paard, dat misschien bij dezelfde gelegenheid als zij om het leven was gekomen. Ze vervaagden niet langzaam, de omtrek eerst, zoals bij dolende zielen soms het geval was, maar losten plotseling in het niets op toen het licht veranderde.

Precies op het moment dat het rood van de zonsondergang geel werd, stak er een westenwind op. Ver achter me zwiepten de eucalyptusbomen heen en weer, in het zuiden ruisten de eiken, en mijn haar waaide voor mijn ogen.

Ik keek naar de horizon en zag dat de zon nog niet helemaal onder was gegaan, alsof een tijdfunctionaris in den hoge de kosmische klok een paar minuten had teruggezet.

Dat was niet het enige onmogelijke wat er gebeurde. De hele lucht was geel, zonder dat er ook maar een wolkje te zien was. Wel waren er op grote hoogte slierten zichtbaar die rivieren van rook of roet leken, grijze stromen met zwarte strepen, die razendsnel langs de hemel trokken. De slierten werden breder, dan weer smaller, kronkelden om elkaar heen, versmolten en splitsten zich dan weer.

Ik had geen idee wat dat te betekenen had, maar het raakte een duistere, gevoelige snaar in me. Ik kreeg de indruk dat het om as, roet en stofdeeltjes ging, afkomstig van steden en metropolen die door talloze ongekend krachtige explosies met de grond gelijk waren gemaakt, waarna het stof de atmosfeer in was geslingerd, waar het werd meegevoerd door de straalstroom, de vele straalstromen in de door oorlogsgeweld aangetaste troposfeer.

Ook als ik klaarwakker ben, krijg ik wel eens visioenen, al komen die minder vaak voor dan mijn voorspellende dromen. Als ik ze heb, ben ik me ervan bewust dat ze zich in mijn hoofd afspelen en geen objectieve waarnemingen zijn. Maar deze wind, dit onheilspellende licht en deze afschrikwekkende patronen in de lucht waren geen visioen. Ze waren net zo echt als een trap in je kruis.

Mijn hart kromp ineen en sloeg op hol toen er langs het gele hemelgewelf een vlucht uiterst vreemde schepsels trok. Het was moeilijk te zien wat voor wezens het waren. Ze deden me denken aan vleermuizen, maar waren groter dan adelaars. Het waren er honderden, en ze trokken vanuit het noordwesten mijn kant op. Naarmate ze dichterbij kwamen, vlogen ze lager. Mijn hart bonsde steeds harder, alsof het mijn verstand was dat woest klopte en eruit wilde, om plaats te maken voor de waanzin van dit spektakel.

Ik ben heus niet gek, in tegenstelling tot een seriemoordenaar of iemand die een vergiet op zijn hoofd zet om te voorkomen dat de CIA zijn gedachten kan lezen. Ik hou sowieso niet van hoofddeksels, al heb ik niets tegen een vergiet, mits dat op correcte wijze wordt gebruikt.

Ik heb wel eens iemand vermoord, meerdere personen zelfs, maar dat was altijd uit zelfverdediging of om anderen te beschermen. Dergelijke daden kunnen niet als moord worden aangemerkt. Als je het daar niet mee eens bent, leid je vermoedelijk een beschermd bestaan en mag je jezelf gelukkig prijzen.

Ik had geen wapen bij me, wist niet of ze mij moesten hebben, of ze me überhaupt hadden opgemerkt, maar had geen enkele illusie dat ik tegen deze overweldigende overmacht enige kans maakte. Daarom draaide ik me om en rende ik over de glooiende grasvlakte naar het eucalyptusbos, dat bij het gastenverblijf lag waar ik mijn intrek genomen had.

Ik was in een onmogelijke situatie verzeild geraakt, maar twijfelde geen seconde. Over twee maanden zou ik tweeëntwintig worden, en het grootste deel van mijn leven had ik tot aan mijn nek in onmogelijke situaties gezeten. Ik wist dat de wereld vreemder in elkaar stak dan de bizarre kronkels die een creatieveling op basis van de schering en inslag van de verbeeldingskracht zou kunnen produceren.

Terwijl ik in oostelijke richting rende en het zweet me door de angst en inspanning aan alle kanten uitbrak, hoorde ik achter en boven me de schelle kreten van de vliegende wezens en het krachtige geklapwiek van hun vleugels. Toen ik genoeg moed verzameld had om achter me te kijken, zag ik dat ze door de woeste wind heen en weer werden geslingerd. Hun ogen waren net zo geel als de onheilspellende lucht. Ze hadden het massaal op me gemunt, alsof de meester aan wie ze gehoorzaamden hun een duistere variant op het Bijbelse wonder van de broden en de vissen had beloofd en mij zou veranderen in genoeg eten voor de hele zwerm.

Toen de lucht begon te flakkeren en het gele licht veranderde in de rode gloed van de ondergaande zon, struikelde ik. Ik ging onderuit en kwam op mijn rug terecht. Toen ik me met mijn handen tegen de vraatzuchtige horde wilde beschermen, merkte ik dat alles weer normaal was. In de verte vlogen een paar waadvogels, en er was niets meer aan de hand.

Ik was weer op het Roseland dat ik kende. De zon ging onder, de lucht was grotendeels paars, en de brandende galjoenen die langs de hemel trokken, vertoonden nu een dofrode kleur.

Nahijgend kwam ik overeind. Even bleef ik staan om naar het zwerk te kijken, waar de laatste vonken van de wolkenvloot door de opkomende sterren werden gedoofd.

Hoewel ik niet bang ben in het donker, leek het me verstandig hier niet al te lang te blijven. Snel liep ik naar het eucalyptusbos.

Ik had genoeg om over na te denken: de getransformeerde lucht, de gevleugelde dreiging, en de geestverschijningen van de vrouw en haar paard. Als ik bedenk hoe onvoorspelbaar mijn leven verloopt, hoef ik niet bang te zijn dat het ooit saai wordt.

# 2

Na de enerverende ervaringen met de vrouw, het paard en de gele lucht, verwachtte ik die nacht geen oog dicht te doen. Ik liet een lampje branden en merkte dat mijn gedachten een duistere kant op gingen.

We worden in feite al begraven op het moment dat we geboren worden. De wereld bestaat uit graven vol lijken en graven die nog gevuld moeten worden. Het leven is wat er gebeurt terwijl we wachten om een afspraak met de begrafenisondernemer te maken.

Hoewel dat aantoonbaar waar is, zul je dat niet snel op een koffiebeker van Starbucks tegenkomen, net zomin als de stelling 'koffie is dodelijk'.

Al voordat ik hier op Roseland aankwam, was ik in een wat sombere bui. Ik ging ervan uit dat dat wel weer goed zou komen. Zo gaat het altijd. Ook als ik de afschuwelijkste dingen heb meegemaakt, kom ik vanzelf weer in een betere stemming.

Ik weet niet waarom ik zo opgewekt van aard ben. Misschien is het een van mijn levenstaken om daarachter te komen. Op het moment dat ik snap waarom ik zelfs in de duisterste duisternis een zeker gevoel voor humor behoud, belt de lijkbezorger me misschien en is de tijd gekomen om een doodskist uit te zoeken.

Eigenlijk denk ik niet dat ik een kist nodig zal hebben. Het Hemelse Bureau Levensthema's – of hoe ze dat daarboven ook maar mogen noemen – lijkt bepaald te hebben dat mijn reis door deze wereld bemoeilijkt zal worden door absurde, gewelddadige voorvallen van het soort waar de mens zo prat op gaat. Het ligt dan ook voor de hand dat ik gelyncht zal worden door een woedende menigte vredesdemonstranten en daarna in het vreugdevuur gegooid zal worden. Of anders word ik wel overreden door een Rolls-Royce die bestuurd wordt door een pro-Deoadvocaat.

In de stellige overtuiging dat ik geen oog dicht zou doen, viel ik in slaap.

Om vier uur die februariochtend werd ik geplaagd door een angstdroom over Auschwitz.

Mijn kenmerkende opgeruimde natuur liet nog even op zich wachten.

Ik schrok wakker toen ik buiten een bekende kreet hoorde, die door het half openstaande raam mijn slaapkamer binnendreef. Het jammerende geluid was als de ijle toon van een *tinwhistle* en weefde draden van weemoed en verlangen door het nachtelijke bos. Ik hoorde de roep een tweede keer, dichterbij, en daarna nog eens, iets verder weg.

Het waren korte jammerkreten, maar toen ik er de twee voorgaande nachten van wakker was geschrokken, kon ik niet meer slapen. De roep was als een stroomstoot die via een elektriciteitsdraadje door al mijn aderen werd gestuurd. Het was het eenzaamste geluid dat ik ooit had gehoord, en ik werd bevangen door angst, al snapte ik niet goed waardoor dat kwam.

Op deze vroege ochtend had ik angstig liggen dromen over een concentratiekamp uit de Tweede Wereldoorlog. Ik ben geen Jood, maar in die nachtmerrie wel, en ik was bang om twee keer dood te gaan. Als je slaapt, kun je heel goed twee keer doodgaan zonder dat daar iets vreemds aan is, maar niet als je wakker bent. De angstaanjagende roep in de nacht prikte een gaatje in de levendige droom, die daarna als een ballonnetje leegliep.

Volgens de huidige heer van Roseland en diens personeel was de verontrustende roep afkomstig van een fuut. Daaruit bleek dat ze weinig van vogels wisten, óf dat ze logen.

Het lag niet in mijn aard om mijn gastheer en het personeel te beledigen. Per slot van rekening zijn er tal van onderwerpen waar ik niets vanaf weet, omdat er steeds andere zaken zijn die mijn aandacht behoeven. Een groeiend aantal mensen lijkt vastberaden me om zeep te willen helpen, zodat ik mijn hoofd er goed bij moet houden om in leven te blijven.

Zelfs in de woestijn, waar ik geboren en getogen ben, zijn er vijvers en meertjes, weliswaar door de mens aangelegd, maar desalniettemin prima geschikt voor futen. Hun roep was altijd weemoedig, maar nooit zo wanhopig als deze, en op de een of andere manier lag er altijd een zekere hoop in besloten, terwijl deze kreten van alle hoop ontdaan waren.

Roseland was privébezit en lag anderhalve kilometer van de Californische kust af. Maar futen zijn futen, ongeacht waar ze zich hebben genesteld, en passen hun uitingen niet aan hun omgeving aan. Futen zijn vogels, geen politici.

Bovendien laat een fuut zich niet op gezette tijden horen, in tegenstelling tot bijvoorbeeld een haan. Toch klonken deze kreten steevast tussen middernacht en zonsopgang, tot nu toe niet overdag. Hoe vroeger de kreten begonnen, hoe vaker ze in de resterende nachtelijke uren te horen waren, had ik gemerkt.

Ik sloeg de dekens van me af, ging op de rand van het bed zitten en zei: 'Waak over me opdat ik U kan dienen,' een ochtendgebed dat ik van mijn oma Sugars had geleerd toen ik nog klein was.

Pearl Sugars was een professionele pokerspeelster die het regelmatig in besloten sessies tegen lieden opnam die twee keer haar postuur hadden, mannen die bepaald niet lachten als ze verloren, en trouwens ook niet als ze wonnen. Mijn oma was een stevige drinker en verslond kilo's varkensvet in diverse hoedanigheden. Alleen als ze nuchter was, reed ze zo snel dat de politie in verschillende staten in het zuidwesten van Amerika haar kenden als Plankgas Pearl. Toch is ze heel oud geworden. Ze is in haar slaap overleden.

Ik hoopte dat haar gebed mij net zoveel goed zou doen als bij haar altijd het geval was geweest, maar ik liet er de laatste tijd een tweede verzoek op volgen. Deze ochtend was dat: 'Laat niemand me van het leven beroven door een woedende hagedis door mijn strot te duwen.'

Dat lijkt misschien een wat raar gebed om aan God te richten, maar ooit probeerde een gestoorde en buitengewoon forsgebouwde man een exotische hagedis in mijn mond te proppen, een beestje dat compleet buiten zinnen was doordat het methamfetamine toegediend had gekregen. Die vent zou ook nog in zijn opzet geslaagd zijn als dit voorval niet in een bouwput had plaatsgevonden en ik geen spuitbus met purschuim had weten te bemachtigen. Toen de man uiteindelijk weer op vrije voeten kwam, dreigde hij me op te sporen om nogmaals de truc met de hagedis op me uit te proberen.

Op voorgaande dagen had ik God gevraagd of Hij ervoor kon zorgen dat ik niet in een pletmachine van een autosloperij vermorzeld zou worden, dat ik niet met een spijkerpistool van kant gemaakt zou worden, dat ik niet aan een paar lijken zou worden vastgebonden om vervolgens in een meer gedumpt te worden... Dat waren allemaal beproevingen die ik in het verleden wonderwel had overleefd. Als ik ooit weer in een van die situaties verzeild zou raken, zou ik vast niet weer net zoveel geluk hebben als toen.

Ik heet niet Lucky Thomas, maar Odd Thomas.

Echt waar. Odd. Dat betekent 'vreemd' of 'merkwaardig'.

Mijn charmante maar gestoorde moeder beweert dat er eigenlijk 'Todd' op mijn geboortebewijs had moeten staan. Mijn vader, die geilt op tienermeisjes en handelt in percelen op de maan – al doet hij dat vanuit een luxe kantoor hier op aarde – zegt soms dat het echt de bedoeling was dat ik Odd zou heten.

Ik neig er in dezen naar mijn vader te geloven. Als het inderdaad klopt wat hij zegt, is dat misschien de eerste en de laatste keer dat hij niet tegen me heeft gelogen.

Omdat ik de vorige avond al gedoucht had, voordat ik naar bed was gegaan, schoot ik nu meteen in mijn kleren en was ik klaar om... weet ik veel.

Elke dag kreeg ik steeds meer het gevoel dat Roseland één grote valstrik was. Ik had de indruk dat ik bij elke stap in een val kon trappen, en dat besef drukte zwaar op me.

Hoewel ik zelf dus liever weg zou gaan, voelde ik me genoodzaakt te blijven, omdat ik dat aan de Dame met het Belletje verplicht was. Ze was vanuit Magic Beach met me meegegaan, een kustplaats die iets noordelijker lag en waar ik op talloze manieren bijna om het leven was gebracht.

Plicht hoeft niet te roepen; plicht fluistert. En als je je daarvoor openstelt, zul je er nooit spijt van krijgen, ongeacht wat er gebeurt.

Stormy Llewellyn, die ik liefhad en die me ontvallen is, was van mening dat deze door strijd verscheurde wereld een trainingskamp is, bedoeld om ons voor te bereiden op het grote avontuur dat ons tussen ons eerste leven en het eeuwige leven te wachten staat. Ze zei dat het alleen mis kon gaan als we onze plicht negeren.

We lopen met z'n allen als gewonden rond in het oorlogsgebied dat deze wereld is. Alles wat we liefhebben, zal ons ontnomen worden, alles, uiteindelijk ook het leven zelf.

En toch ontwaar ik overal op dit slagveld een grote schoonheid, en gratie, en de belofte van geluk.

De stenen toren in het eucalyptusbos, waarin ik mijn intrek had genomen, bezat een rauwe schoonheid, mede doordat het plompe gebouw een prachtig contrast vormde met de fijngevormde zilvergroene blaadjes die in grote hoeveelheden aan de takken van de omringende bomen zaten.

Het was een vierkante toren, tien meter breed en twintig meter hoog, als je de bronzen koepel meerekende, met daarbovenop nog weer een pinakel. Het geheel deed denken aan de stift, kroon en beugel van een oud zakhorloge.

De toren werd nu als gastenverblijf gebruikt, maar het was duidelijk te zien dat hij in vroeger tijden een andere bestemming had gehad. Doordat er ijzeren tralies voor de ramen zaten, konden de smalle vensters alleen naar binnen worden geopend.

De tralies deden denken aan een gevangenis of een fort. In beide gevallen impliceerde dat het bestaan van een vijand.

De houten deur was met ijzer verstevigd, alsof hij een stormram of zelfs een kanonskogel moest kunnen weerstaan. De entree bestond uit een hal met stenen wanden.

Links liep een trap naar het appartement op de eerste verdieping, waar Annamaria, de Dame met het Belletje, verbleef.

Recht tegenover de ingang bevond zich de deur naar het woongedeelte op de begane grond, de plek die me was toegewezen door mijn gastheer, Noah Wolflaw, de huidige eigenaar van Roseland.

Mijn suite bestond uit een comfortabele woonkamer en een kleinere slaapkamer, beide met mahoniehouten lambrisering, en een geheel betegelde badkamer die uit de jaren twintig stamde. De inrichting was ook uit die tijd: zware fauteuils die met kussens bekleed waren, schragentafels met pen-en-gatverbindingen en bewerkte poten.

Ik weet niet of de gebrandschilderde lampen echte Tiffany's waren, maar dat zou best het geval kunnen zijn. Misschien waren ze aangeschaft toen ze nog niet werden beschouwd als museumstukken van onschatbare waarde en stonden ze in deze toren in het bos omdat ze hier nu eenmaal altijd gestaan hadden. Dat was typerend aan Roseland: de terloopse onverschilligheid ten opzichte van de rijkdom die het vertegenwoordigde.

Alle gastenverblijven hadden een keukentje, en de voorraadkast en de koelkast waren gevuld met de meest elementaire levensmiddelen. Ik kon zelf een eenvoudige maaltijd klaarmaken, of binnen de grenzen der redelijkheid aan de kok van Roseland, meneer Shilshom, vragen of hij iets wilde bereiden, wat dan op een dienblad naar de toren gebracht werd.

Het leek me niets om nu al te gaan ontbijten terwijl het nog minstens een uur duurde voordat de zon opkwam. Waarschijnlijk zou ik dan het gevoel krijgen dat ik een veroordeelde was die zich op de laatste dag van zijn leven nog even wilde volproppen voordat hij een dodelijke injectie toegediend kreeg.

Onze gastheer had me op het hart gedrukt tussen middernacht en zonsopgang niet naar buiten te gaan. Naar zijn zeggen waren er in de omringende gebieden poema's gesignaleerd, die al twee honden, een paard en een paar pauwen hadden aangevallen. Een ronddolende gast zouden ze misschien ook niet versmaden.

Ik wist voldoende van poema's om te weten dat ze niet alleen na middernacht maar ook wel 's avonds op jacht gingen, en trouwens ook overdag. Ik vermoedde dat Noah Wolflaw niet wilde dat ik 's nachts op onderzoek uitging om te kijken hoe het precies zat met die zogenaamde fuut en met andere vreemde zaken die zich 's nachts voordeden.

Voordat de zon die maandag in februari opkwam, ging ik naar buiten. De zware deur deed ik achter me op slot.

Annamaria en ik hadden allebei een sleutel van de toren gekregen, en er was ons op het hart gedrukt de ingang altijd af te sluiten. Toen ik opmerkte dat poema's geen deurkruk konden omdraaien om naar binnen te gaan, ongeacht de vraag of de deur nu op slot zat of niet, verklaarde meneer Wolflaw dat we aan de begintijd van een nieuwe soort middeleeuwen stonden, dat ommuurde terreinen en bewaakte residenties van de rijken niet langer afdoende veiligheid boden, dat overal zomaar 'genadeloze dieven, verkrachters, journalisten, moordzuchtige revolutionairen en nog veel erger' konden opduiken.

Zijn ogen draaiden niet als molentjes in hun kassen rond, en ook kwam er geen rook uit zijn oren toen hij deze woorden sprak, maar toch deed hij me met zijn verzuurde kop en zijn dreigende bewoordingen aan een soort tekenfilmfiguur denken. Het drong pas tot me door dat hij geen grapje maakte toen ik hem lang genoeg had aangekeken om te zien dat hij net zo paranoïde was als een driepotige kat die door wolven omsingeld was.

Los van de vraag of zijn paranoïde instelling gerechtvaardigd was, vermoedde ik dat hij zich geen zorgen maakte om dieven, verkrachters, journalisten of revolutionairen. Zijn angst gold uitsluitend de onbestemde categorie 'nog veel erger'.

Ik volgde een pad van flagstones dat van de toren door het heerlijk ruikende eucalyptusbos voerde, naar de rand van een licht glooiende grasvlakte die doorliep tot aan het hoofdgebouw. Het gras was zo goed onderhouden dat het net was alsof ik op vloerbedekking liep.

In de natuurvelden aan de rand van het landgoed, die ik de voorgaande dagen al had verkend, groeiden volop veldbies en rietgras en lampenpoetsersgras onder de majestueuze Amerikaanse eiken die in merkwaardige maar harmonieuze patronen waren aangeplant.

Nog nooit had ik zo'n mooi gebied als Roseland gezien, en nog nooit had ik zo'n duistere dreiging ervaren.

Nu zullen er mensen zijn die zeggen dat een plek gewoon een plek is, dat een locatie uit zichzelf niet veilig of bedreigend kan zijn. Anderen zullen beweren dat het kwaad als werkelijk bestaande kracht of entiteit een hopeloos achterhaald idee is, dat de kwaadaardige daden die mannen en vrouwen begaan altijd een psychologische oorzaak hebben.

Naar dat soort mensen luister ik niet. Als ik dat wel had gedaan, was ik nu allang dood geweest.

Onafhankelijk van het weer leek het daglicht op Roseland zelfs bij een normale lucht afkomstig te zijn van een andere zon dan de ster die de rest van de wereld bescheen. Hier leek het vertrouwde iets vreemds te hebben, en zelfs het stevigste en volop door de zon beschenen voorwerp kwam als een luchtspiegeling over.

Terwijl ik verder liep en de zon nog niet op was, kreeg ik het idee dat ik niet alleen was, maar dat ik gevolgd en in de gaten gehouden werd.

Eerder had ik een paar keer een ruisend geluid gehoord, terwijl het windstil was, en zonder dat er verder iemand te zien was, had ik gemompel gehoord, woorden die ik niet verstaan had. Ook had ik haastige voetstappen gehoord. Mijn stalker, als daar al sprake van was, hield zich voortdurend in schaduwen of achter struikgewas verborgen, of hij was steeds net om een hoek verdwenen.

Omdat ik vermoedde dat er op Roseland ooit een moord gepleegd was, ging ik deze nacht op onderzoek uit. De vrouw op het paard was het slachtoffer van een misdrijf en joeg als geest over het landgoed om gerechtigheid voor haar en haar zoon te zoeken.

Roseland omvatte meer dan twintig hectare en maakte deel uit van Montecito, een welvarende gemeenschap die aan Santa Barbara grensde en die bepaald geen armoedige indruk wekte, vergelijkbaar met het Ritz-Carlton Hotel, dat men ook niet snel zou verwarren met het Bates Motel in *Psycho*.

Het originele huis en de bijgebouwen waren in 1922 en 1923 gebouwd door een krantenmagnaat, Constantine Cloyce, die ook een van de legendarische filmstudio's van het land had opgericht. Hij had een groot huis in Malibu, maar Roseland was zijn toevluchtsoord, een mannenbolwerk waarin hij zich kon verliezen in echt mannelijke bezigheden als paardrijden, kleiduivenschieten, jagen, pokeren tot in de kleine uurtjes, en als er veel drank gevloeid had misschien zelfs partijtjes *headbutting*.

Cloyce had ook veel belangstelling gehad voor onconventionele en zelfs bizarre theorieën, variërend van die van Madame Helena Petrovna Blavatsky, het beroemde spirituele medium, tot die van Nikola Tesla, de wereldberoemde wetenschapper en uitvinder.

Er waren mensen die vol stelligheid beweerden dat Cloyce op Roseland ooit in het geheim onderzoek had gefinancierd naar zaken als stralen die konden doden, naar een eigentijdse benadering van de alchemie, en naar telefoontoestellen waarmee je met de doden kon praten. Maar aan de andere kant zijn er ook mensen die zeker denken te weten dat de sociale dienst een solvabele instelling is.

Aan de rand van het eucalyptusbos tuurde ik over de uitgestrekte glooiende vlakte in de richting van het hoofdgebouw, waar Constantine Cloyce in 1948 op zeventigjarige leeftijd in zijn slaap was overleden. Ik zag dat de korstmossen op de dakpannen in het maanlicht glommen.

Na de dood van Cloyce werd Roseland inclusief de complete inboedel opgekocht door een dertigjarige man, de enige erfgenaam van een groot Zuid-Amerikaans mijnbouwimperium, die veertig jaar later alles van de hand had gedaan. De man leidde een teruggetrokken leven, en niemand leek veel over hem te weten te zijn gekomen.

Op dit ogenblik brandde er alleen maar licht op de eerste verdieping, achter de ramen van de slaapkamersuite van Noah Wolflaw, die een aanzienlijk fortuin had opgebouwd als oprichter en beheerder van een hedgefonds, wat dat ook maar mag wezen. Volgens mij heeft dat meer met Wall Street te maken dan met het aanplanten van hagen.

Meneer Wolflaw was al vanaf zijn vijftigste gepensioneerd en beweerde dat het slaapcentrum in zijn hersenen was aangetast. Hij zei dat hij de afgelopen negen jaar geen oog had dichtgedaan.

Ik wist niet of deze ernstige vorm van slapeloosheid een verzinsel of het gevolg van waanvoorstellingen was.

Hij had het landgoed gekocht van de teruggetrokken erfgenaam en het huis gerenoveerd en uitgebouwd, in de stijl van Addison Mizner, een wilde mix van Spaanse, Moorse, gotische, Griekse en romaanse invloeden en die van de renaissance. Brede kalkstenen trappen voerden naar de gazons en tuinen.

Toen ik in dit uur voordat de zon opkwam over het gemillimeterde grasveld naar het hoofdgebouw liep, hoorde ik de coyotes in de heuvels niet meer huilen, want ongetwijfeld sliepen die nu nadat ze zich aan konijnen te goed hadden gedaan. De kikkers hadden hun keel urenlang schor gekwaakt, en de krekels waren door de kikkers opgegeten. Een vredige maar kortstondige stilte kenmerkte deze zondige wereld.

Het was mijn bedoeling om naar het terras aan de zuidkant te gaan om lekker in een ligstoel plaats te nemen tot het licht in de keuken aan zou gaan. De kok, meneer Shilshom, begon zijn werkdag altijd voor zonsopgang.

Ook de twee voorgaande dagen was ik in alle vroegte naar de kok gegaan, niet alleen omdat hij fantastische ontbijtpasteitjes maakte, maar ook in de hoop dat hij me misschien iets over de geheimen van Roseland zou kunnen vertellen. Hij pareerde mijn nieuwsgierigheid door net te doen alsof hij het culinaire equivalent van een verstrooide professor was, maar ik hoopte dat het hem zoveel moeite kostte die façade hoog te houden dat hij op een gegeven moment zijn mond voorbij zou praten.

Als gast had ik vrij toegang tot alle vertrekken op de begane grond van het hoofdgebouw: de keuken, de salon, de leeskamer, de biljartkamer, noem maar op. Meneer Wolflaw en het inwonende personeel hadden overduidelijk de bedoeling zichzelf als heel gewone mensen te presenteren die niets te verbergen hadden. Ik moest vooral de indruk krijgen dat Roseland een charmant onderkomen zonder geheimen was.

Ik wist wel beter, door mijn speciale gave, mijn intuïtie, en mijn uitstekende onzindetector – en nu ook omdat ik de vorige avond een glimp van iets had opgevangen wat honderd stations na Oz op de Tornadolijn lag.

Als ik stel dat op Roseland het kwaad heerste, bedoel ik daar niet mee te zeggen dat iedereen daar – of zelfs ook maar een van hen – door het kwaad bevangen was. Ze waren een excentriek stelletje bij elkaar, maar excentriek impliceert meestal een zekere deugdzaamheid, of in elk geval een gebrek aan kwaadaardige bedoelingen.

De duivel en zijn demonen zijn voorspelbaar en niet opwindend, omdat ze enkel gericht zijn op het ontwrichten van de waarheid. Voor de complexe geest is de misdaad – in tegenstelling tot het oplossen ervan – een tamelijk saaie aangelegenheid, al is hij voor de simpele ziel mateloos fascinerend. Eén film over Hannibal Lecter is zinderend spannend, een tweede daarentegen is een saaie bedoening. We smullen van een televisieserie waarin steeds dezelfde held te zien is, maar als steeds dezelfde slechterik ten tonele wordt gevoerd, vinden we dat al snel eentonig worden, omdat het er zo dik bovenop ligt dat die figuur ons steeds probeert te choqueren. De deugdzaamheid stimuleert de fantasie, het kwaad vervalt steeds in herhaling.

Op Roseland sluimerden bepaalde geheimen. Er bestaan tal van redenen om geheimen te bewaren, en achter de meeste daarvan steekt geen kwaad.

Toen ik op de veranda in een ligstoel plaatsnam en wachtte tot het licht in de keuken zou aangaan, nam de nacht een intrigerende wending. Ik zeg opzettelijk niet een *onverwachte* wending, omdat ik in de loop der jaren heb gemerkt dat ik zo ongeveer alles kan verwachten.

Vanaf het terras liep een brede trap naar een ronde fontein die geflankeerd werd door bijna twee meter hoge urnen, ontworpen in de Italiaanse renaissancestijl. Achter de fontein leidde een tweede trap naar een glooiend gazon met aan weerszijden een heg en een serie kleine watervallen, met hoge cipressen ernaast. Het geheel liep over een afstand van honderd meter omhoog naar een terras boven op de heuvel, met daarop een rijkversierd, raamloos, kalkstenen mausoleum dat meer dan tien meter lang en breed was.

Het mausoleum dateerde uit 1922, toen het nog niet bij de wet verboden was op privéterrein iemand te begraven. In deze majestueuze graftombe lagen geen lijken te vergaan. In nissen stonden urnen, die met as gevuld waren. Hier werden de stoffelijke resten bewaard van Constantine Cloyce, van diens vrouw Madra, en van hun enig kind, dat op jonge leeftijd was overleden.

Plotseling lichtte het mausoleum op, alsof het van glas was, als een reusachtige olielamp die een gouden gloed uitstraalde. De dadelpalmen achter het gebouw werden erdoor beschenen, en de palmbladeren deden me denken aan uiteenspattend vuurwerk.

Een troep kraaien steeg met wild gefladder uit de bomen op, te zeer opgeschrikt om te krijsen. De vogels zochten een goed heenkomen in de donkere lucht.

Geschrokken kwam ik overeind, iets wat ik altijd doe als een gebouw op onverklaarbare wijze begint te gloeien.

Ik kan me niet meer herinneren dat ik de eerste trap opging, noch dat ik om de fontein heen liep en langs de volgende trap in de richting van het mausoleum ben gelopen. Als bij toverslag stond ik ineens halverwege het grote gazon dat naar het mausoleum voerde.

Ik had die graftombe al eerder bezocht en wist dat de muren zo dik waren als die van een munitiebunker.

Nu leek hij op een volière van geblazen glas, waarin groepen lichtgevende elfjes leefden.

Hoewel er geen geluid te horen was, voelde ik drukgolven, die tegen me aan kwamen en dwars door me heen gingen, alsof ik een aanval van synesthesie kreeg en het geluid van de stilte vóélde.

De schokken die ik voelde, waren de betoverende krachten waardoor ik de trappen op was gelopen, hier naar het gazon toe. Ze leken door me heen te kolken, een pulserende maalstroom die me in een soort trance bracht. Toen ik merkte dat ik verder de heuvel op liep, probeerde ik me te verzetten tegen de kracht die me naar het mausoleum voerde. Ik slaagde erin stil te blijven staan.

De drukgolven die door me heen gingen, vervulden me met een verlangen naar iets wat ik niet kon benoemen, een geweldige prijs die mij zou toekomen als ik naar het mausoleum zou gaan, naar het vreemde licht dat door de transparante muren scheen. Ik bleef me verzetten, en uiteindelijk voelde ik dat de kracht steeds minder vat op me kreeg, en dat het licht in het mausoleum langzaam doofde.

Vlak achter me hoorde ik een zware mannenstem, met een accent dat ik niet kon thuisbrengen: 'Ik heb je gezien...'

Verschrikt draaide ik me om – maar er stond niemand op het gras tussen mij en de kabbelende fontein.

Achter me, iets zachter dan eerst, maar zeer indringend, alsof de mond die de woorden vormde zich niet meer dan een paar centimeter van mijn linkeroor bevond, maakte de man zijn zin af: '... waar je nog niet geweest bent.'

Weer draaide ik me om, en weer was er niemand te bekennen.

Terwijl het licht dat uit het mausoleum kwam steeds zwakker werd, zei de stem fluisterend: 'Ik ben van jou afhankelijk.'

Elk woord klonk zachter dan het voorgaande. Het werd weer stil toen het gouden schijnsel zich achter de kalkstenen muren van de graftombe terugtrok.

*Ik heb je gezien waar je nog niet geweest bent. Ik ben van jou afhankelijk.*

Het was geen geest die dit gezegd had. Ik zíé de doden die op aarde blijven rondhangen, maar deze man had zich niet laten zien. Bovendien kunnen de doden niets zeggen.

Zo nu en dan proberen overledenen met me te communiceren, niet alleen door te knikken en gebaren te maken, maar ook door een mimespel op te voeren, wat een frustrerende bezigheid kan zijn. Net als elke burger die geestelijk gezond is, bekruipt me altijd de neiging om mimespelers te wurgen als ik toevallig in een voorstelling verzeild raak, maar een mimespeler die al dood is, zal daar totaal niet van onder de indruk raken.

Ik draaide me volledig om mijn as, zag nog steeds niemand, en zei desondanks: 'Hallo?'

Het enige antwoord dat ik kreeg, was afkomstig van een krekel die ontkomen was aan de vraatzuchtige kikkers.

# 3

De keuken van het hoofdgebouw was niet zo ontzettend groot dat je er een partijtje tennis in kon spelen, maar de twee kookeilanden in het midden waren groot genoeg om erop te kunnen pingpongen.

Sommige aanrechtbladen waren van zwart graniet, andere van roestvrij staal. Mahoniehouten kasten. Een witte tegelvloer.

Nergens stond een gezellige koekjestrommel met beertjes erop, nergens lag keramisch fruit, nergens hingen kleurige theedoeken.

In de warme keuken rook het naar croissantjes en ons dagelijks brood. Het gezicht en het postuur van meneer Shilshom wekten de indruk dat al zijn slechte eigenschappen met eten te maken hadden. Hij droeg kleine witte sportschoenen, alsof hij de voetjes van een danseres had, terwijl zijn benen zo dik als die van een sumoworstelaar waren. Op zijn monumentale torso leidde een serie dubbele kinnen naar een vrolijk gezicht met een mond als een handboog, een neus als een klok, en ogen zo blauw als die van de Kerstman.

Ik ging bij een van de kookeilanden op een krukje zitten, terwijl de kok twee grendels op de deur schoof waardoor ik binnen was gekomen. Overdag werden de deuren niet vergrendeld, maar van zonsondergang tot zonsopgang hielden Wolflaw en zijn personeel alle deuren op slot, zoals hij Annamaria en mij dat ook op het hart had gedrukt om te doen.

Met zichtbare trots zette meneer Shilshom een schaaltje voor me neer met daarop de eerste grote croissant die uit de oven kwam. De geuren van het roomboterdeeg en de warme marsepein stegen omhoog als een offer aan de god van de culinaire overvloed.

Ik snoof het heerlijke aroma op en oefende me in het uitstellen van de onmiddellijke bevrediging door op te merken: 'Ik ben maar een eenvoudige snelbuffetkok. Hier neem ik echt mijn petje voor af.'

'Ik heb je pannenkoeken en je gebakken aardappels geproefd. Jij zou ook heel goed dit soort dingen kunnen maken.'

'Ik niet, meneer. Als er geen bakspaan aan te pas komt, is het een gerecht dat boven mijn kunnen ligt.'

Ondanks zijn stevige postuur bewoog meneer Shilshom zich gracieus als een danser voort en waren zijn handen zo vaardig als die van een chirurg. In dat opzicht deed hij me denken aan mijn honderdtachtig kilo zware vriend en mentor, de detectiveschrijver Ozzie Boone, die een paar honderd kilometer verderop woonde, in mijn geboorteplaats Pico Mundo.

Verder had de zwaarlijvige kok weinig met Ozzie gemeen. De opmerkelijke meneer Boone was buitengewoon spraakzaam, wist van bijna alles wel iets af, en was overal in geïnteresseerd. Voor het schrijven van romans, voor eten en voor elke conversatie liep Ozzie net zo warm als David Beckham dat voor elke voetbalwedstrijd deed, al zweette hij daarbij niet zo erg als Beckham.

Meneer Shilshom leek daarentegen alleen geïnteresseerd in bakken en koken. Als ik een gesprek met hem aanknoopte terwijl hij aan het werk was, kwam hij altijd zo verstrooid over – echt of voorgewend – dat zijn antwoorden vaak niets met mijn opmerkingen en vragen te maken leken te hebben.

Ik was hier gekomen in de hoop dat hij wat parels aan informatie zou prijsgeven, een nuttige aanwijzing waarmee ik de waarheid omtrent Roseland zou kunnen achterhalen, zonder dat hij door zou hebben dat ik zijn schelp had opengebroken.

Eerst verorberde ik de helft van het overheerlijke croissantje, meer niet. Door me op deze manier in te houden, bewees ik aan mezelf dat ik over een uitzonderlijke mate van zelfbeheersing beschik, ondanks de stress en de problemen waarmee ik steeds geconfronteerd word. Vervolgens at ik de rest op.

De kok was met een buitengewoon scherp mes bezig gedroogde abrikozen in stukjes te snijden toen ik uiteindelijk klaar was met het aflikken van mijn lippen. Ik zei: 'Voor de ramen van de toren zitten tralies, maar hier niet.'

'Het hoofdgebouw is gerenoveerd.'

'Dus vroeger zaten er wel tralies voor de ramen?'

'Zou kunnen. Was voor mijn tijd.'

'Wanneer is het huis dan verbouwd?'

'Jaren geleden.'

'Hoeveel jaren geleden?'

'Mmmmm.'

'Hoe lang werkt u hier al?'

'O, al jaren.'

'Wat hebt u een goed geheugen.'

'Mmmmm.'

Meer kwam ik niet te weten over de geschiedenis van de getraliede ramen op Roseland. De kok richtte zich volledig op het in stukjes snijden van de abrikozen, alsof hij bezig was een bom onschadelijk te maken.

Ik zei: 'Meneer Wolflaw heeft toch geen paarden, wel?'

Geheel door zijn klusje in beslag genomen, zei de kok: 'Geen paarden.'

'De oefenbak en de arena zijn helemaal overwoekerd.'

'Overwoekerd,' vond ook de kok.

'Maar de stallen zien er piekfijn uit.'

'Piekfijn.'

'Ze zijn zo smetteloos als een operatiekamer.'

'Schoon, heel schoon.'

'Ja, maar wie maakt ze schoon?'

'Iemand.'

'De muren zitten strak in de verf, en alles glanst en glimt.'

'Glanst en glimt.'

'Maar waarom – als er toch geen paarden zijn?'

'Tja, waarom?' zei de kok.

'Misschien wil hij paarden gaan houden.'

'Kijk eens aan.'

'Wil hij paarden gaan houden?'

'Mmmmm.'

Hij pakte de abrikozenstukjes en deed ze in een grote schaal. Vervolgens schudde hij een zakje pecannoten boven een snijplank leeg.

Ik vroeg: 'Hoe lang is het geleden dat er paarden op Roseland werden gehouden?'

'Een hele tijd geleden.'

'Dus dat paard dat ik soms over het terrein zie rondlopen, is waarschijnlijk van de buren.'

'Zou kunnen,' zei hij terwijl hij de pecannoten in tweeën begon te snijden.

Ik vroeg: 'Hebt u dat paard ook gezien, meneer?'

'Een hele tijd geleden.'

'Het is een grote zwarte hengst, met een schofthoogte van bijna anderhalve meter.'

'Mmmmm.'

'In de leeskamer staan heel wat boeken over paarden.'

'Ja, de leeskamer.'

'Ik heb dit specifieke paard opgezocht. Volgens mij is het een Fries paard.'

'Kijk eens aan.'

Zijn mes was zo scherp dat de pecannoten totaal niet verkruimelden toen hij ze doormidden sneed.

Ik zei: 'Hebt u daarnet ook dat vreemde schijnsel gezien, meneer?'

'Gezien?'

'In het mausoleum.'

'Mmmmm.'

'Een gouden gloed.'

'Mmmmm.'

Ik zei: 'Mmmmm?'

Hij zei: 'Mmmmm.'

Het zou best kunnen dat het licht dat ik had waargenomen, alleen zichtbaar was voor mensen die net als ik over een zesde zintuig beschikten. Maar ik vermoedde dat meneer Shilshom veel meer wist dan hij wilde laten blijken.

De kok stond over de snijplank gebogen en tuurde zo ingespannen naar de pecannoten dat hij me deed denken aan Mr. MaGoo die probeerde de kleine lettertjes op een potje met pillen te lezen.

Om hem te testen zei ik: 'Dat lijkt wel een muis die daar bij de koelkast zit.'

'Kijk eens aan.'

'Of nee, sorry, het is een grote oude rat.'

'Mmmmm.'

Óf hij ging volledig op in zijn werk, óf hij was een begenadigd acteur.

Ik liet me van mijn kruk glijden en zei: 'Nou, ik weet niet precies waarom, maar ik denk dat ik mijn haar maar eens in brand ga steken.'

'Tja, waarom.'

Ik draaide mijn rug naar de kok toe, liep naar de deur die toegang tot het terras gaf, en zei: 'Misschien krijg je dikker haar als je het om de zoveel tijd wegbrandt.'

'Mmmmm.'

Het getik van het mes dat de pecannoten halveerde, was stilgevallen.

In een van de vier ruitjes van de keukendeur zag ik meneer Shilshom weerspiegeld. Hij hield me in de gaten; zijn ronde gezicht was zo bleek als zijn witte koksbuis.

Ik deed de deur open en zei: 'De zon is nog niet op. Misschien loopt er nog een poema rond die hier en daar aan de deuren voelt of er een open is.'

'Mmmmm,' zei de kok, die deed alsof hij dusdanig door zijn werkzaamheden in beslag werd genomen dat hij weinig aandacht voor mij had.

Ik ging naar buiten, trok de deur achter me dicht, en liep het terras over naar de voet van de trap. Daar bleef ik naar het mausoleum staan kijken tot ik hoorde dat de chef de twee grendels dichtschoof.

Over een paar minuten zou de zon achter de bergen opkomen. De niet-fuut krijste weer, voor de laatste keer, vanuit een afgelegen hoek van het uitgestrekte terrein dat bij het landgoed hoorde.

Het sombere geluid bracht een beeld bij me naar boven dat deel had uitgemaakt van de droom over Auschwitz, de droom waaruit ik door de nachtelijke kreet was ontwaakt: *ik sterf van de honger, ben verzwakt, heb een schep in mijn handen, moet dwangarbeid verrichten, ben bang om twee keer dood te gaan, wat dat ook maar te betekenen mag hebben. Ik schep niet diep genoeg volgens de bewaker, die de schep uit mijn handen schopt. De stalen punt van zijn laars snijdt in mijn rechterhand, en tot mijn ontzetting komt er uit de snee geen bloed, maar grijze as, geen kooltje, maar koude grijze as, die aan één stuk door uit de wond stroomt...*

Toen ik terugliep naar het eucalyptusbos, verflauwden de sterren in het oosten, en de lucht verkleurde in het eerste zwakke schijnsel van de ochtend.

Annamaria – de Dame met het Belletje – en ik waren nu drie nachten en twee dagen op Roseland. Ik had het idee dat onze tijd hier binnen niet al te lange tijd ten einde zou lopen, en dat onze derde dag in geweld zou uitmonden.

# 4

Tussen onze geboorte en onze begrafenis spelen we mee in een blijspel vol mysteries.

Wie niet vindt dat het leven mysterieus is, wie denkt dat hij alles overziet, let niet goed op, of heeft zich met drank of drugs verdoofd, of met een troostrijke ideologie.

En als je vindt dat het leven helemaal geen blijspel is – nou, beste vriend, dan kun je maar beter haast maken met die begrafenis van je. De rest van de mensheid zit namelijk te springen om lieden met wie we kunnen lachen.

Toen de zon opkwam, liep ik langs de stenen wenteltrap van de toren omhoog naar de eerste verdieping, waar Annamaria al zat te wachten.

De Dame met het Belletje kan soms heel droge opmerkingen maken, maar ze zit meer vol mysterie dan vol humor.

Toen ik op de deur van haar suite klopte, ging die vanzelf open, alsof ik de deur ontgrendeld had en hem in beweging had gezet.

De twee smalle, diepe ramen zagen er middeleeuws uit, als vensters waardoor Rapunzel haar lange haar naar beneden had gelaten, en er viel weinig van het vroege ochtendlicht door naar binnen.

Annamaria zat aan een kleine eettafel, met haar fijngevormde handen om een dampende mok, en ze werd beschenen door het licht van een staande schemerlamp van brons met een gebrandschilderde kap en een sierlijke gele roos erin verwerkt.

Ze wees naar een tweede mok die op tafel stond en zei: 'Ik heb wat thee voor je ingeschonken, Oddie,' alsof ze precies had geweten wanneer ik haar kamer zou binnenstappen. Ik had mijn komst niet aangekondigd.

Noah Wolflaw beweerde dat hij al negen jaar geen oog meer dichtgedaan had, wat hoogstwaarschijnlijk een verzinsel van hem was. Maar in de vier dagen dat ik Annamaria nu kende, sliep ze nooit wanneer ik haar wilde spreken.

Op de bank lagen twee honden. Een ervan was een golden retriever, die ik Raphael had genoemd, een lief beest dat in Magic Beach met me mee was gelopen.

De witte bastaard met duidelijke trekken van een Duitse herder, Boo, was een spookhond, de enige hondengeest die ik kende. Hij vergezelde me al vanaf mijn tijd in St. Bartholomew's Abbey, waar ik een tijdje als gast had doorgebracht voordat ik naar Magic Beach was gegaan.

Voor een jongen die altijd terugverlangde naar zijn geboorteplaats Pico Mundo, die van eenvoud en stabiliteit en tradities hield, die de vrienden koesterde met wie hij daar was opgegroeid, was ik in te grote mate een zigeuner geworden.

Daar had ik niet zelf voor gekozen. De gebeurtenissen hadden die keuze voor me gemaakt.

Ik ben nog aan het leren hoe ik zin aan mijn leven kan geven, en dat leer ik door daar naartoe te gaan waar ik naartoe moet, met de metgezellen die ik onderweg tegenkom.

Dat is in elk geval wat ik me voorhoud. Ik ben er tamelijk zeker van dat ik dit niet doe om alsmaar niet te hoeven studeren.

In deze onzekere wereld ben ik slechts van weinig dingen zeker, maar ik ben ervan overtuigd dat er een reden is waarom Boo bij me blijft. Het is niet omdat hij bang is voor het hiernamaals

– zoals bij sommige menselijke geesten het geval is – maar omdat ik hem op een kritiek punt op mijn reis nodig zal hebben. Ik wil niet beweren dat hij mijn beschermengel is of op een andere manier over me waakt, maar toch voel ik me veilig doordat hij bij me is.

Beide honden begonnen te kwispelen toen ze me zagen. Alleen de staart van Raphael klopte hoorbaar tegen de bank.

In het verleden ging Boo vaak met me mee, maar op Roseland bleven beide honden bij deze vrouw, alsof ze over haar waakten.

Raphael was zich bewust van de aanwezigheid van Boo, en Boo zag soms dingen die ik niet kon zien, wat doet vermoeden dat honden vanwege hun onschuld de volledige werkelijkheid van het bestaan zien, iets waarvoor wij ons hebben afgeschermd.

Ik ging tegenover Annamaria aan tafel zitten, nam een slok thee en merkte dat er perziknectar in zat. 'Meneer Shilshom is nep.'

'Hij kan heerlijk koken,' zei ze.

'Hij kan inderdaad heerlijk koken, maar hij is niet zo onschuldig als hij zich voordoet.'

'Dat gaat voor iedereen op,' zei ze, met zo'n subtiele glimlach dat vergeleken daarbij die van Mona Lisa een bulderlach was.

Vanaf het allereerste moment dat ik Annamaria zag, op een pier in Magic Beach, wist ik dat ze een vriend nodig had en dat ze op de een of andere manier anders was dan de meeste mensen, niet anders zoals ik anders ben, met mijn voorspellende dromen en mijn gave om geesten te zien, maar anders op haar eigen manier.

Ik wist weinig van deze vrouw. Toen ik had gevraagd waar ze vandaan kwam, had ze gezegd: 'Van ver weg.' Uit de manier waarop ze dat zei en de geamuseerde blik waarmee ze me aankeek, maakte ik op dat dat een understatement was.

Aan de andere kant wist ze heel veel van mij. Nog voordat ik me had voorgesteld, wist ze al hoe ik heette. Ook wist ze dat ik geesten kon zien van overledenen die hier bleven ronddolen, hoewel ik daar alleen maar tegenover een handjevol van mijn beste vrienden over gesproken had.

Ondertussen had ik in de gaten dat ze meer was dan gewoon anders dan anderen. Ze was een complex raadsel, en ik zou haar geheimen nooit te weten komen, tenzij ze me de sleutel aanreikte waarmee de waarheid omtrent haar ontsloten zou kunnen worden.

Ze was achttien en leek al een maand of zeven zwanger te zijn. Voordat onze wegen elkaar kruisten, had ze een tijdje in haar eentje rondgezworven, maar ze leek niet te worden geplaagd door de twijfels of zorgen die andere meisjes in haar situatie zouden hebben.

Hoewel ze niets bezat, zat ze nooit om spullen verlegen. Ze zei dat mensen haar altijd gaven wat ze nodig had – geld, een slaapplaats – hoewel ze er nooit om vroeg. Ik had met eigen ogen gezien dat dat waar was.

We waren hier vanuit Magic Beach naartoe gegaan in een Mercedes die we van Lawrence Hutchison hadden geleend. Hutch was veertig jaar geleden een beroemde filmacteur geweest. Nu, op zijn achtentachtigste, schreef hij kinderboeken. Ik ben een tijdje bij hem in dienst geweest, om voor hem te koken en hem gezelschap te houden, nog voordat de boel in Magic Beach uit de hand was gelopen. Ik had met Hutch afgesproken dat ik de auto naar zijn achterneef Grover zou brengen, een advocaat in Santa Barbara.

Bij Grover op kantoor kwamen we Noah Wolflaw tegen, die net wegging en een cliënt van de advocaat was. Wolflaw voelde zich onmiddellijk tot Annamaria aangetrokken, en na een verbijsterend gesprekje, wat gesprekjes met haar vaak waren, had hij ons op Roseland uitgenodigd.

De overdonderende indruk die ze had gemaakt was niet van seksuele aard. Ze was niet knap of lelijk, maar ook was ze niet alledaags en onopvallend. Ze was tenger maar niet fragiel, en had een prachtige bleke huid. Ze straalde iets onweerstaanbaars uit, en ik was er nog steeds niet achter waar hem dat nou in zat.

Wat voor band er ook tussen ons mocht bestaan, romantiek maakte er geen deel van uit. Het gevoel dat ze bij me opwekte – en bij anderen – ging dieper dan een bepaald verlangen. Haar aanwezigheid stemde op de een of andere merkwaardige manier nederig.

Honderd jaar geleden zou het woord *charismatisch* misschien op haar van toepassing zijn geweest. Maar in een tijdsgewricht waarin die term gekoppeld wordt aan nietszeggende filmsterren en de laatste lichting celebrity's die hun roem slechts aan reality-tv te danken hebben, heeft het woord alle betekenis verloren.

Maar goed, Annamaria verlangde van niemand dat ze haar volgden, zoals een cultfiguur dat misschien geëist zou hebben. In plaats daarvan wekte ze bij mensen een verlangen op om haar te beschermen.

Ze had gezegd dat ze geen achternaam had, en hoewel ik niet snapte hoe dat ooit mogelijk was, geloofde ik haar ogenblikkelijk. Vaak was ze ondoorgrondelijk, maar zoals de mens geneigd is juist datgene te geloven wat moeilijk te bewijzen is, was ik ervan overtuigd dat Annamaria nooit loog.

'Ik denk dat we hier zo snel mogelijk weg moeten,' verklaarde ik.

'Mag ik niet eerst even mijn thee opdrinken? Moet ik à la minute naar de poort rennen?'

'Ik meen het. Er is hier iets gigantisch niet in de haak.'

'Er zal altijd iets gigantisch niet in de haak zijn, waar we ook naartoe gaan.'

'Maar niet zo erg als hier.'

'Waar moeten we dan heen?' vroeg ze.

'Maakt niet uit.'

Haar zachtmoedige stem kreeg nooit een pedante toon, hoewel ik het idee had dat ik meestal degene was die geduldig en allervriendelijkst werd toegesproken en dan te horen kreeg wat ik moest doen. 'Als het niet uitmaakt, kunnen we letterlijk overal naartoe en heeft het geen zin om hier weg te gaan.'

Ze had zulke donkere ogen dat ik haar pupillen niet van haar irissen kon onderscheiden.

Ze zei: 'Je kunt steeds maar op één plek tegelijk zijn, Oddie. Het is dus zaak altijd op de juiste plek te zijn, om de juiste reden.'

Voordat ik Annamaria leerde kennen, had alleen Stormy Llewellyn me ooit 'Oddie' genoemd.

'De helft van de tijd heb ik het idee dat je in raadsels tot me spreekt,' zei ik.

Ze keek me met haar rustige, donkere ogen strak aan. 'Het is door mijn missie en jouw zesde zintuig dat we hier nu zijn. Roseland is de magneet waar we naartoe zijn getrokken. We zouden nergens anders naartoe kunnen zijn gegaan.'

'Jouw missie. Wat is die missie van jou dan?'

'Daar zul je vanzelf achter komen.'

'Morgen? Volgende week? Over twintig jaar?'

'Alles op zijn tijd.'

Ik snoof het perzikaroma van de thee op, ademde met een zucht uit, en zei: 'Toen we elkaar in Magic Beach tegenkwamen, zei je dat er ontelbaar veel mensen waren die je wilden vermoorden.'

'Je kunt ze wel tellen, maar het zijn er zoveel dat je het precieze aantal niet hoeft te weten, net zomin als je hoeft te weten hoeveel haren je op je hoofd hebt om ze te kunnen kammen.'

Ze droeg sportschoenen, een kaki broek, en een ruimzittende beige trui met te lange mouwen. Doordat ze de mouwen had omgeslagen, viel het extra op dat ze erg dunne polsen had.

Annamaria was zonder enige bezittingen uit Magic Beach weggegaan, met alleen de kleren die ze aanhad, en ze was nog maar een dag op Roseland toen het hoofd van de huishouding, mevrouw Tameed, een koffer met kleren in het gastenverblijf neerzette, zonder dat Annamaria daarom gevraagd had.

Ook ik had alleen maar de kleren bij me die ik aanhad, maar niemand kwam op het idee míj kleren te geven, al was het maar een paar sokken. Op een gegeven moment was ik noodgedwongen de stad in gegaan om een broek, een paar truien en ondergoed te kopen.

Ik zei: 'Vier dagen geleden heb je me gevraagd of ik je wilde beschermen. Je maakt die opdracht nu onnodig moeilijk voor me.'

'Er is niemand op Roseland die het op mijn leven gemunt heeft.'

'Hoe weet je dat zo zeker?'

'Ze weten niet wat voor iemand ik ben. Als ik ooit vermoord word, zal dat gebeuren door mensen die weten wat voor persoon ik ben.'

'Wat voor iemand ben je dan?' vroeg ik.

'Diep in je hart weet je dat best.'

'Maar weet mijn hoofd dat ook?'

'Je wist het vanaf het moment dat je me daar op die pier hebt ontmoet.'

'Misschien ben ik niet zo slim als je denkt.'

'Je bent meer dan slim, Oddie. Je bent wijs. Maar je bent ook bang voor me.'

Van mijn stuk gebracht zei ik: 'Ik ben voor heel wat dingen bang, maar niet voor jou.'

Ze leek dat leuk te vinden, op een liefhebbende manier, niet neerbuigend. 'Je zult je angst vanzelf onder ogen zien, jongeman, en dan zul je weten wat voor persoon ik ben.'

Zo nu en dan noemde ze me 'jongeman', hoewel zij achttien was en ik bijna tweeëntwintig. Het zou vreemd geklonken moeten hebben, maar dat was niet het geval.

Ze zei: 'Ik ben hier op Roseland voorlopig veilig, maar er is iemand die in groot gevaar verkeert en die je erg nodig heeft.'

'Wie?'

'Vertrouw op je gave, dan kom je daar vanzelf achter.'

'Weet je nog dat ik je verteld heb van die vrouw op dat paard? Gisteravond kwam ik haar weer tegen. Ze maakte me duidelijk dat haar zoon hier is. Ongeveer tien is hij. En hij verkeert in gevaar, al weet ik niet hoe of wat, of waarom. Is hij degene die ik geacht word te gaan helpen?'

Ze haalde haar schouders op. 'Ik weet ook niet alles.'

Ik dronk mijn thee op. 'Volgens mij lieg jij nooit, maar op de een of andere manier lukt het je nooit om me een rechtstreeks antwoord te geven.'

'Als je te lang in de zon kijkt, kun je blind worden.'

'Weer zo'n raadsel.'

'Dat is geen raadsel, maar een metafoor. Ik vertel je op een indirecte manier hoe de waarheid in elkaar steekt, want als ik dat op een directe manier zou doen, zou je doorboord worden, zoals de felle zon je netvlies kan aantasten.'

Ik schoof mijn stoel achteruit. 'Ik hoop niet dat je uiteindelijk zo'n vage newagetype blijkt te zijn.'

Ze lachte zachtjes, en dat klonk me als muziek in de oren.

Omdat ze zo'n lieflijke lach had en mijn opmerking in vergelijking daarmee nogal bot klonk, zei ik: 'Dat was niet beledigend bedoeld.'

'Zo heb ik het ook niet opgevat. Je spreekt altijd vanuit je hart, en daar is niks mis mee.'

Toen ik opstond, begonnen de honden weer te kwispelen, maar ze kwamen geen van beide overeind om met me mee te gaan.

Annamaria zei: 'En trouwens, je hoeft echt niet bang te zijn om twee keer dood te gaan.'

Dat kon alleen maar een verwijzing zijn naar mijn nare droom over Auschwitz, en dat vond ik buitengewoon angstwekkend.

Ik zei: 'Hoe weet je wat ik gedroomd heb?'

'Droom je vaak dat je twee keer doodgaat?' vroeg ze, voor de zoveelste keer een rechtstreeks antwoord vermijdend. 'Als dat zo is, is daar geen enkele reden toe.'

'Wat betekent dat überhaupt: twee keer doodgaan?'

'Daar kom je vanzelf wel achter. Maar van alle mensen op Roseland, in deze stad, in deze streek en in dit land, ben jij misschien wel de laatste die erover in hoeft te zitten twee keer dood te gaan. Je zult maar één keer doodgaan, niet vaker, en die dood zal er op geen enkele manier toe doen.'

'De dood doet er altijd toe.'

'Alleen voor de levenden.'

Snap je nu waarom ik probeer mijn leven zo overzichtelijk mogelijk te houden? Als ik bijvoorbeeld boekhouder was en constant met de financiën van mijn cliënten bezig zou zijn, en ook nog eens de geesten van overledenen zag én Annamaria wilde begrijpen, zou mijn hoofd waarschijnlijk uit elkaar knallen.

De lamp wierp de schaduwen van de gele roos op de lampenkap over haar gezicht.

'Alleen voor de levenden,' herhaalde ze.

Soms, wanneer onze blikken elkaar kruisten, keek ik om de een of andere reden weg, en mijn hart begon dan van angst wild te bonzen. Ik was dan niet bang voor haar, maar voor... iets wat ik niet onder woorden kon brengen. Ik voelde me hulpeloos.

Ik keek naar de honden die op de bank lagen.

'Ik ben voorlopig veilig,' zei ze, 'maar jij niet. Als je ooit twijfelt aan de juistheid van wat je doet, zou Roseland wel eens je dood kunnen betekenen, en dan zou je maar één keer doodgaan.'

Onwillekeurig had ik mijn rechterhand naar mijn borst gebracht, naar het belletje dat onder mijn trui hing.

Toen ik Annamaria voor het eerst tegenkwam, op de pier in Magic Beach, droeg ze een prachtig bewerkt zilveren belletje, ter grootte van een vingerhoed, en dat belletje hing aan een zilveren kettinkje om haar nek. Het was toen het mooiste geweest wat ik die grijze dag had gezien.

Vier dagen voordat we naar Roseland gingen, was er iets uiterst vreemds gebeurd. Ze had het belletje afgedaan en het mij aangereikt, en ze had gevraagd: 'Ben je bereid je leven voor me te geven?'

Het was nog vreemder dat ik ja had gezegd en het hangertje had aangenomen, ondanks het feit dat ik haar nauwelijks kende.

Meer dan zeventien maanden geleden, in Pico Mundo, zou ik mijn leven hebben gegeven om Stormy Llewellyn te redden, mijn vriendin. Zonder enige aarzeling zou ik de kogels hebben opgevangen die voor haar bedoeld waren, maar het lot bood me niet de kans me voor haar op te offeren.

Daarna heb ik vaak betreurd dat ik toen niet samen met haar ben gestorven.

Ik hou van het leven, ik hou van de schoonheid van dit bestaan, maar zonder Stormy mist de wereld toch iets, ondanks alle schoonheid.

Toch zal ik mezelf nooit van het leven beroven, of mezelf moedwillig in een positie brengen waarin de dood onafwendbaar is, want zelfvernietiging zou de ultieme afwijzing van het geschenk van het leven zijn, een onvergeeflijke daad van ondankbaarheid.

Omdat ik zulke heerlijke jaren met Stormy heb meegemaakt, koester ik het leven. En ik hoop dat we uiteindelijk weer bij elkaar zullen zijn als ik haar de rest van mijn leven in mijn hart meedraag.

Misschien dat ik daarom voetstoots bereid was Annamaria te beschermen, terwijl ik nog steeds niet weet wie haar vijanden zijn. Met elk leven dat ik red, red ik misschien iemand die voor een ander net zo bijzonder is als Stormy voor mij was.

De honden keken elkaar met rollende ogen aan en richtten hun blik vervolgens weer op mij, alsof ze het gênant vonden dat ik Annamaria niet recht in de ogen durfde te kijken.

Uiteindelijk vond ik de moed om haar toch weer aan te kijken. Ze zei: 'De uren die voor je liggen, zullen je wilskracht op de proef stellen en je hart misschien breken.'

Hoewel deze vrouw het verlangen in me – en in anderen – naar boven haalde om haar te beschermen, kreeg ik soms het idee dat zij degene was die anderen bescherming bood. Met haar tengere postuur, bijna fragiel ondanks haar zevendemaands buik, had ze een kwetsbare indruk gemaakt, waardoor ze mijn sympathie had opgewekt en me naar zich toe had gehaald, zodat ze me veilig onder haar vleugels voor alle kwaad kon behoeden.

Ze zei: 'Voel je het op je afstormen, jongeman, een apocalyps, de apocalyps van Roseland?'

Ik drukte het belletje stevig tegen me aan en zei: 'Ja.'

# 5

Als iemand op Roseland ernstig in gevaar was en me dringend nodig had, zoals Annamaria had gezegd, was het misschien de zoon van de reeds lang overleden vrouw op het paard, al was hij vast niet meer zo jong als de geest dacht dat hij was. Ook als het niet om haar kind ging, had ik de indruk gekregen dat degene die gevaar liep dan tenminste familie van haar moest zijn. Intuïtief wist ik dat haar moord de sleutel vormde waarmee ik de rest van de mysteries op Roseland kon oplossen. Als haar moordenaar na al die tijd nog steeds vrij rondliep, zou degene die me nodig had misschien het volgende slachtoffer op zijn lijstje zijn.

De twee stallen waren minder groot en minder luxe uitgevoerd dan de stallen van Versailles, niet zo vol pracht en praal dat revolutionaire menigtes ertoe aan werden gezet de herhalingen van *Dancing with the Stars* te laten voor wat ze waren en met veel elan de bewoners van Roseland te vierendelen, maar het waren aan de andere kant ook geen goedkoop neergezette constructies. De twee bakstenen gebouwen met donker leisteen op het dak hadden gebrandschilderde ramen met bewerkte kalkstenen kozijnen, wat impliceerde dat de ruimte alleen voor betere paarden bedoeld was.

Geen van de boxen was direct van buitenaf toegankelijk. Aan de voorkant van de gebouwen zat een grote bronzen deur op verzonken rails die in de muur opzijgeschoven kon worden. De deuren wogen elk waarschijnlijk zo'n twee ton, maar waren zo vakkundig uitgehangen en de wielen zo goed gesmeerd dat ze zonder veel moeite geopend en gesloten konden worden.

Op elke deur stonden drie gestileerde paarden in art-decostijl die naar rechts sprongen, met daaronder het woord ROSELAND.

Het onkruid, dat in het veld nog tot aan mijn middel kwam, werd steeds korter naarmate ik dichter bij de eerste stal kwam. Op drie meter afstand van het gebouw was er geen onkruid meer te bekennen.

Van grotere afstand zou me misschien niets zijn opgevallen, maar nu merkte ik dat er iets niet in de haak was. Anderhalve meter voor de bronzen deur bleef ik staan.

Al voordat ik in mijn eerste nacht op dit landgoed wakker was geschrokken door de roep van de niet-fuut, voordat ik het spookpaard en zijn bevallige ruiter was tegengekomen, en voordat ik de schepsels van de gele lucht had gezien, had ik de indruk gekregen dat de dingen op Roseland wel en niet waren wat ze leken. Zeker indrukwekkend, maar niet nobel. Luxe, maar niet comfortabel. Elegant, maar door alle overdaad niet overtuigend.

Achter elke imponerende façade leek verrotting en verval schuil te gaan, iets wat ik bíjna kon zien. De mensen die op Roseland woonden en werkten, deden ontzettend hun best te doen alsof alles op Roseland normaal was, maar in elk hoekje en bij elke ontmoeting voelde ik dat ik misleid werd, dat de dingen waren vervormd, en dat zich iets vreemds verborgen hield.

Toen ik op de onbegroeide grond voor de staldeur stond, werd ik andermaal geconfronteerd met de bovennatuurlijke aard van Roseland. De zon was nog maar een halfuur op en stond links van me aan de hemel, zodat mijn lange ochtendschaduw naar rechts viel, naar het westen toe. Maar de stal had twéé schaduwen. Een ervan viel naar het westen, maar die was niet zo donker als die van mij, grijs in plaats van zwart. De tweede schaduw was korter maar net zo donker als die van mij, en viel richting het oosten, alsof de zon al een uur over het hoogste punt van de dag heen was.

Op de stoffige grond zag ik een steen en een gedeukt cola-blikje liggen, waarvan de schaduwen naar het westen wezen, zoals die van mij.

Tussen de twee stallen lag een oefenbak, die zo'n tien meter breed was en overwoekerd was met onkruid en wild gras dat door de herfstzon bruin was geworden. Ik liep naar de tweede stal en zag dat ook dit gebouw twee schaduwen had: een lange, grijze schaduw naar het westen, en een kortere, donkere schaduw naar het oosten, net als bij de andere stal.

Ik kon maar één reden bedenken waarom een gebouw twee tegengestelde schaduwen zou hebben, de ene minder donker dan de andere. Dan moesten er twee zonnen aan de hemel staan, een die net was opgekomen en nog niet de volle kracht had, en een felle zon die inmiddels alweer op weg was naar de westelijke horizon.

Boven me stond natuurlijk maar één zon aan de hemel.

In het midden van de oefenbak stond een twintig meter hoge magnolia, die in dit seizoen geen bladeren meer had. De in drie vertakkingen opgesplitste boom wierp een wirwar van inkt-zwarte schaduwen in westelijke richting, op de muur en het dak van de eerste stal, precies zoals op dit vroege tijdstip het geval zou moeten zijn.

Kennelijk werden alleen de twee gebouwen beschenen door zowel de zon die aan de hemel stond als de fantoomzon.

Ik was hier op mijn verkenningstochten al twee keer eerder geweest, en toen was me niets bijzonders opgevallen. De twee tegengestelde schaduwen manifesteerden zich alleen op dit moment.

Als zich buiten al een dergelijke onmogelijkheid manifesteerde, was ik benieuwd wat voor verrassingen me binnen stonden te wachten. In het ongebruikelijke leven dat ik leid, zijn er maar weinig verrassingen die iets met het winnen van de loterij hebben te maken; de meeste betreffen scherpe tanden, in letterlijke dan wel figuurlijke zin.

Toch besloot ik de deur een klein eindje open te schuiven, zodat ik naar binnen kon glippen. Ik stapte meteen naar links, met mijn rug naar de bronzen deur toe, om te voorkomen dat mijn silhouet zich in de deuropening zou aftekenen.

Links en rechts bevonden zich vijf ruime boxen, met halve deuren van mahoniehout of teak. Het gangpad ertussen was ongeveer drieënhalve meter breed en net als de vloer van de boxen met keien verhard.

Links achteraan bevond zich een zadelkamer, en daar tegenover een opslagruimte voor paardenvoer. Beide vertrekken waren leeg en werden zo te zien al een hele tijd niet meer gebruikt.

Ik dacht altijd dat stallen een aarden vloer hadden. Dat ze bestraat waren met keien was niet het enige waar ik me over verwonderde.

In elke box zat een glas-in-loodraam van ongeveer een meter breed en hoog. De meeste stukjes glas waren vierkantjes van bijna tien centimeter, met uitzondering van het glas dat rond een ovaal in het midden zat. In dit ovaal vormde een kabel van gedraaide koperen draden het getal acht op zijn kant.

Het glas zelf had een kopertint en verleende het binnenvallend daglicht een rosse gloed. Sommige mensen zouden die victoriaanse ramen associëren met de gezellige gloed van een open haard, maar mijn fantasie ging meer de kant op van kapitein Nemo, alsof de stal de *Nautilus* was die zich op grote diepte een weg baande door een zee van bloed en vuur. Maar dat is typisch iets voor mij om te denken.

Op de kozijnen tussen de staldeuren zaten koperen lampen. Ik deed het licht niet meteen aan, maar bleef doodstil in het rosse schijnsel en de inktzwarte schaduwen staan wachten en luisteren, al had ik geen idee wat ik kon verwachten.

Na een minuutje kwam ik tot de conclusie dat hierbinnen niets aan de hand was, ondanks de dubbele schaduwen buiten. Net als altijd was het binnen zo'n achttien graden, wat ongetwijfeld af te lezen was op de grote thermometer die op de deur van de zadelkamer was bevestigd. De lucht was reukloos, net zo puur als na onweersbuien. De stilte was bijna beklemmend: het gebouw kraakte niet in zijn voegen, er waren geen rondtrippelende muizen te horen, en ook kwam er geen geluid van buiten, alsof er buiten deze muren een kale wereld lag waarin niets bewoog.

Ik vond een muurschakelaar en deed de lampen aan. De stal lag er net zo smetteloos bij als de geurloze lucht al deed vermoeden.

Het was moeilijk voor te stellen dat de stallen ooit gebruikt waren, maar desondanks hingen er in het hoofdgebouw foto's en schilderijen van de favoriete paarden van Constantine Cloyce. Meneer Wolflaw vond dat ze een belangrijke rol in de historie van Roseland hadden gespeeld.

Tot nu toe had ik nog geen enkele foto of afbeelding van de vrouw in het witte nachtgewaad gezien. Het leek me dat ze minstens zo'n belangrijke rol in de historie van Roseland had gespeeld als de paarden. Blijkbaar vindt niet iedereen moord net zo relevant als ik.

Natuurlijk zou het best kunnen dat ik binnenkort een gang zou ontdekken waar portretten van dodelijk gewonde vrouwen in verschillende staat van ontkleding hingen. Gezien het feit dat ik nog nergens op Roseland ook maar één rozenstruik had gezien, hield ik er rekening mee dat de naam van het landgoed verwees naar de vrouwen die in de bloei van hun leven vermoord en begraven waren.

Mijn nekhaartjes stonden weer recht overeind.

Zoals ik ook bij voorgaande bezoekjes had gedaan, liep ik door de stal en bekeek ik de glanzende koperen schijven van twee of drie centimeter doorsnee die tussen de keien van kwartsiet lagen. Ze vormden glanzende, golvende lijnen die doorliepen over de hele lengte van het gebouw. In elk schijfje was het getal acht gegraveerd, rechtop of op zijn kant, afhankelijk van hoe je ertegenaan keek, hetzelfde symbool dat in de ramen zat.

Ik snapte niet waar die koperen schijfjes voor dienden, maar het leek me hoogst onwaarschijnlijk dat zelfs een onmetelijk rijke persbaron en filmmagnaat als Constantine Cloyce die dingen alleen voor het mooie had laten installeren.

'Wie ben jij, verdomme?'

Geschrokken draaide ik me om, en ik schrok nogmaals toen ik een reus met een kale kop zag staan. Er liep een loodgrijs litteken van zijn rechteroor naar zijn mondhoek, en een tweede over zijn voorhoofd, van zijn haar tot aan de brug van zijn neus. Zijn tanden waren zo scheef en geel dat hij geen enkele kans maakte als nieuwslezer op een van de landelijke televisiestations aangenomen te worden. Op zijn bovenlip zat koortsuitslag. Om zijn riem hingen twee holsters; aan één kant droeg hij een revolver, aan de andere kant een pistool. In zijn handen had hij een compacte volautomatische karabijn, mogelijk een uzi.

Hij was ongeveer twee meter lang, woog naar schatting zo'n honderdtien kilo, en oogde als de woordvoerder van de bond van steroïdenproducenten. Op zijn zwarte T-shirt stond in witte letters DE DOOD HEELT. Op zijn boven- en onderarmen waren huilende hyena's getatoeëerd, en zijn polsen waren ongeveer zo dik als mijn nek.

Er zaten heel wat ritszakken in zijn kaki broek, en zijn broekspijpen had hij in rood-zwarte, bewerkte leren cowboylaarzen gestoken, maar ondanks deze fashion statements zag hij er niet elegant uit. Hij droeg eenzelfde soort wapenriem als van de politie, met zakken vol snelladers voor de revolver en reservemagazijnen voor het pistool. Sommige broekzakken zaten propvol, misschien met nog meer munitie, of met trofeeën zoals menselijke oren en neuzen.

Ik zei: 'Lekker weertje voor februari.'

In *Othello* wordt jaloezie het groenogige monster genoemd.

Shakespeare was minstens duizend keer slimmer dan ik. Ik zou zijn sublieme gebruik van stijlfiguren nooit in twijfel willen trekken. Dít groenogige monster wekte echter de indruk totaal geen geduld te hebben met onbeduidende emoties als jaloezie en zachtmoedigheid, en leek meer op te hebben met haat, woede en bloeddorst. Hij oogde zo sinister dat hij zelfs geen rol in *Macbeth* zou kunnen krijgen.

Hij deed een stap naar me toe en priemde de uzi in mijn richting. 'Lekker weertje voor februari? Wat bedoel je daarmee?' Voordat ik de kans kreeg mijn opmerking toe te lichten, zei hij: 'Wat bedoel je daar verdomme mee, oet...' Hij gebruikte vervolgens een synoniem voor het mannelijk geslachtsdeel.

'Helemaal niets, meneer. Ik wilde alleen maar het ijs breken, snapt u, om een gesprekje aan te knopen.'

Hij keek me zo dreigend aan dat zijn wenkbrauwen de tussenruimte van een halve centimeter overbrugden en elkaar boven zijn neus raakten. 'Ben jij achterlijk of zo?'

Soms is het raadzaam om in penibele situaties net te doen alsof ik een intellectuele beperking heb, is mijn ervaring. Op die manier kun je bijvoorbeeld tijd rekken. Bovendien gaat het me tamelijk natuurlijk af.

Ik was geheel bereid me tamelijk onwetend voor te doen als dat was wat deze botterik wilde, maar voordat ik mijn imitatie van Lenny uit *Of Mice and Men* ten beste kon geven, zei hij: 'Het probleem met de wereld van vandaag is dat er allerlei ...klappers rondlopen' – hier gebruikte hij als voorvoegsel het synoniem voor teelballen – 'die het voor de rest verpesten. Als je alle achterlijke figuren uit de weg zou ruimen, zag de wereld er een stuk beter uit.'

Om aan te geven dat ik zo slim was dat de wereld niet zonder me kon, zei ik: 'In het tweede deel van *King Henry the Sixth* laat Shakespeare de opstandige Dick zeggen: "Laten we allereerst alle advocaten om zeep helpen."'

De wenkbrauwen doken weer naar elkaar toe, en de groene

ogen brandden als methaan. 'Ga je hier een beetje de wijsneus uithangen of zo?'

Tegen deze vent kon ik gewoon niet op.

Hij liep naar me toe, zette de loop van zijn uzi tegen mijn borst, en zei: 'Geef me eens één reden waarom ik jou hier niet ter plekke moet neerknallen, betweterige indringer die je bent.'

# 6

Als iemand een pistool heeft, en ik niet, en mij wordt vervolgens om een reden gevraagd waarom men mij niet overhoop zou moeten schieten, neem ik aan dat mijn gesprekspartner niet werkelijk van zins is mijn hoofd van mijn romp te knallen, want anders zou hij dat gewoon doen. Óf hij zoekt een aanleiding om zijn wapen weg te kunnen bergen, óf hij beschikt over zo bedroevend weinig fantasie dat hij gewoon doet wat hij talloze malen op tv en in films heeft gezien.

Maar onze groenogige held leek uit ander crimineel hout gesneden. Uit zijn manier van doen sprak dat hij geen reden nodig had om iemand koud te maken, dat een sterke innerlijke drang daartoe volstond, en zijn voorkomen deed vermoeden dat hij fantasie genoeg had en wel twintig bloedige manieren kon verzinnen om dit gesprek te beëindigen.

Het drong plotseling tot me door hoe ver de stallen van de rest van de gebouwen van Roseland af stonden.

In de hoop dat hij zich niet zou opwinden over wat ik te berde wilde brengen, zei ik: 'Nou, meneer, ik ben geen indringer, hoor. Ik ben hier als gast uitgenodigd.'

Hij keek me aan alsof hij niet onmiddellijk overtuigd was. 'Als gast uitgenodigd? Sinds wanneer laten ze opgeschoten stoethaspels op het terrein toe?'

Ik besloot geen aanstoot te nemen aan de onflatteuze beschrijving die hij van me gaf. 'Ik logeer in de toren in het eucalyptusbos. Ik ben er al drie nachten. Dit is de derde dag.'

Hij zette de uzi tegen mijn borst aan. 'Drie dagen en niemand die me daar iets over verteld heeft? Denk je soms dat ik zo dom ben dat ik me deze onzin van mijn brood laat eten?'

'Nee, meneer. Niet van uw brood.'

Zijn neusvleugels zetten zo sterk uit dat ik vreesde dat zijn hersenen door zijn neusgaten weg zouden stromen. 'Wat bedoel je daar nou weer mee, stoethaspel?'

'Ik bedoel dat u veel slimmer bent dan ik, want anders zou ik niet aan deze kant van de loop staan. Maar het is echt waar. Dit is mijn derde dag hier. Het kwam natuurlijk niet door mijn charmante uitstraling dat we zijn uitgenodigd, maar door het meisje dat bij me is. Niemand kan haar iets weigeren.'

Ik meende iets van sympathie in zijn blik te ontwaren toen ik het woord 'meisje' liet vallen. Misschien dacht hij dat ik een kind bedoelde. Soms hebben zelfs de meest hardvochtige en gewelddadige junkies een zwak voor kinderen.

'Dat is iets wat ik kan snappen,' zei hij. 'Jij komt hier met een supergeil ding aanzetten, en niemand wil dat Kenny daar iets vanaf weet.'

Ik had dus niet zijn gevoelige snaar geraakt, maar een andere snaar die ik liever niet wilde beroeren. 'Nou, nee, meneer. Nee, zo zou ik het niet willen noemen.'

'Wat niet?'

'Ze is heel lief, een beetje spiritueel, absoluut niet geil, kleedt zich een beetje sjofel, is zeven maanden zwanger, oogt eigenlijk niet heel bijzonder, maar iedereen vindt haar aardig, weet u, omdat het allemaal zo treurig is, zo'n meisje alleen, heeft verder niks, terwijl ze wel een kind krijgt. Dat laat niemand onberoerd.'

Kenny keek me aan alsof ik ineens in een vreemde taal was

begonnen te spreken, een vreemde taal waarvan de klanken hem zo tegenstonden dat het leek alsof hij me ter plekke overhoop wilde knallen, alleen om me mijn mond te laten houden.

Ik besloot van gespreksonderwerp te veranderen en legde een vinger op mijn bovenlip, op dezelfde plek als waar bij Kenny de koortsuitslag zat. 'Daar hebt u vast veel last van.'

Ik had niet gedacht dat ik hem nog meer tegen de haren in kon strijken, maar hij leek van verontwaardiging op te zwellen. 'Wil je beweren dat ik ziek ben?'

'Nee. Absoluut niet. Zo te zien bent u zo gezond als een paard. Elk paard zou in zijn handjes mogen knijpen als hij zo gezond was als u. Ik kan me alleen goed voorstellen dat u last zult hebben van dat kleine dingetje dat u daar hebt.'

Hij leek iets tot bedaren te komen. 'Dat doet allemachtig pijn.'

'Gebruikt u er medicijnen voor?'

'Tegen die stomme aften bestaan geen medicijnen. Die stomme dingen moeten vanzelf weer weggaan.'

'Dat zijn geen aften. Dat is een koortslip.'

'Iedereen zegt dat het aften zijn.'

'Aften zitten ín de mond en zien er anders uit. Hoe lang hebt u er al last van?'

'Zes dagen nu al. Het doet soms zo allemachtig zeer dat ik het wel kan uitschreeuwen van de pijn.'

Ik maakte een grimas om te laten zien dat ik hem helemaal snapte. 'Voelde u op die plek een tinteling voordat u dat kreeg?'

'Ja, precies,' zei Kenny. Hij keek me met grote ogen aan, alsof hij net had gemerkt dat ik een helderziende was. 'Een tinteling.'

Ik duwde de loop van zijn uzi achteloos opzij en zei: 'Bent u misschien blootgesteld geweest aan de felle zon of aan een schrale wind, vierentwintig uur voordat u die tinteling kreeg?'

'Wind. Voor vorige week was het even heel koud. Toen stond er een allemachtig koude noordwestenwind.'

'Dan komt het daardoor. Als je te veel wordt blootgesteld aan de zon of de wind, kunnen je lippen gaan irriteren. Wat u kunt doen, is er een beetje vaseline op smeren en zo veel mogelijk uit de zon en uit de wind blijven, dan moet het vanzelf weer overgaan.'

Kenny voelde met zijn tong aan de schrale lip, zag dat ik dat geen goed idee vond, en zei: 'Ben jij een dokter of zo?'

'Nee, maar ik ben bevriend met een paar dokters. U bent van de beveiliging, neem ik aan?'

'Zie ik eruit alsof ik hoofd van de afdeling amusement ben?'

Ik hoopte dat er inmiddels een soort band tussen ons was ontstaan en zei met een warme lach: 'Volgens mij bent u allemachtig leuk gezelschap als u eenmaal een paar biertjes ophebt.'

Hij ontblootte zijn scheve, donkergele tanden en plooide zijn lippen in een grijns die net zo aanlokkelijk was als een buidelrat die door een tientonner is overreden. 'Iedereen zegt dat die oude Kenny om te bescheuren is als je hem een paar biertjes geeft. Het probleem is dat ik na een stuk of tien biertjes niet meer zo vrolijk ben en dan dingen kapot ga maken.'

'Ik ook,' verklaarde ik, al had ik nooit meer dan twee biertjes op één dag gedronken. 'Maar ik moet met enige tegenzin zeggen dat ik ten zeerste betwijfel of ik wel net zoveel kapot zou kunnen maken als u.'

Ik had zijn trots aangeboord.

'Het zou kunnen dat ik in het verleden wel eens een memorabele puinhoop heb achtergelaten,' zei hij. De littekens in zijn gezicht werden rood, alsof de herinnering aan zijn destructieve acties de temperatuur van zijn gevoel van zelfwaarde deed stijgen.

Langzamerhand merkte ik dat het licht in de stal veranderde. Toen ik naar rechts keek, zag ik dat de zon nog steeds op de ramen stond, en het gebrandschilderde glas verspreidde nog steeds een rossig schijnsel, maar het licht was niet meer zo helder als eerst.

Kenny wees met de loop van de uzi naar de vloer, of misschien richtte hij zijn wapen op mijn schoenen, en hij zei: 'Hoe heet je eigenlijk, knul?'

Ik verstrakte enigszins en richtte mijn aandacht weer volledig op de reus, die ik nog lang niet voor me had ingepalmd.

'Nou,' zei ik, 'nu moet u niet denken dat ik een loopje met u neem of zo, want ik heet echt zo, ook al klinkt dat misschien raar. Ik heet Odd. Odd Thomas.'

'Met de naam Thomas is niks mis.'

'Dank u, meneer.'

'Odd is nog niet zo erg als je kijkt naar wat ouders kinderen kunnen aandoen. Ouders kunnen hun kinderen helemaal kapotmaken, man. Mijn ouders waren het lelijkste stelletje...'

Om te weten hoe Kenny zijn ouders vervolgens beschreef, moet men denken aan woorden die men nooit in geciviliseerd gezelschap zou laten vallen, woorden die te maken hebben met incest, met zelfbevrediging, met een grove overtreding van wetten die dieren beschermen tegen perverse verlangens van mensen, met een erotische fascinatie met de producten van een bekende fabrikant van ontbijtgranen, en het meest bizarre gebruik van de tong dat men zich kan voorstellen...

Bij nader inzien: doe maar niet. Kenny's typering van zijn ouders was uniek binnen de kleurrijke historie van de schuttingtaal. Ook al zou u nog zo lang nadenken over de raadsels die ik u heb opgegeven, altijd zou uw oplossing verbleken bij de omschrijving die hij van zijn ouders gaf.

Toen zei hij: 'Ik heet Keister van achternaam. Weet je wat Keister betekent?'

Hoewel er een voorzichtige vriendschap tussen ons leek te ontstaan, had ik de indruk dat ik van de ene minuut op de andere door Kenny uit zijn persoonlijke top tien geknikkerd kon worden om vervolgens net zo makkelijk op de dodenlijst te belanden. Ik was bang dat zijn korte lontje ontstoken zou worden als ik toegaf dat ik wist wat Keister betekende.

Maar hij had die vraag wel gesteld. Dus zei ik: 'Nou, meneer, het is straattaal, en sommigen gebruiken de term om er het zitvlak van iemand mee aan te duiden, dus waar je op zit, dus het zitvlak van je broek, of zelfs je billen, zeg maar.'

'Kont,' verklaarde hij. Hij sprak het woord grommend uit, met zo'n donderstem dat de ramen ervan trilden. 'Keister betekent kónt.'

Ik durfde even naar links te kijken, en zag dat de ramen op het westen een feller en roder schijnsel doorlieten dan een paar minuten geleden.

'Weet je wat mijn voornaam was, de naam die ze me gegeven hebben?' vroeg Kenny, tamelijk dwingend.

Ik keek hem weer aan, vond zijn voorkomen nog steeds angstaanjagend, en zei: 'Ze zullen u vast geen Kenny hebben genoemd.'

Hij deed zijn ogen dicht en haalde diep adem. Zijn gezicht vertrok, alsof hij een lastige boodschap had over te brengen.

Even overwoog ik als een speer naar de uitgang te rennen, maar ik was bang dat Kenny dan zou snappen dat ik hem aan het lijntje had gehouden en dat hij me dan in de rug zou schieten.

Hoewel iedereen op Roseland in meer of mindere mate excentriek te noemen was, probeerde iedereen zo normaal mogelijk te doen. Maar deze kleurrijke reus, deze lopende wapenkast met zijn jankende hyenatatoeages op zijn gespierde armen deed daar geen enkele poging toe. Ik zag hem met geen mogelijkheid samenwerken met de anderen van het beveiligingsteam die ik had ontmoet. Het lag het meest voor de hand dat hij niet bij de beveiliging van Roseland hoorde en dat hij voor geen cent te vertrouwen was.

Weer ademde hij diep in, liet de lucht uit zijn longen ontsnappen, deed zijn ogen open, en zei: 'Ze hebben me Bill genoemd. Bill Keister.'

'Wat gemeen van ze, meneer.'

'Driedubbel overgehaalde klootzakken,' zei hij, wat waarschijnlijk een milde verwijzing naar zijn ouders was. 'Vanaf de eerste dag op de kleuterschool werd ik gepest. Die kleine etterbuilen konden niet eens wachten tot ik in groep drie zat. Meteen toen ik achttien werd, heb ik mijn naam officieel laten veranderen.'

*In Kenny Keister?* had ik bijna gevraagd, maar gelukkig wist ik me in te houden.

'Kenneth Randolph Fitzgerald Mountbatten,' zei hij. Hij sprak de namen waardig uit, als een eersteklas toneelacteur van Britse komaf.

'Indrukwekkend,' zei ik. 'Ik mag wel zeggen: perfect gekozen.'

Hij bloosde bijna van genot. 'Het zijn namen die ik altijd al mooi heb gevonden, dus heb ik ze bij elkaar gezet.'

Helaas schoot me verder niets meer te binnen om te zeggen. Tenzij Kenny Mountbatten zich alsnog ontpopte als een onderhoudende gesprekspartner, hadden we het eind van ons onderhoud bereikt.

Het zou me niet hebben verbaasd als hij ons gesprek had beëindigd door me een kogel in mijn lijf te pompen.

In plaats daarvan keek hij om zich heen. Het viel hem blijkbaar ineens op dat het licht dat door de ramen viel, veranderd was. Hij keek zo verschrikt dat ik ondanks zijn afschrikwekkende littekens, zijn afzichtelijke gebit en zijn krokodillenogen iets van het bange, gepeste jongetje zag dat hij ooit was geweest.

'Ik ben laat,' zei hij. Zijn stem trilde van angst. 'Laat, laat, laat.'

Hij draaide zich om en rende naar de deur waardoor we allebei de stal hadden betreden. Terwijl hij dat woord maar bleef herhalen, holde hij naar buiten, niet zozeer als de Terminator die hij ogenschijnlijk was geweest, maar meer als het Witte Konijn dat bang was voor de straf die hem boven het hoofd hing als hij te laat bij de getikte Hoedenmaker op de thee kwam.

Aan de oostkant van de stal viel veel minder licht door de ramen naar binnen dan je zou verwachten op een dag die zo stralend was begonnen. De ramen op het westen gloeiden daarentegen als schitterende robijnen.

Een snel voor de zon geschoven wolkendek zou de reden kunnen zijn geweest dat er aan de oostkant minder licht naar binnen viel, maar dat verklaarde niet waarom het licht aan de westkant zo fel achter de ramen scheen. Even dacht ik aan de mogelijkheid van een bosbrand, met een donkere rookkolom in het oosten, torenhoge vlammen in het westen, maar ik rook geen rook, en bovendien leek het me sterk dat de lucifer van een brandstichter binnen enkele minuten een vlammenzee tot gevolg kon hebben.

Ik was niet van plan in volle vaart achter Kenny aan te gaan, en het liefst zou ik willen dat ik volledig uit zijn geheugen werd gewist. Daarom aarzelde ik voordat ik naar de deur liep waardoor hij naar buiten was gegaan. Die stond nu ongeveer een meter open.

In de deuropening bleef ik weifelend staan, omdat de wereld buiten niet was zoals die had moeten zijn.

Zoals eerst lag er buiten een onbegroeide strook van een meter of drie achter de deur, al zag ik de steen en het gedeukte colablikje niet meer. Daarna begon het onkruid, en verderop zag ik de mij bekende eiken die hun zwarte takken naar de hemel uitstrekten.

Maar de lucht had dezelfde onheilspellende kleur als toen de reusachtige vleermuizen aan waren komen vliegen. Boven me zag ik op grote hoogte as en roet die zich in golvende stromen in westelijke richting tegen de gele lucht aftekenden. De lucht in het oosten had een donkergele tint die naar zwart verkleurde. De nacht schoof op naar de bergen en de heuvels, mijn kant op, een nacht waarin geen ster doordrong in de apocalyptische mantel die de aarde omsloot.

Een paar minuten geleden was de ochtend nog maar pas begonnen, en nu al kroop de dag in de richting van de Stille Oceaan om daar te gaan slapen. Het mysterie van de twee schaduwen bleef in mijn hoofd hangen, maar ik had te weinig speurzin om de betekenis ervan te doorgronden of om te voorspellen welke ontknoping zich aan zou dienen.

Intuïtief snapte ik dat het gevaarlijk of zelfs levensbedreigend kon zijn om me in deze plotseling ingetreden schemering te wagen. Verderop zag ik het hoofdgebouw van Roseland liggen, dat op de een of andere manier totaal verschilde van de residentie die ik kende. En ongeacht de aard van dat verschil ging het vast niet om een goedaardige kracht die Roseland in een rozenparadijs zou veranderen.

Ik schoof de bronzen deur dicht, maar zag niet hoe ik hem kon afsluiten. Misschien wilde men geen paarden opsluiten voor het geval er brand zou uitbreken. En toen Roseland gebouwd werd, rond 1920, werd Californië niet geplaagd door paardendieven en hoefde men de deuren niet op slot te doen.

Toen ik over de keien en koperen schijfjes naar het midden van de ruimte liep, begonnen de lampen tussen de stallen steeds zwakker te branden. En toen gingen ze helemaal uit.

# 7

De nacht leek tegen de ramen aan de oostkant te drukken, terwijl er achter de gebrandschilderde ramen op het westen een vlammenzee leek te woeden. Binnen in de stal was het aardedonker, met uitzondering van de oranjerode vlakken die op de kozijnen en boxdeuren vielen.

In deze duisternis kon ik niet zien of alle voorwerpen in dit gebouw gewoon één schaduw hadden of net als buiten op onverklaarbare wijze meer dan een.

In de stal, waar tot op dat moment merkwaardigerwijs geen enkele geur te bespeuren was, rook het nu naar ozon, dat bleekwaterachtige aroma dat vaak ontstaat als het gebliksemd heeft en dat soms een uur blijft hangen nadat de onweersbui is weggetrokken. Maar vandaag had het helemaal nog niet geregend en was er zelfs geen sprake van enige bewolking.

Ik wist niet goed wat het was waar ik op stond te wachten, maar wel wist ik dat het geen cadeautjesactie van de plaatselijke middenstand zou zijn. Nu ik eraan terugdacht, leek Kenny's abrupte vertrek – 'Laat, laat, laat!' – niet zozeer op dat van iemand die zich moest haasten om op tijd op een afspraak te zijn, maar meer op dat van een man die doodsbang was dat hij hier nog was terwijl de zon al was ondergegaan. Zo'n potige, ruige, zwaarbewapende man. Bang als een jongetje.

De onverwachte schemering, die zo vroeg na zonsopgang inzette, had zulke kosmische consequenties dat het was of mijn hart verschrompelde en op hol sloeg, als dat van een lief konijntje dat ineens oog in oog staat met een vraatzuchtige wolf.

Angst kan je razendsnel naar het hoofd stijgen, nog sneller dan whisky. Blijkbaar had het lot een dubbele voor me ingeschonken. Ik moest mijn hoofd koel houden, nuchter blijven, me niet van mijn stuk laten brengen.

Achter de gebrandschilderde ramen op het oosten leek de nacht te zijn ingetreden – met uitzondering van de gekantelde acht in het midden, want dat koperkleurige symbool vertoonde in elk raam een felle gloed, terwijl de rest van het raam donker bleef. Volgens mij was het schijnsel geen weerspiegeling van het rode – en allengs zwakker wordende – licht dat door de tegenoverliggende ramen op het westen viel.

Nadat Kenny halsoverkop vertrokken was, was er in de stal een doodse stilte ingetreden, maar ineens hoorde ik iets bonzen, zachtjes. Het geluid kwam van buiten, bij de muur op het westen. Het was meer dan één ding. Verscheidene. Op diverse plekken langs die kant van het gebouw.

Bij een van de roodgetinte ramen doemde een gestalte op, maar er waren geen details te zien, alleen een silhouet dat zich tegen de ondergaande zon aftekende. Ik zag een hoofd, een maaiende arm, een klauwende hand.

Eerst dacht ik dat het een man was. Hoewel het hoofd en de arm en de hand misvormd waren, zou dat veroorzaakt kunnen zijn door de lage stand van de zon en de verschillende diktes van het glas.

Terwijl het rode zonlicht paars verkleurde, doemden er ook bij andere ramen schaduwen op, minder goed zichtbaar, in ernstiger mate vervormd. Het waren er een stuk of vijf. Met elke seconde kreeg ik steeds meer de indruk dat het geen mensen waren die bonzend tegen de muur en op de tast hun weg zochten.

Zo leken ze zich niets aan te trekken van het kabaal dat ze maakten, ondanks het feit dat er geen stemmen te horen waren. Zelfs als ze zo stil mogelijk willen doen, kunnen mensen zich vaak niet inhouden en mompelen ze iets of brommen of vloeken ze. Wij zijn zonder enige twijfel een kwetterende soort.

Bovendien waren de wezens die daar buiten liepen niet de stevigheid van de muur aan het testen, noch kondigden ze met hun kabaal hun komst aan. Ze liepen op de tast, zochten ongetwijfeld naar de ingang, maar dat deden ze niet zoals gewone mensen dat zouden doen. De nacht was nog niet volledig ingetreden. Buiten was het licht genoeg om nog iets te kunnen onderscheiden. De hortende en stotende manier van bewegen deed vermoeden dat ze, als het al mensen waren, blind of mank waren, of allebei.

Het leek me sterk dat een legioen gehandicapten het terrein van Roseland op was gekomen om eens een bezoekje aan de stallen te brengen of om mij op te zoeken – met wat voor reden? Ik hield mijn hart vast.

Ik wist niet wat voor wezens het waren van wie de schaduwen langs de ramen gleden en die tegen de muren sloegen, maar ik had geen zin ze te ontmoeten. En wat ze ook van me wilden, ik nam me bij voorbaat voor ze niet hun zin te geven.

De eerste die de hoek had bereikt, vond de deur op het noorden, de uitgang waardoor Kenny kortgeleden was gevlucht. Het wezen sloeg op het brons, niet als een beleefde manier om zijn komst aan te kondigen, maar alsof hij de aard van de barrière wilde bepalen. Naast het gebons hoorde ik ook zoekende geluiden rond de deurkruk.

Pas nu vroeg ik me af hoe Kenny aan die littekens op zijn gezicht was gekomen. Snel liep ik naar de deur op het zuiden.

Ik zag ertegen op om in deze betoverde nacht naar de stenen toren in het eucalyptusbos terug te lopen. Maar ik had nog minder zin hier te blijven en te zien wat deze figuren voor feestje in gedachten hadden.

Toen ik de deur aan de zuidkant naderde, dreunde het grote bronzen geheel doordat er van buitenaf op werd geslagen. Blijkbaar zocht ook hier iemand een manier om binnen te komen. Omdat ik maar een eenvoudige snelbuffetkok en geestenziener ben en niet ben behept met de gave om mezelf te teleporteren, zat ik in de val.

Links lag de zadelkamer, die niet kon worden afgesloten. Er stond geen meubilair in waarmee ik de deur kon barricaderen.

Ook in de tien lege paardenboxen kon ik me niet goed verstoppen.

Rechts van me bevond zich de opslagruimte voor paardenvoer, die ongeveer vier meter lang was. Omdat er geen ramen in zaten, was het er nu zo donker als in een kerker.

Bij een eerder bezoek was ik al in deze voorraadkamer geweest. Ik wist dat er aan de rechtermuur lege planken hingen, met daartegenover twee containers, anderhalve meter lang en diep, en iets meer dan een meter breed.

Op de container die het dichtst bij de deur stond, zaten drie deksels, die achteraan scharnierden, en de bak was in drie compartimenten verdeeld. Tenzij ik mezelf in stukken hakte en me over de verschillende vakken verdeelde, paste ik daar niet in.

De tweede container had twee deksels, maar vormde vanbinnen een geheel, was vakkundig geconstrueerd en bestond uit zware houten wanden, die aan de binnenkant met roestvrij staal verstevigd waren. Elke deksel viel in een rand, zonder dat er een rubberen afsluitring aan te pas kwam, misschien om te voorkomen dat muizen bij het voer konden komen.

Als er een redelijk alternatief voorhanden was geweest, zou ik nooit in die lege container zijn gaan zitten, een ruimte die me – dat herinnerde ik me nog – erg aan een doodskist had doen denken. Maar aangezien ik vermoedde dat de opdringerige lieden die op dit moment op beide deuren van de stal beukten me mogelijk vijandig gezind waren, kon ik ervoor kiezen op mijn dood te gaan wachten in de zadelkamer, in het gangpad of in een van de paardenboxen. In geen van deze mogelijkheden zag ik een redelijk alternatief.

Ik wist niet of mijn belagers over het gezichtsvermogen beschikten, maar ik was zo goed als blind toen ik de deur van het vertrek achter me dichtdeed – natuurlijk geen slot – en op de tast naar de tweede container liep. Ik deed een van de deksels omhoog en duwde die naar achteren totdat hij door een vergrendelingsmechaniek open bleef staan.

Ik hoefde niet heel zachtjes te doen, omdat degenen die pogingen deden de stal binnen te komen om daar een potje te gaan vergaderen of eten, nog steeds op de bronzen deuren sloegen en daarmee een hels kabaal produceerden.

Onder de deksel zat een vijftien centimeter lange greep met een knop eraan. Als je voor de geopende container stond en je eroverheen boog, kon je die greep pakken en de deksel daarmee wat heen en weer schuiven tot de vergrendeling losschoot.

Toen ik hoorde dat de deur aan de noordkant werd opengeschoven, dook ik met een zwaai in deze buitengewoon imperfecte verstopplaats en deed ik de deksel dicht. Daar zat ik, in de voedercontainer, in de hoop dat de naam niet zo toepasselijk zou zijn als in voorgaande jaren.

Ik zat op de bodem, met mijn gezicht naar voren gericht, en hield met beide handen de twee grepen vast die aan de deksels waren gelast. Als iemand dit vertrek zou betreden en een deksel wilde opendoen, hoopte ik dat hij de indruk kreeg dat alles in de loop der jaren was vastgeroest.

Ook de deur aan de zuidkant werd opengeschoven, wat ik extra goed kon horen, omdat de deur in de muur schoof die deel uitmaakte van deze voorraadkamer.

Nadat de deuren zo ver waren geopend dat de bezoekers erdoor naar binnen konden, werd alles stil, alsof ze zich in het midden van de stal hadden gegroepeerd en daar roerloos bleven staan. Wat deden ze?

Waarschijnlijk luisterden ze naar mogelijke geluiden die ik zou maken, zoals ik op dit moment zat te luisteren naar geluiden die zij maakten. Maar omdat ik in m'n eentje was en zij met z'n allen, zouden ze niet zo onzeker te werk hoeven te gaan en konden ze me op voortvarende wijze gaan zoeken.

Er verstreek een minuut. Ik vroeg me af of ze überhaupt waren binnengekomen of dat ze nog steeds buiten stonden, in de deuropening.

Even dacht ik dat de container misschien zo goed geïsoleerd was dat ik ze niet kon horen, maar aan de voorkant zaten twee rijen van vijf gaten, de ene zo'n dertig centimeter boven de andere. Elk gat was tien centimeter in doorsnee en afgedekt met fijn gaas, misschien bedoeld voor de ventilatie, om te voorkomen dat het graan zou gaan schimmelen. De meeste geluiden zou ik toch wel moeten kunnen horen.

De chloorachtige ozongeur werd zo penetrant dat ik bang was dat ik zou gaan niezen.

Zonder geloof om de boel aan te sturen is de menselijke geest een op hol geslagen zorgengenerator, een dynamo van negatieve verwachtingen. En doordat we over een vrije wil beschikken, kunnen we ons leven naar eigen inzicht vormgeven. Als je je te veel zorgen maakt en geen vertrouwen in de voorzienigheid hebt, zullen je angsten zich tegen je keren. Vaak zijn we zelf de oorzaak van onze problemen, van kleine misstappen tot complete rampen, doordat we ons leven zo lang inrichten naar onze angsten dat ze uiteindelijk uitkomen.

Ik hield me dan ook voor dat ik er niet over in moest gaan zitten dat ik misschien zou gaan niezen. Ik kon maar beter op de voorzienigheid vertrouwen. Als we in een staat van volmaakte eenvoud verkeren (zoals de dichter zei), zullen we door hoop en vertrouwen blijven drijven op de zee van het bestaan, terwijl we kopje-onder gaan als we ons door angst laten leiden.

Stilte op stilte… Net toen ik dacht dat de bezoekers waren weggegaan, ging de deur van de voorraadkamer open.

Degene die dat deed, had geen zaklantaarn. Blijkbaar was de dag nu geheel door de nacht verjaagd, want door de gaten in de containerwand zag ik dat er geen sprankje zonlicht in de stal doordrong.

Minstens een van de horde schuifelde het vertrek binnen. Ik had het vermoeden dat het om een forse, zwaarlijvige en mogelijk lange figuur ging, want hij bewoog zich moeizaam voort.

De eerste deksel van de container bij de deur ging open; de scharnieren piepten zachtjes. Vervolgens werd die met een klap dichtgeslagen. De tweede deksel. De derde.

Het onbekende wezen had in de aardedonkere container gekeken en geconstateerd dat die leeg was. Óf deze figuur beschikte over de meest geavanceerde nachtkijker van de wereld, óf hij kon net zo goed in het donker zien als een kat.

Ik hield de twee grepen van de deksels krampachtig vast en zette me schrap om ze dicht te houden.

Mijn belager schuifelde naar mijn container, deed niet onmiddellijk pogingen de deksels open te doen, maar tikte tegen het gaas dat voor de ventilatiegaten vlak voor mijn gezicht zat.

Ook als mijn opponent iets in deze duisternis kon zien, zou hij me waarschijnlijk toch niet goed kunnen zien zitten, omdat de gaten waren afgedekt met fijnmazig gaas. Toch zat ik danig in de rats bij de gedachte dat we nu oog in oog waren.

Ik mocht me nu niet af laten leiden, want dat was gevaarlijk. Ik moest geconcentreerd aan de grepen blijven hangen voor het geval mijn tegenstander ineens probeerde de deksels open te doen. Ik wilde hem het idee geven dat er geen beweging in te krijgen was en dat ze waren vastgeroest.

Weer werd er op het gaas getikt, wat klonk als pesterij, alsof mijn tegenstander wist waar ik was en me extra bang wilde maken, misschien om me in het angstzweet te marineren voordat hij me oppeuzelde.

Nu hoorde ik hem snuiven. Hij snoof bij de gaten, als een jachthond die een spoor te pakken had.

Ik was blij dat er zo'n sterke ozongeur hing, want daardoor was het vast lastiger om mijn geur te ruiken.

Het gesnuif zwol aan tot een krachtig gesnork, een ongelofelijk hard getril van de neusgaten en het septum, niet het gesnuif van een mens of een hond, maar van een roofzuchtig wezen.

De chloorachtige ozongeur prikte in mijn neus, maar ik vertrouwde er geheel en al op dat de voorzienigheid ervoor zou zorgen dat ik niet zou niezen. Ik weigerde me zorgen te gaan maken, wilde niet in negatieve gedachten blijven hangen, en ik niesde niet, niesde niet, niesde nog steeds niet, maar toen liet ik een wind.

# 8

In de holle, met staal versterkte container resoneerde mijn on-
gelukkige uitlating zo hard dat ik me zwaar vernederd zou hebben gevoeld als het me er in eerste instantie om te doen was geweest door de groep geaccepteerd te worden. Mijn eerste zorg
was echter om te overleven. Op dat moment bekroop me geen
enkele gêne omdat ik van doodsangst was vervuld.

Overal in dit rijpe tijdsgewricht van eigenliefde zijn narcisten
te vinden, wat me wel eens verbaast, omdat er in het leven zoveel is wat ons nederig zou moeten stemmen. We zijn stuk voor
stuk een potentiële bron van dwaasheden, en we krijgen allemaal
te stellen met de dwaasheden die anderen begaan, en daar komt
nog bovenop dat de natuur ons regelmatig doet inzien dat we
absurde wezens zijn, niet de meesters van het universum die we
ons soms wanen.

Al voordat ik mezelf verried door die onbetamelijke klank –
en even voor de duidelijkheid: meer dan een klank was het niet
– wist ik dat ik geen heer en meester van het universum was. Ik
hoopte alleen maar dat ik de heer en meester van de voedsel-
container was, en wel de *geheime* heer en meester.

De kans om die ambitie te verwezenlijken, was nu vervlogen.

Mijn belager krabbelde aan de deksel, probeerde eerst de ene en toen de andere met geweld open te krijgen, en daarna allebei tegelijk.

Ik hield me met de moed der wanhoop aan beide grepen vast. Ik had het gelukkig gemakkelijker dan mijn tegenstander, die nauwelijks greep op de deksels kon krijgen.

In zijn poging me te pakken te krijgen, snoof hij niet alleen zwaar door zijn neus, maar hij grauwde en gromde en bromde en piepte zelfs, wat mij in mijn vermoeden sterkte dat het niet om een exemplaar van de menselijke soort ging, want hij zei niet één keer 'godsamme'.

Er verschenen er nog meer van zijn soort in het duistere vertrek. Ze vormden een dreigend koor van beestachtige geluiden, en al leken hun stemmen geenszins op die van apen, toch deed deze kakofonie me denken aan een apenkooi tijdens een heftige onweersbui.

Mijn eerste belager bleef wild aan de deksels rukken. Zijn soortgenoten begonnen boven op de container en tegen de zijkanten te slaan. Ze probeerden mijn schuilplaats omver te duwen, maar daar was de container te zwaar voor, en bovendien was er te weinig ruimte om het ding op zijn kant te krijgen.

Ik voelde me net een muis die in een potje was gestopt en een speelbal van wrede jongetjes was geworden.

Omdat ik in mijn leven heel wat gevochten heb en achternagezeten ben, meer te voet dan in auto's, en omdat ik minder hamburgers heb gegeten dan ik voor anderen heb klaargemaakt, beschik ik over een heel behoorlijke lichamelijke conditie. Maar ik hield de deksels nu al zo lang en zo krampachtig vast, dat mijn armen zeer begonnen te doen.

Het werd met de minuut moeilijker om positief te blijven denken.

Een of meer van deze hongerige troep – als het trouwens het vooruitzicht op eten was dat hen motiveerde, en niet iets wat misschien nog erger zou zijn – krabde wild tegen het gaas dat voor de ventilatiegaten zat, en het bleef niet bij krabben. Het fijnmazige gaas scheurde met een geluid als dat van de tandjes van een piepkleine ritssluiting die wordt opengetrokken, wat deed vermoeden dat mijn tegenstanders messen hadden, of uitzonderlijk scherpe klauwen.

De gaten waren maar tien centimeter in doorsnee, dus ze konden niet bij me komen, maar wel konden ze me met messen of stokken prikken, wat ze elk moment konden gaan doen. Als ze een beetje in het donker konden zien, wat het geval leek te zijn, en als het gaas hun zicht op me niet langer blokkeerde, zouden ze precies weten waar ze moesten prikken voor het maximale effect.

Ik tuurde recht vooruit door de duisternis om te zien of er ogen te bespeuren waren, maar ik zag niets. Het was dat ze zo overduidelijk door een zekere woede werden voortgedreven, anders zou ik hebben gedacht dat ik met moordzuchtige robots te maken had, waarvan de ogen inktzwart waren, en dat ze bestonden uit camera's die het complete lichtspectrum opvingen zonder ook maar een sprankje licht terug te geven.

Van al het zweet waren mijn handen glibberig geworden, en ik verloor mijn grip op een van de hendels enigszins. Mijn eerste tegenstander reageerde daar onmiddellijk op en deed dubbel zijn best de deksels open te krijgen.

Mijn hart bonsde zo hard dat het wilde ritme als een tamtam in mijn oren klonk, en ondanks het chaotische kabaal waarmee de aanval op de container gepaard ging, kon ik mijn eigen raspende ademhaling horen.

Sinds Stormy me ontvallen is, is het leven me niet veel meer waard. Als ik door een blijk van goddelijke genade jong aan mijn eind zou komen, bijvoorbeeld doordat ik door een ongeluk of hersenbloeding op slag dood zou zijn, zou me dat niets uitmaken. Maar net als de meeste mensen die tijdens het zappen een stukje van de recentste remake van *The Texas Chainsaw Massacre* hebben gezien, of toevallig een roman van Stieg Larsson op de verkeerde bladzijde hebben opengeslagen, lijkt het me niks om op een trage, langgerekte en onordelijke manier te moeten sterven, bijvoorbeeld als gevolg van een marteling, of doordat ik levend word opgegeten.

Juist nu ik me geen zorgen hoefde te maken dat ik mijn aanwezigheid met een niesbui zou verraden, werd de ozongeur natuurlijk iets minder penetrant, zodat ik nu wel de geur rook van de zombies of de hondsdolle beren of wat ze ook maar mochten zijn. Als je die meur 'lichaamsgeur' zou noemen, zou je de stank van rottende kool kunnen beschrijven als 'iets minder welriekend dan een roos'.

Ik voelde mijn maagzuur opkomen. De stank was zo doordringend dat ik die zelfs kon proeven. Als ik zou beginnen te kokhalzen, moest ik misschien overgeven, en kon ik de grepen van de deksels niet stevig genoeg vasthouden om me de beesten van het lijf te houden. Bij de gedachte alleen al begon ik te kokhalzen. Een bittere vloeistof kwam in mijn keel omhoog. Door te slikken, kon ik de massa tegenhouden, maar ik wist dat dat trucje niet nog een keer zou lukken.

Plotseling werd het stil in de voorraadkamer, en de aanval hield op. Hun geur vervloog snel, tot er niets meer van te ruiken was, net als van de ozongeur.

Door de scheuren in het gaas dat voor de ventilatiegaten had gezeten, leek de stalverlichting – al dan niet vermengd met daglicht – door de openstaande deur naar binnen te kolken, alsof het geen gewoon licht was maar een lichtgevende koude ademstoot, die vervolgens als bleke en ongelijkmatig grijze condens op de ruwe houten wanden neersloeg.

Ik was het gewend om het doelwit van agressie en geweld te zijn. Maar ik was niet vertrouwd met slechteriken die op het hoogtepunt van hun aanval, met de overwinning binnen handbereik, op slag vervuld werden van pacifistische ideeën en de aftocht bliezen om een potje te gaan mediteren.

Ik wist niet om wat voor wezens het ging, maar dat ze zich

hadden teruggetrokken, leek me niet het gevolg van het opspelen van hun geweten, noch van een teder verlangen om een beetje genade in de wereld toe te laten.

Sommige mensen misverstaan het kwaad en denken dat het vanzelf zal verdwijnen. Omdat donkere harten er daardoor toe worden aangezet nog donkerdere dromen te dromen, is dit misverstand de vader en moeder van alle oorlogen. Het kwaad verdwijnt niet vanzelf, maar moet worden verslagen. En zelfs als het verslagen is, met wortel en al is uitgerukt en door het vuur gelouterd, laat het kwaad meestal een zaadje achter dat op een dag ontkiemt en in zijn bloei weer misverstaan zal worden.

Ik had niets verslagen. Ik wist dat ik er niet op hoefde te rekenen dat mijn mysterieuze belagers voorgoed weg zouden blijven. De vraag was niet óf maar wannéér ze zouden terugkomen.

Krampachtig hield ik de grepen aan de onderkant van de deksels vast en luisterde, maar het enige wat ik hoorde, was mijn enigszins tot rust komende ademhaling, en zo nu en dan een tikkend geluid, veroorzaakt doordat ik mijn gewicht heel licht verplaatste, waardoor de roestvrijstalen stroken werden gebogen.

Aan de hand van het vale licht, het ontbreken van de ozongeur, en de stilte trok ik na ongeveer een minuut de conclusie dat de grommende troep niet uit eigen vrije wil was weggegaan, maar dat ze op de een of andere manier waren weggevaagd toen de veel te vroege zonsondergang op magische wijze ongedaan gemaakt was en het weer ochtend werd.

Ik weet niet hoe het na zonsopgang zo snel avond kon zijn geworden, of hoe de tijd nu weer was teruggedraaid, alsof de tijd geen rivier was die een onveranderlijke loop had, maar in plaats daarvan een veranderlijke wind die in vlagen alle kanten op ging.

In mijn leven had ik tal van bovennatuurlijke gebeurtenissen meegemaakt, maar nog nooit zoiets als dit.

Men zou kunnen stellen dat de veelheid aan merkwaardige zaken die ik zie en meemaak in feite net zo natuurlijk is als de zon en de maan, en dat de vijf zintuigen van mijn medemensen zich nog niet hebben aangepast aan de volledige realiteit van de wereld.

Dat gezegd hebbende zou de indruk gewekt kunnen worden dat ik een bijzondere persoon ben die zich boven alle anderen verheven weet, maar dat is niet het geval. Ondanks mijn gave ben ik in niets beter dan elke willekeurige andere ziel die verlossing zoekt, zoals een bekwame musicus geen betere persoon is dan iemand die niet muzikaal is. Ik ben zelfs een slechter mens dan sommige anderen.

Omdat ik graag wilde geloven dat ik niet onmiddellijk in stukken gereten en opgegeten zou worden als ik op onderzoek uitging, liet ik een van de deksels los, duwde de andere omhoog en klom uit de container.

Ik wist nu zo ongeveer hoe een kreeft zich moest voelen als hij in een restaurant in een aquarium lag weg te kwijnen, terwijl gasten in de rij stonden om een plaatsje toegewezen te krijgen en ondertussen tegen het glas tikten en opmerkingen maakten over de grootte en het smakelijke uiterlijk van het beest.

Toen ik de voorraadkamer verliet, zag ik dat de deur aan de zuidkant dicht was, en dat de deur op het noorden net zo ver openstond als het geval was geweest toen ik naar binnen was gegaan. De wandlampen, die op een gegeven moment waren uitgegaan, brandden nu weer. Bij de ramen was de dag zoals zou moeten: veel licht, feller aan de oostkant dan aan de westkant.

Op mijn hoede liep ik naar de openstaande deur, maar er deed zich niets dreigends voor.

Toen ik het licht uitdeed en naar buiten stapte, merkte ik dat het heerlijk zacht weer was. De enige zon die aan de hemel stond, kleurde de bomen en het gras en de glooiende helling. De zee in de verte lag half donker als grijze leisteen waardoorheen strepen liepen van de wat lichter getinte klei waar het uit was ontstaan. De stal wierp één schaduw, naar het westen, net als ik. De steen en het ingedeukte colablikje lagen weer op de grond, en net als alle dingen om me heen, werden ze beschenen door doodgewoon daglicht en vielen hun schaduwen in westelijke richting.

Even had een of andere kracht zich doen gelden en was er chaos ontstaan, maar dat was gelukkig weer teruggedraaid. In deze wereld lopen mannen en vrouwen in levenden lijve rond, en vaak komen ze tegen alle orde in opstand en kiezen ze voor de ogenschijnlijke vrijheid van een gematigde chaos. Maar een halve chaos kan niet lang in de hand gehouden worden; het is alles of niets. De normale staat waarin alles nu weer was terug-gebracht, zou van korte duur zijn.

Zonder precies te weten wat er op Roseland gaande was, ver-moedde ik dat er mensen achter zaten die een honger naar macht hadden, want aan elk menselijk verlangen ligt een zekere vorm van machtswellust ten grondslag. Ik had het gevoel dat niet al-leen het land van oost naar west afliep, maar dat op het om-muurde terrein van dit landgoed de werkelijkheid ook enigszins helde en steeds meer kantelde, net zo lang tot Roseland met een klap in elkaar zou zakken, de rede zou verworden tot waanzin, en iedereen hier in een stroomversnelling zijn dood tegemoet zou gaan.

De zon was nog maar net opgekomen, en nu al was er bijna geen tijd meer over.

# 9

Als anderen op Roseland ook hadden gemerkt dat de zonsopgang razendsnel was overgegaan in de zonsondergang, met een
net zo wonderbaarlijke omkering van het geheel, slaagden ze erin dat opmerkelijk goed voor zich te houden. Toen ik over het
landgoed liep, verwachtte ik minstens een paar mensen buiten te
zien staan, hun blik verwonderd of zelfs doodsbang naar de hemel gericht, maar er was niemand te bekennen. Hoewel ik niet
snapte hoe zo'n imponerende kosmologische gebeurtenis zich tot
de stal kon beperken, leek ik de enige te zijn die er iets van had
gemerkt.

Ik zie de doden die op aarde blijven rondhangen, maar ik heb
geen last van hallucinaties. En ik dacht niet dat meneer Shilshom
stiekem een hallucinerend middel in mijn amandelcroissantje had
gedaan. Als de bewaker bij de poort, waar ik nu naartoe liep,
niets zei over een zonsverduistering, was de bizarre overgang van
dag naar nacht, die vervolgens weer was teruggedraaid, een heel
lokale aangelegenheid geweest.

De muur die het ruim twintig hectare grote landgoed om-
zoomde, was bijna drie meter hoog en een meter dik en bestond
uit beton met stenen die van het terrein afkomstig waren. De

poort, de enige toegang tot het landgoed, bestond niet uit spijlen die nieuwsgierige lieden de mogelijkheid boden ertussendoor te kijken, maar uit panelen van massief brons, versierd met koperen schijfjes, dezelfde die ik ook op de vloer van de stal had gezien.

Het wachthuisje was uit hetzelfde materiaal opgetrokken. Net als bij de toren in het eucalyptusbos, waren de ramen smal en zaten er tralies voor, en de met ijzer verstevigde eikenhouten deur leek een aanval van barbaren te kunnen weerstaan.

Het gebouw was vier meter breed en leek tamelijk groot voor zijn doel. Er zat een kantoortje in, een keukentje, en een toilet. Op de tweede dag dat we hier waren, had ik alleen een snelle blik naar binnen kunnen werpen, door een openstaande deur. Wat me toen opviel, was de wapenkast die tegen de muur stond: twee jachtgeweren – een met een pistoolgreep – en twee aanvalsgeweren.

Blijkbaar wilden ze handelsreizigers duidelijk maken dat ze het echt meenden wanneer ze zeiden dat er niet aan de deur gekocht werd.

Naast de oprit bevond zich aan de noordkant van het gebouwtje een twee meter breed afdakje, door vier palen gestut, waar een bewaker kon staan als het regende, om gasten te woord te staan die zich aan de poort meldden. Nu zat Henry Lolam daar, rechts van de deur, in een kapiteinsstoel met een gecapitonneerde zitting.

Hij was ongeveer dertig en knap op zo'n jongensachtige manier dat ik hem wel erg jong vond toen ik hem voor het eerst zag. Met zijn ongerimpelde gezicht, zijn kinderlijk onschuldige mond waar nog geen vloek over de lippen leek te zijn gekomen, zijn wangen die zo roze waren als perziken soms kunnen zijn, oogde hij alsof hij nog nooit iets vervelends had meegemaakt, alsof hij altijd als een pluisje van een paardenbloem op een zacht, warm briesje is meegevoerd.

Wat niet bij die jongensachtige verschijning leek te passen, waren zijn groene ogen, die verdriet en angst uitstraalden, en soms ook verbijstering.

Net als bij de twee voorgaande gelegenheden toen ik bij hem langs was gegaan, zat Henry geconcentreerd in een gedichtenbundel te lezen. Op een tafeltje naast zijn stoel lagen nog meer poëzieboeken, van dichters als Emerson, Whitman en Wallace Stevens, die er gevaarlijke ideeën op na hielden.

Sommigen zullen sceptisch staan tegenover het gegeven dat iemand van de beveiliging – een 'rent-a-cop' in het spottende jargon van het huidige Hollywood – zich voor poëzie zou interesseren. In onze cultuur, waarin iedereen zijn identiteit lijkt te ontlenen aan de groep waartoe hij behoort, heeft men nauwelijks oog voor het unieke van elke ziel. Maar Henry was zichzelf en niemand anders. Blijkbaar was hij op zoek naar diepzinnige ideeën, want hij had zich helemaal in de gedichten verdiept.

Terwijl hij nadacht over de laatste strofe van een gedicht, leunde ik tegen de deurpost en wachtte af. Hij deed niet bot tegen mij maar had zich helemaal op zijn gedichtenbundel gefocust.

Ik was hiernaartoe gekomen om te horen wat hij wist van Kenny Randolph Fitzgerald Mountbatten, die had beweerd dat hij een van de bewakers van Roseland was, al droeg hij niet het uniform – grijze broek, wit overhemd, blauwe blazer – dat de andere bewakers wel droegen, en was hij in talloze opzichten een kleurrijkere verschijning dan Henry en diens collega's.

Terwijl ik stond te wachten, zag ik een vogel, waarschijnlijk een slechtvalk, te oordelen naar de reusachtige spanwijdte en het universele patroon onder op de vleugels. Slechtvalken jagen meestal op kleine vogels in plaats van op muizen en dergelijke. Middels spectaculaire duikvluchten plukken ze hun prooi uit de lucht.

Toen Henry het boek dichtdeed en opkeek, keek hij me verdwaasd aan, alsof hij me niet herkende en ook niet wist waar hij was.

Ik zei: 'Ik hoop niet dat ik u stoor, meneer.'

De uitdrukking van verwarring die op zijn supergladde gezicht lag, verdween en maakte plaats voor een glimlach. Hij zag er zo jongensachtig uit als de jongens op een schilderij van Norman Rockwell – als je de blik in zijn groene ogen even buiten beschouwing liet.

'Nee, nee,' zei Henry. 'Ik vind onze gesprekjes altijd heel leuk. Ga zitten, ga zitten.'

Links van de deur had hij een tweede stoel neergezet; blijkbaar had hij me verwacht. Ik nam plaats en besloot dat het geen zin had om hem te vragen of hij een zonsverduistering had gezien.

'Ik heb mijn kennis over ufo's wat zitten bijwerken,' zei Henry.

Berichten over ontvoeringen door buitenaardse wezens en het bestaan van buitenaardse nederzettingen op de donkere kant van de maan fascineerden hem mateloos. Ik had de indruk dat zijn fascinatie voor ufo's en voor poëzie uit eenzelfde verlangen voortkwam, al wist ik niet waarom ik dat dacht.

Dat het ironisch was dat een geestenziener niets wilde weten van buitenaardse wezens, ontging me niet. Toch zei ik: 'Het spijt me, meneer, maar dat hele vliegendeschotelgedoe lijkt me allemaal onzin.'

'Verschillende mensen die door buitenaardse wezens zijn ontvoerd, zijn aan de leugendetector gezet. Het bleek dat ze niet logen. Er bestaat uitvoerige documentatie over.'

'Maar het lijkt me niet logisch dat een superintelligente levensvorm eerst alle moeite doet om het melkwegstelsel te doorkruisen om vervolgens mensen te ontvoeren en sondes in hun rectum te duwen.'

'Nou, dat is niet het enige wat ze aan onderzoek hebben gedaan.'

'Maar dat lijkt altijd het eerste en belangrijkste wat ze doen.'

'Denk je niet dat een colonoscopie soms best wel nuttig kan zijn?'

'Jawel, maar daarvoor kan ik gewoon naar de dokter toe.'

'Die is minder grondig dan de tests die buitenaardse wezens op je uitvoeren.'

'Maar waarom zouden buitenaardse wezens überhaupt willen weten of ik darmkanker heb?'

'Misschien omdat ze met ons lot *begaan* zijn,' zei Henry.

Als ik met Henry een bepaald onderwerp wilde bespreken, zo had ik geleerd, moest ik eerst Henry's bizarre obsessie voor buitenaardse darmspecialisten ter sprake brengen. Maar dat betekende nog niet dat ik een waanzinpil hoefde te slikken om in die trip van hem mee te gaan. Ik bleef sceptisch.

'Ik denk dat ze gewoon met ons lot begaan zijn,' benadrukte Henry nog eens.

'Dus ze overbruggen een afstand van vijftig lichtjaren om bij mij een darmonderzoek te doen. Dan moeten ze inderdaad wel heel begaan zijn met ons lot. Op het griezelige af gewoon.'

'Nee, Odd, want vijftig lichtjaren is voor hen iets als vijftig kilometer voor ons.'

'Vijftig kilometer afleggen om een sonde in mijn anus te stoppen zonder dat ik daar toestemming voor gegeven heb, lijkt me tamelijk pervers.'

Henry straalde van oor tot oor nu we het over aliens hadden, en hij genoot zichtbaar, als een kwajongen die van volwassenen de kans krijgt het over billen en dergelijke te hebben.

'Waarschijnlijk willen ze ook je DNA onderzoeken.'

Ik haalde mijn schouders op. 'Daarvoor trek ik dan wel een haar uit mijn hoofd.'

Hij staarde dromerig voor zich uit, maar draaide daarbij de gedichtenbundel steeds om en om in zijn handen, alsof hij onrustig was, en zei: 'Sommige ufo-experts geloven dat de aliens de dood overwonnen hebben en ons onsterfelijk willen maken.'

'Iedereen?'

'Zo meevoelend zijn ze wel, ja.'

'Lady Gaga is cool,' zei ik. 'Maar over duizend jaar heb ik geen zin om naar haar zevenhonderdste album te gaan luisteren.'

'Zo saai zal het nooit worden. Als je onsterfelijk bent, kun je altijd een nieuwe carrière beginnen. Je kunt als Lady Gaga gaan zingen, en zij kan snelbuffetkok worden.'

Ik keek hem grijnzend aan. 'Ik kan niet zingen, en ik heb zo'n donkerbruin vermoeden dat zij niet kan koken.'

Hij liet zijn duim steeds nadrukkelijk langs de zijkant van het boek gaan zonder ernaar te kijken, wat een geluid produceerde alsof er kaarten werden geschud. 'Als we over de technologie van de aliens beschikken, zullen we alles *perfect* kunnen doen.'

'Waarom zouden we dan überhaupt nog iets doen?'

'Hoe bedoel je?'

'Als we niets meer kunnen leren omdat we alles toch al kennen en kunnen, wat is dan de uitdaging nog, waarom zouden we nog enige moeite doen, wat voor zin zou het dan allemaal nog hebben?'

Even ging hij weer met zijn duim langs de zijkant van zijn boek, maar op een gegeven moment kwamen zijn handen tot rust en verdween de glimlach van zijn gezicht.

Ik wachtte tot hij op mijn opmerking zou reageren, maar dat deed hij niet. Na een poosje zei hij: 'Eigenlijk ben ik nu met vakantie. Acht weken naar Hawaï.'

Noah Wolflaw leek me er niet de persoon naar om sinterklaas voor zijn personeel te spelen, maar ik onthield me van commentaar op de riante vakantieperiode die hem was aangeboden.

Henry keek nu omhoog naar de valk, die traag door de lucht cirkelde, geduldig op zoek naar een prooi. Subtiel maar onmiskenbaar straalde de man een gevoel van wanhoop uit, wat contrasteerde met zijn jongensachtige gezicht. Ik had het idee dat hij met iets zat en dat hij misschien iets zou zeggen wat mij van pas zou komen als ik hem de ruimte liet en zweeg.

'Ik heb twee weken op Hawaï gezeten, maar ik vond het verschrikkelijk. Ben daarna een week in San Francisco geweest, maar dat was niet veel beter.'

De slechtvalk gleed geluidloos door de lucht, en ik voelde me ook een soort valk, want in gedachten cirkelde ik boven de bewaker en wachtte geduldig tot hij iets zou zeggen waar ik me op zou kunnen storten.

'Het ging niet zozeer om die plaatsen zelf,' ging Henry verder. 'Het maakt tegenwoordig niet uit waar je naartoe gaat, want het is toch altijd fout, vind je niet? Ik weet niet hoe dat komt, maar het is wel zo.'

Ik onthield me van commentaar. Hij leek hardop te denken.

'De mensen zijn zo anders dan vroeger. Alles gaat zo snel. De mogelijkheden zijn tegenwoordig onbegrensd.'

Omdat ik bang was dat hij zich net zo cryptisch zou gaan uitdrukken als Annamaria, vroeg ik om enige opheldering: 'Bedoelt u het internet, de technologie en dat soort dingen?'

'Op zich doet de technologie er niet toe. Mensen waren mensen voor en na de uitvinding van de stoommachine, voor en na de uitvinding van het vliegtuig. Maar… tegenwoordig niet meer. Muren. Dat is het. Muren zijn het probleem.'

Ik wachtte, maar meer zei hij niet, en uiteindelijk zei ik, licht geïrriteerd, iets waar ik niet trots op was: 'Muren. Ja. Helemaal waar. We kunnen niet zonder muren, wel? Of toch? Eerst bouw je muren, en dan heb je gelijk een plafond nodig. En vloeren. En deuren. Het houdt gewoon nooit meer op. Tenten. Dat zou de oplossing kunnen zijn.'

Voor zover hij had gehoord wat ik zei, liet hij niet merken dat hij mijn sarcastische ondertoon had onderkend. 'Ik had nog vijf weken vakantie over, maar ik kon het gewoon niet meer aan om weg te blijven. Ik haat de muur die om Roseland loopt, maar de poort in die muur is een poort die nergens toegang toe verschaft.'

Toen hij een tijdje zweeg, probeerde ik het gesprek weer op gang te brengen door te zeggen: 'Nou, zoals ik het zie, is die poort een poort die *overal* toegang toe verschaft. De hele wereld ligt erachter verborgen.'

Even dacht ik dat hij over mijn wijze woorden nadacht, maar dat bleek niet het geval. Hij bleek aan heel iets anders te denken.

"'Things fall apart; the center cannot hold.'" Oftewel, alles valt uiteen, het middelpunt kan de dingen niet vasthouden.

Hoewel ik het citaat herkende, wist ik niet onmiddellijk wie het had geschreven.

Voordat ik dat kon vragen, zei Henry: "'Turning and turning in the widening gyre/ The falcon cannot hear the falconer/ Things fall apart; the center cannot hold.'"

'Yeats,' zei ik, en ik zou nog trotser op mezelf zijn geweest als ik niet alleen de dichter had genoemd, maar ook had gesnapt waar hij het over had.

'Ik haat het hier op dit Roseland zonder rozen, maar er is tenminste nog een muur, en daarmee kan het middelpunt de dingen misschien toch nog vasthouden.'

Hoewel hij niet hysterisch tekeerging maar zich alleen raadselachtig uitdrukte, voelde ik de drang bij me opkomen om hem een paar klappen te verkopen, om hem te dwingen wat minder ondoorgrondelijke taal uit te slaan, zoals de filmheld zijn in hysterie ontstoken tegenspeler bij zinnen brengt. Maar ook al raak ik nog zo gefrustreerd, nooit zal ik iemand een klap verkopen die gemakkelijk bij het pistool kan dat hij in een holster onder zijn blazer draagt.

Henry richtte zijn blik op mij. De ogen in zijn Huckleberry Finn-achtige gezicht stonden net zo somber als die van Hamlet.

Hij straalde een en al kwetsbaarheid uit. Uit het gemak waarmee hij zich tegenover mij blootgaf, trok ik de conclusie dat hij geen vrienden had maar wel naar vriendschap verlangde. Ik vermoedde dat hij ertoe gebracht kon worden geheimen van Roseland met me te delen, en daaruit kon ik dan destilleren waarom ik hier was en wat me te doen stond.

Ware vriendschap is echter een geheiligde band, ook al komen er geen formele geloftes aan te pas. Mijn vrienden in Pico Mundo en elders waar ik ben geweest nadat ik van huis ben vertrokken, hebben me geholpen mijn wanhoop te overwinnen en weer licht in de duisternis te zien. Toen ik overwoog Henry ertoe te brengen bepaalde geheimen te verklappen, wilde ik hem eigenlijk *manipuleren*. Er is niets mis met het manipuleren van slechteriken om de waarheid boven tafel te krijgen, maar ik vond niet dat Henry Lolam een slechterik was, noch dat hij de minachting verdiende die het manipuleren van personen impliceerde. Als ik nu deed alsof hij en ik dikke maatjes waren, zou ik daarmee de waarde van al mijn ware vriendschappen naar beneden halen.

Ik aarzelde zo lang dat het juiste moment voorbijging. Henry zei: 'Er zijn maar zelden gasten op Roseland.'

'Het lijkt erop dat meneer Wolflaw tamelijk gecharmeerd is geraakt van de dame die in mijn gezelschap verkeert.'

'Zij is zijn type niet. Ze is niet ordinair of opzichtig, of goedkoop.'

Nu Henry zijn werkgever impliciet beledigde, kreeg ik weer hoop dat hij me in vertrouwen zou nemen zonder dat ik hoefde te doen alsof we goede vrienden waren.

Ik dacht er verstandig aan te doen nu even mijn mond te houden, en na een tijdje zei Henry: 'Jij bent niet haar vaste vriendje.'

'Nee.'

'Wat ben je dan wel van haar?'

'Een vriend. Ze is alleen. Ze heeft bescherming nodig.'

Hij bleef me strak aankijken, alsof hij zijn volgende woorden kracht bij wilde zetten: 'Hij wil haar niet. Misschien is het hem om de baby te doen.'

'Meneer Wolflaw? Wat moet hij met een baby?'

Henry had het onderwerp zelf ter sprake gebracht, maar leek er niet verder op door te willen gaan. 'Wie zal het zeggen? Misschien is hij op zoek naar... iets nieuws.'

Ik snapte dat hij niet iets onschuldigs op het oog had of dat de baby gewoon een nieuwe ervaring voor hem zou zijn, iets onbekends, dus daarom vroeg ik: 'Iets nieuws? In welk opzicht?'

'Een nieuwe sensatie,' zei hij. Hij keek weer naar de roofvogel die door de blauwe lucht zwenkte. 'Voor de kick.'

Er verscheen zo'n scala aan afschrikwekkende beelden voor

mijn geestesoog dat ik wilde dat hij zich nader verklaarde.

Voordat ik iets kon zeggen, hield hij zijn hand op om me het spreken te beletten. 'Ik heb al veel te veel gezegd, en toch ook veel te weinig. Als je haar wilt beschermen, moeten jullie nu weggaan. Roseland is een... ongezonde plaats om te vertoeven.'

Ik wilde hem niet vertellen dat we hier waren door mijn bovennatuurlijke gave en door Annamaria's missie – wat die ook maar mocht zijn. Alleen vrienden die ik lang kende, vertelde ik over mijn zesde zintuig, omdat ik bang was dat er anders problemen van zouden komen.

Annamaria had gezegd dat iemand op Roseland ernstig gevaar liep, mogelijk de jongen over wie de blonde geest zich zorgen maakte. Ik had niet het gevoel dat Henry degene was die gevaar liep. Ik moest er nog steeds achter zien te komen wie mijn hulp nodig had.

'We kunnen hier vandaag nog niet weg,' zei ik. 'Maar binnenkort wel, hoop ik.'

'Als geld een probleem is, kan ik je wel wat toeschuiven.'

'Dat is heel vriendelijk van u, meneer. Maar het is geen geldkwestie.'

'Ik heb je net verteld dat dit een ongezonde plek is om te vertoeven, en dat lijkt je geenszins te verbazen.'

'Een beetje wel.'

'Welnee. Wat ben je eigenlijk, vraag ik me af.'

'Gewoon een snelbuffetkok.'

'Maar je hebt geen werk.'

Ik haalde mijn schouders op. 'De economische crisis.'

Hoofdschuddend keek hij van me weg.

Als een engel die naar beneden stort en zich pas op het allerlaatste moment herinnert dat hij vleugels heeft, dook de slechtvalk door de lucht. Met zijn scherpe klauwen greep hij een vogeltje uit de lucht en vloog omhoog, naar een boom waar het beest in vol ornaat zijn doodsbange, gevederde prooi kon verorberen.

Henry wierp me een betekenisvolle blik toe, waarmee hij leek te willen zeggen dat mij datzelfde lot te wachten stond als ik te lang op Roseland bleef rondhangen. 'Ik weet dat je niet dom bent, Odd Thomas. Maar ben je misschien wel een dwaas?'

'Ik doe minder dwaze dingen dan sommigen, meneer, maar meer dan anderen.'

'Je bent toch wel bang voor de dood?'

'Niet echt. Niet voor de dood. Alleen voor de manier waarop. Bijvoorbeeld dat ze me in een garage bij een hongerige krokodil zetten en dat ik dan levend word opgegeten. Of dat ze me vastketenen aan een paar lijken en me dan in een meer gooien. Of dat ze een gaatje in mijn schedeldak boren en er dan een hoeveelheid vuurmieren in stoppen, in mijn hersenen.'

Ik wist niet of Henry in elk gesprek dat hij voerde peinzende stiltes liet vallen of dat het aan mij lag dat hij steeds zo reageerde.

Onrustig schoof hij heen en weer op zijn stoel en tuurde daarbij naar de lucht, alsof hij daar een teken verwachtte dat me zou doen inzien dat ik Roseland maar het best zo snel mogelijk moest verlaten.

Uiteindelijk greep ik de gelegenheid aan om datgene te vragen waar ik voor gekomen was. 'Meneer, kent u iemand van de beveiliging die Kenny heet?'

'We hebben geen Kenny in ons team, nee.'

'Een lange, gespierde vent met lelijke littekens in zijn gezicht. Hij draagt een t-shirt met daarop de tekst DE DOOD HEELT.'

Henry draaide zijn hoofd langzaam naar me toe en keek me een tijdje aan voordat hij antwoordde. Blijkbaar kende men Kenny hier wel, maar misschien niet onder die naam.

'Er is jullie verteld dat jullie van zonsondergang tot zonsopgang binnen moesten blijven en de deuren op slot moesten doen.'

'Dat klopt, meneer, maar er was me alleen verteld dat ik voor poema's moest uitkijken, meer niet. Ik ben Kenny trouwens niet 's nachts tegengekomen, maar vanochtend.'

'Niet na zonsopgang.'

'Meer dan een halfuur daarna. In de stallen. Wie is hij dan, als hij niet van de beveiliging is?'

Henry kwam uit zijn stoel overeind, liep naar de deur van het bewakersgebouwtje, deed die open en keek me aan. 'Neem haar mee en ga hier weg. Jullie hebben geen idee wat voor oord dit is.'

Ik ging staan en zei: 'Leg het me dan eens uit.'

Hij ging het wachthuisje binnen en deed de deur achter zich dicht.

Door een raampje zag ik dat hij de telefoon pakte.

Als ik in mijn eentje naar Roseland was gekomen, zou ik Henry's advies hebben opgevolgd en zijn weggegaan. Maar Annamaria had een mysterieuze missie en zou er niet toe zijn te bewegen om weg te gaan, en ik kon haar niet in haar eentje overlaten aan de genade van... wie weet wat?

# 10

Om me heen hoorde ik bijen zoemen, winterkoninkjes schoten weg en kwinkeleerden hoge, complexe melodietjes, ik zag kleurige vlinders die uit een ander seizoen leken te komen, en ook werd ik een tijdje op mijn pad vergezeld door twee rondspringende eekhoorns. Ik had het gevoel in een Disney-film verzeild te zijn geraakt, en bijna zou ik verwachten dat de eekhoorns gingen praten. Vanaf de poort was ik in zuidelijke richting gelopen, langs de muur waarmee Roseland omheind was.

Dat idee werkte me op de zenuwen. In bepaalde Disney-films loopt het met lieve dieren niet al te best af. Denk maar aan de moeder van Bambi, en aan Old Yeller. De eerste wordt voor de ogen van haar kind doodgeschoten, en de laatste loopt op den duur schuimbekkend van hondsdolheid rond en wordt vermoord door de jongen die van hem houdt. Mensen vergaat het in dat soort films soms net zo slecht. Zelfs de liefste prinses wordt door heksen vergiftigd. Die oude Walt had wel iets van een Quentin Tarantino in zich.

Henry Lolam had gezegd dat hij Roseland haatte, maar toch was hij vervroegd van vakantie teruggekomen, omdat door de omringende muur het middelpunt de dingen misschien toch nog kon vasthouden, zoals Henry het had verwoord. Ik wist wat de dichter Yeats met die dichtregels had bedoeld, maar ik wist niet waarom de bewaker ermee aan kwam zetten.

De hoge, dikke muur deed denken aan een verdedigingswal, maar hij was natuurlijk niet de Chinese Muur. De muur van Roseland zou de Mongoolse hordes of hun equivalent niet kunnen tegenhouden. Met enige inspanning kon je er wel overheen komen, als je het terrein wilde betreden of ontvluchten.

Zelfs rond 1920 zou zo'n groot bouwproject een prijzige aangelegenheid zijn geweest. De inkomstenbelasting was in die tijd nog maar net ingesteld en weliswaar niet hoog, en Constantine Cloyce was onvoorstelbaar rijk geweest, maar als het de bedoeling was zijn landgoed af te bakenen, had hij heel wat kosten kunnen besparen door een muur te bouwen die een derde lager was, en half zo breed.

Tot nu toe had ik weinig aandacht aan deze omheining geschonken. Het gesprek met Henry had mijn nieuwsgierigheid geprikkeld.

Hoewel ik de omtrek van het terrein volgde, deed ik of de muur me niet interesseerde. Op Roseland had ik steeds het idee dat ik in de gaten gehouden werd, een gevoel dat nu nog sterker was. Ongetwijfeld hield Henry me vanuit het wachthuisje in de gaten. Ik had de indruk dat hij het goed met me voorhad, en misschien was dat nog steeds het geval. Maar hij was zich duidelijk anders gaan gedragen toen ik de reus met de littekens ter sprake had gebracht.

Na zo'n honderd meter gingen het gemillimeterde gazon en de bloemenperken over in een weide, en tweehonderd meter daarna begon het land te glooien en kwam ik door een eikenbos met bomen van twintig tot dertig meter hoog. Dieren lieten zich niet zien, met uitzondering van boomklevers, die in de majestueuze takken van de zwarte bomen zaten te fluiten.

Nu ik vanuit het wachthuisje en het hoofdgebouw niet te zien was, liep ik naar de muur toe. De stenen in het beton boden houvast voor mijn voeten en handen, en behendig klom ik langs de drie meter hoge muur omhoog.

Boven aangekomen ging ik op handen en knieën zitten en ontdekte ik wat ik onbewust misschien had verwacht. In de voegen tussen de donkere stenen waren in kronkelende patronen glimmende koperen rondjes gemetseld, en op elk ervan stond een iets uitgerekte acht gegraveerd, het symbool dat ik elders ook al was tegengekomen.

De bovenkant van de muur, waar zonlicht op viel dat door het eikenlover gefilterd werd, bestond uit hetzelfde materiaal als de muur zelf: stenen die in onregelmatige maar passende patronen waren gezaagd. Toen ik mijn handpalmen plat op de koele muur legde, voelde ik een lichte trilling, alsof er in deze massieve verdedigingswal machines aan het werk waren.

Ik boog voorover, drukte mijn linkeroor op de muur, maar hoorde geen geluiden.

Als die snelle, hoge trillingen een geluid voortbrachten, zou het geen zware dreun of brom zijn, maar eerder een hoog gezoem of zelfs een fluittoon.

Hoe langer ik over die trillingen nadacht, hoe minder ze me het product van draaiende machines leken, maar meer van elektronische apparatuur.

Ik ging op mijn knieën zitten en haalde uit mijn broekzak een zakmes tevoorschijn dat ik had gekocht toen ik de stad was in gegaan om wat kleren te kopen. Ik had het mesje met name aangeschaft om een van de koperen schijfjes los te wrikken, al had ik dat niet in de stal of het mausoleum geprobeerd – waar ze ook in de vloer verwerkt waren – omdat ik bang was dat ze mij als eerste zouden verdenken als deze daad van vandalisme ontdekt werd.

Bovendien zouden ze misschien doorkrijgen dat het ontvreemde koperen schijfje niet in handen was gevallen van een vandaal, maar van iemand die op onderzoek uit was. Als ze erachter kwamen dat ik meer was dan alleen maar een gast die zich de gastvrijheid van Roseland liet welgevallen, zou ik misschien op hardhandige wijze kennismaken met de geheimen van dit oord.

Men zou er niet zo snel achter komen dat er drie meter boven de grond boven op een muur een koperen schijfje ontbrak. Toen ik met het mesje probeerde het cement weg te schrapen, merkte ik al snel dat het koper zich niet gemakkelijk liet uitgraven. Tegen de tijd dat ik het cement een paar centimeter diep had weggekerfd en het mesje afbrak, besefte ik dat de schijfjes niet zo dun als muntjes waren maar in plaats daarvan de uiteinden van centimeters dikke koperen staven waren. Misschien liepen ze wel dwars door de muur naar beneden, de betonnen fundering in.

Koper was veel te zacht en te duur om als bewapening gebruikt te worden; staal was daar veel geschikter voor. Het koper moest een andere functie hebben. Gezien de kosten die ermee gemoeid waren om zoveel spijlen in zo'n lange muur in te metselen, vermoedde ik dat ze van essentieel belang voor het doel van de muur moesten zijn geweest, zoals een bewapening van staal dat voor de structurele stevigheid is.

Ik gooide het in twee stukken gebroken mesje in het hoge gras dat buiten het landgoed groeide en kroop op handen en knieën verder tot ik de laaghangende eikentakken voorbij was. Ik ging staan en liep over de muur verder, alsof ik weer – of nog steeds – een jongen was die op avontuur uitging.

Doordat het landschap glooide, kon ik het hoofdgebouw en alle andere gebouwen niet zien – en ik kon vanuit de gebouwen niet gezien worden.

Na vijftig meter kwam ik bij een soort omgekeerde zwarte schaal, ongeveer dertig centimeter in doorsnee, die midden op de muur stond. Toen ik weer op mijn knieën ging zitten, zag ik dat er stalen pinnen van tien centimeter onder zaten, en dat het een regenkap was die boven een vierkant ventilatierooster hing, zo'n vijftien centimeter lang en breed.

Ik stak een hand onder de kap en voelde een lichte, warme luchtstroom langs mijn vingers gaan. Toen ik mijn hoofd ernaartoe bracht, rook ik iets dat me deed denken aan jong lentegras, aan mals zomergras, en aan wilde aardbeien, hoewel de geur niet specifiek van een van die dingen maar een unieke mengeling ervan was. Ineens werd de luchtstroom koud, en ook de geur veranderde, en nu moest ik aan dingen denken die helemaal niet in die geur besloten lagen: droge bladeren, maar ook dode, vochtige bladeren die door het weer waren gaan rotten, een niet onaangename geur, en ook rook ik de lichte maar prikkelende geur die vrijkomt wanneer ijs scheurt.

Om de twintig seconden veranderde de lucht van temperatuur. Wat daar de oorzaak van was en welk doel daarmee gemoeid was, wist ik niet. Ik had geen idee waarom een muur ventilatie nodig zou moeten hebben, of waarom de luchtstroom en de geur niet gelijk bleven.

Ik kwam overeind en liep ongeveer honderd meter door, toen ik bij weer zo'n regenkap en ventilatierooster kwam. Ook hier deed ik dezelfde bevindingen.

Vlak voor me hingen weer eikentakken over de muur, waarvan een paar erg laag. Ik overwoog van de muur af te springen, maar omdat ik niet wist wat voor gevaarlijke kuilen of stenen er in het hoge gras verborgen lagen, besloot ik me langs de muur omlaag te laten glijden. Ik hield me met mijn handen aan de rand vast, liet me zakken en viel een metertje lager in het gras.

Ik liep bij de muur weg, in een poging de regenkap te zien die boven het ventilatierooster hing. Maar omdat de muur zo hoog was en de kap afgevlakt en zwart was, was hij niet te zien. Toen ik ver genoeg achteruit was gelopen, merkte ik dat hij nauwelijks opviel als je niet wist waar je moest kijken.

Nog nadenkend over mijn ontdekkingen, draaide ik me om en keek ik in de loop van een pistool, dat op mijn linkeroog was gericht.

# 11

De hand die het pistool hanteerde had lange ruwe vingers met borstelige zwarte haren erop, en de man van wie de hand was had een bijpassend gezicht: hardvochtige, verkrampte gelaatstrekken en een stoppelbaard die zelfs niet met een houtversnipperaar weggewerkt kon worden.

Paulie Sempiterno was hoofd van de beveiliging op Roseland, en ondanks zijn keurig gestreken grijze broek, zijn witte poloshirt en zijn nette blauwe blazer had hij het voorkomen van iemand die het grootste deel van zijn leven in steegjes mensen had staan opwachten om hun knieën met een honkbalknuppel kapot te slaan en hun gezicht met een fietsketting te bewerken.

Hij zei: 'Ik mag jou niet, mooie jongen,' en toen zijn ruige stem klonk, verstomde het gefluit van de boomklevers in de bomen achter hem.

Hoewel ik hem maar één keer eerder had gezien en hem bij die gelegenheid niet had beledigd, geloofde ik zonder meer dat hij het meende en dat hij een hartgrondige hekel aan me had. Ook als hij niets had gezegd, was de minachting van zijn gezicht af te scheppen. Hij had zijn volle paarse lippen in een grijns geplooid, waardoor zijn tanden te zien waren. Ik vermoedde dat hij een karbonade met bot en al zou kunnen vermorzelen. Ook het pistool dat hij op me gericht hield, vormde een zekere aanwijzing dat hij niet op me gesteld was.

Hij zei: 'Wolflaw is een idioot van het zuiverste water, dat is hij altijd al geweest, maar dít had ik nooit verwacht, zelfs niet van hem. Gasten op het terrein! En niet slechts voor één nachtje. Wat bezielt hem wel niet? Waar is dan het einde? Dan kan hij net zo goed een huwelijksfeest voor jou en dat opgeblazen liefje van je organiseren. Even honderd lieden van die achterlijke inteeltfamilie van je uitnodigen, een orkestje regelen, de gouverneur vragen of hij het aannemen van steekpenningen wil onderbreken om uit Sacramento over te komen om het huwelijk te voltrekken.'

Met zijn gedrongen postuur, zijn gespierde torso, zijn stierennek en zijn asociale houding zou Sempiterno perfect geknipt zijn voor de rol van het sterke maar zwijgzame type, ware het niet dat hij geen moment zijn mond kon houden. Hij mocht me overduidelijk niet, en dat wilde hij me haarfijn laten weten ook. Blijkbaar dacht hij dat ik zo traag van begrip was dat ik pas snapte wie ik tegenover me had als hij me het plaatje in geuren en kleuren had geschetst.

Hij zei: 'Jij gedraagt je niet echt als een gast, mooie jongen. Je kijkt eens hier en je kijkt eens daar, je snuffelt wat rond, zelfs in de stallen, je hebt het met Shilshom over een paard gehad terwijl er helemaal geen paarden meer zijn, al tijden niet meer, en nu ben je zelfs op de muur geklommen. Wie gaat er nu over een drie meter hoge muur lopen? Dat doet niemand. Behalve jij. Wat had je daar verdomme te zoeken?'

Toen hij langer zweeg dan strikt nodig was om adem te halen, vatte ik dat op als een uitnodiging om te reageren. 'Nou, meneer, je hebt daarboven een prachtig uitzicht. Je kunt een heel eind weg kijken.'

Hij duwde zijn pistool dichter bij mijn linkeroog, voor het geval ik was vergeten dat hij me onder schot hield, en zei: 'Wat vind je dan van dít uitzicht? Vind je dít een mooi uitzicht? Spectaculairder dan de Grand Canyon. Ik weet niet wat je in je schild voert, muurloper, maar dat je iets in je schild voert, is zeker. Ik hou helemaal niet van lieden die iets in hun schild voeren. Weet je hoeveel geduld ik heb met lieden die iets in hun schild voeren?'

'Geen?' gokte ik, tamelijk zeker dat mijn antwoord in de prijzen viel, als die überhaupt te winnen waren.

'Nog minder dan geen geduld. Wat voer je in je schild?'

'Ik voer helemaal niets in mijn schild, meneer. Om eerlijk te zijn, profiteer ik een beetje van de gastvrijheid van meneer Wolflaw. Hij is nogal gecharmeerd geraakt van het meisje met wie ik verkeer, en ik lift daar een beetje op mee. Zoudt u het pistool kunnen wegbergen? Ik vorm totaal geen gevaar. Echt niet.'

Hij keek me wantrouwend aan, met een blik waarvan de ballen van een ijsbeer subiet zouden smelten.

Als hij een koortslip had gehad, zouden we nu allang vrienden zijn.

'Ik weet dat je niets dan moeilijkheden veroorzaakt,' zei hij. 'Ik zou met alle plezier een kogel door je kop jagen.'

'Ja, meneer, dat geloof ik graag. En dat waardeer ik ook. Maar er is werkelijk geen enkele reden om een kogel door mijn kop te jagen.'

'Een reden zou kunnen zijn dat die kop van jou me helemaal niet aanstaat.'

'Bovendien, als u me neerschiet, zal het meisje met wie ik verkeer helemaal van streek raken, en meneer Wolflaw is zo gecharmeerd van haar dat hij dan ook van streek zal raken, en dan raakt u uw baan kwijt. Om maar te zwijgen van celstraf, groepsverkrachting en dat u dan niet meer mag stemmen.'

Zelfs het vooruitzicht niet meer te mogen stemmen, leek hem koud te laten. 'Dat meisje is zijn type niet. Ze is niemands type. Een griezelig kreng is ze.'

'Ah, meneer, dat is gemeen van u om te zeggen. Ze is dan

misschien wel niet meteen een fotomodel, maar ze is mooi op haar eigen manier.'

'Ik heb het niet over hoe ze eruitziet. Zou ik met zo'n kop als die van mij grappen maken over het uiterlijk van anderen?'

'Daar zegt u wat.'

Uiteindelijk liet hij het pistool zakken, en hij zei: 'Het komt door de manier waarop ze naar me keek toen we elkaar voor het eerst zagen. Ze kan mensen bliksemsnel lezen, en mijn verhaal is niet langer dan de lijst met ingrediënten op een pak muesli.'

Ik knikte. 'Soms is het net of ze recht in je hart kan kijken.'

'Het was verdomme geen boeketreeksmoment,' zei Sempiterno. 'Het was meer alsof ik op een vliegveld door de beveiliging moest en binnen tien seconden doorgelicht, gevisiteerd en gestript was.'

Als je je ervoor openstelt, kan er op de meest onverwachte momenten een glimlach op je gezicht verschijnen. 'Wel grappig hoe u de dingen verwoordt, meneer.'

Weer schonk hij me die berencastrerende blik. 'Wat bedoel je daar verdomme nou weer mee?'

'Niets. Alleen dat u de dingen leuk kunt zeggen.'

'Ik zeg gewoon wat ik zeg. Wat jij denkt, interesseert me geen moer.' Hij stopte zijn pistool in zijn holster. 'Als Noah Wolflaw, die idioot, jou heeft uitgenodigd, kan ik je hier niet wegjagen. Maar je moet goed begrijpen, mooie jongen, dat hij niet van dat meisje houdt, en jou mag hij ook niet, hij geeft alleen om zichzelf. En ik weet niet wat hij van jullie moet, maar als hij pakt wat hij wil hebben, zul je wensen dat je naar me geluisterd had en hier was weggegaan.'

Toen hij zich omdraaide, zei ik: 'Ik denk dat we morgenochtend vertrekken.'

Hij had twee stappen gedaan toen hij bleef staan en zich naar me omdraaide. 'Vertrek vandaag nog. Blijf hier niet nog een nachtje. Ga meteen weg.'

'Misschien na de lunch.'

Hij bleef me strak aankijken, alsof hij van plan was me op pure wilskracht tot ontbranding te laten komen. Na een korte stilte zei hij: 'Misschien weet ik toch wel waarom Wolflaw jullie hier heeft uitgenodigd.'

'Waarom?'

Hij gaf geen rechtstreeks antwoord, maar zei: 'Ik weet niet wat jullie hier te zoeken hebben, maar je zult altijd het tegenovergestelde aantreffen. Als je het er levend van af wilt brengen, moet je op zoek gaan naar de dood.'

Hij draaide zich weer om en liep in de richting van het bos met de gigantische eiken. Toen hij de bosrand naderde, hielden de boomklevers in het bladerdek weer op met fluiten. Toen hij de schaduw van de bomen had bereikt, vlogen ze op, klapwiekten omhoog tussen de ovale bladeren door, zichzelf blootstellend aan valken.

Tussen de bomen zag ik een elektrisch wagentje staan, een voertuig dat vaak door landschapsarchitecten gebruikt wordt, langer dan een golfkarretje, kleiner dan een pick-up, zonder dak, met twee stoelen, een open laadbak en dikke banden, en mede door andere aanpassingen was het een echte terreinwagen.

Paulie Sempiterno ging achter het stuur zitten. Zacht zoemend verplaatste het voertuig zich tussen de bomen door, bijna zwevend, de zonovergoten weide door, de heuvel op waarachter het hoofdgebouw zich bevond.

Meestal stoor ik me niet zo aan namen die me naar mijn hoofd geslingerd worden. Maar 'mooie jongen' raakte me wel, omdat ik er net zo onopvallend uitzie als de acteurs die naast Tom Cruise in een film figureren en wier belangrijkste functie het is ervoor te zorgen dat de ster zelf door hun alledaagse voorkomen nog meer kan schitteren dan hij in het echte leven al doet.

Meneer Sempiterno had die twee woorden niet spottend gebruikt, want om te kunnen spotten moet datgene wat je zegt een kern van waarheid hebben. Je kunt een hond niet bespotten door hem een hond te noemen, en als je dat toch doet, word je zelf het onderwerp van spot. Door me een mooie jongen te noemen, vergeleek het hoofd van de beveiliging mij met zichzelf, wat deed vermoeden dat hij tamelijk zwaar gebukt ging onder zijn eigen ietwat minder geslaagde uiterlijk, en daar lag de kern van het verdriet.

In dit geval zou de frase 'mooie jongen' ook iets anders kunnen betekenen. Mensen drukken zich vaak in codes uit, vaak zonder zich daarvan bewust te zijn, en vormen niet alleen voor anderen maar ook voor zichzelf een raadsel. Misschien bezat ik door mijn alledaagse voorkomen een bepaalde eigenschap die meneer Sempiterno herkende maar ontbeerde, en was hij jaloers op me. Als ik kon uitvissen wat dat was, zou ik misschien een belangrijke sleutel in handen hebben waarmee ik de waarheid van Roseland kon ontsluieren.

Terwijl Sempiterno in de verte wegreed, besloot ik de muur te blijven volgen en het derde en laatste aspect van mijn bovennatuurlijke gaven in te zetten.

Naast de voorspellende dromen die ik soms heb, en mijn vermogen om geesten van overledenen te zien die hier op aarde blijven ronddolen, bezit ik wat Stormy Llewellyn 'paranormaal magnetisme' noemde. Als ik iemand wil vinden wiens huidige verblijfplaats mij onbekend is, concentreer ik me op zijn naam of gezicht, stel mezelf open voor impulsen en intuïtieve invallen, laat me leiden waar het lot me voert – te voet, per skateboard, per auto, maakt niet uit – net zo lang tot ik hem heb gevonden. Meestal vind ik degene om wie het gaat dan binnen een halfuur.

De zoektocht leidt meestal maar niet altijd tot resultaat, en ik heb geen controle over het proces, noch kan ik voorspellen waar of wanneer ik de persoon in kwestie zal vinden. Als ik mijn bovennatuurlijke vermogens ergens gekocht had, zou dat eerder in een goedkope Dollar Mart zijn geweest dan bij Tiffany.

In dit geval had ik geen naam of gezicht waar ik op af kon gaan. Ik had alleen de woorden van Annamaria om me op te richten – *er is iemand die in groot gevaar verkeert en die je erg no-*

*dig heeft* – en hoopte dat ik op een gegeven moment bij de desbetreffende persoon zou uitkomen.

Nu iedereen me dringend adviseerde hier zo snel mogelijk te vertrekken en ik merkwaardige hints kreeg – dat ik op zoek moest gaan naar de dood als ik in leven wilde blijven – moest ik de naamloze persoon in kwestie zo snel mogelijk zien op te sporen, want de tijd liep als zand uit een gebroken zandloper. In het verleden heb ik menigeen tekortgedaan, onder wie degene die ik meer liefhad dan het leven zelf. Steeds wanneer ik tekortschiet, wordt mijn hart een beetje meer uitgehold, en geen enkel succes kan die leegte opvullen. Het wordt steeds minder waarschijnlijk dat ik aan mijn einde zal komen door toedoen van een schurk. Eerder zal ik dood neervallen doordat mijn hart door de leegheid binnenin is verschrompeld. Het zou ondraaglijk voor me zijn nu weer tekort te schieten. Als de tijd drong, zou ik nu dus sneller moeten zijn dan de tijd.

*... er is iemand die in groot gevaar verkeert en die je erg nodig heeft...*

Ik liep terug naar de muur en ging naar de plek waar lage eikentakken hingen.

Vanuit de schaduwen van de bomen verscheen ineens de grote zwarte hengst. Het dier steigerde vlak voor me en maaide met zijn hoeven door de lucht.

Op het paard zat de blonde vrouw met de blote voeten. Ze wees naar me, net als bij onze vorige ontmoeting. Ze leek niet gekweld; haar gezicht was nu vertrokken van angst.

Misschien was ze bang om naar gene zijde over te stappen, maar in deze wereld had ze niets te vrezen. Daarom wist ik dat haar angst mij betrof, en dat ze hier was om me te waarschuwen voor een dreiging die concreter was dan het vage gevaar waarvan Henry Lolam en Paulie Sempiterno hadden gesproken.

Toen de inktzwarte hengst met vier benen op de grond stond en zijn lange staart geluidloos heen en weer zwaaide, richtte de vrouw haar aandacht op iets achter me. Op haar gezicht was nu geen angst af te lezen, maar walging, en haar mond ging open in een stille kreet vol afschuw.

Ik keek achterom, maar zag alleen het kniehoge droge gras dat door de zon beschenen werd en daardoor net zo'n goudgele tint had als het haar van de vrouw. Naar het noorden toe liep het land glooiend omhoog, en ook zag ik het eikenbos, op de plek waar ik de muur beklommen had.

Maar ik werd bevangen door een onheilspellend gevoel, vergelijkbaar met de sensatie die je overvalt als er een brief van de belastingdienst op de mat valt. Ik kreeg het stellige idee dat ik zou kunnen zien wat de vrouw zag als ik mijn hoofd maar in de juiste hoek draaide, over een bril van de juiste sterkte beschikte, of door het zonlicht naar de schemering kon kijken die nog uren op zich liet wachten.

Toen ik me weer omdraaide naar het paard en zijn ruiter, zag ik dat ze vijf meter verderop stonden, aan de rand van het bos. De vrouw keek achterom naar me en wenkte me met haar rechterarm. Uit haar gebaren en haar lichaamshouding maakte ik op dat er haast geboden was.

Niemand weet beter dan ik dat de werkelijkheid complexer is dan de vijf zintuigen ons doen geloven. Onze wereld met alle mysteries die erin verborgen liggen, is als een maan die om een grotere en mysterieuzere wereld draait. Soms scheert onze planeet zo dicht langs de grotere planeet dat ze elkaar raken, zonder dat dat desastreuze gevolgen heeft, maar het levert wel vreemde effecten op.

Ik durfde niet de tijd te nemen om nogmaals achterom te kijken en rende achter het paard en zijn ruiter aan.

# 12

Het booggewelf dat de grote eiken vormden, deed denken aan kerkramen, met dit verschil dat er meer lood dan gebrandschilderd glas te zien was, meer duisternis dan licht. De patronen van goud en bladergroen leken op een abstracte impressie van het paradijs.

Het zwarte paard draafde tussen de bomen door en was alleen te zien als er zonnestralen op zijn glimmende vacht vielen. Terwijl ik mijn best deed het paard bij te houden, bleef de vrouw goed zichtbaar. Het witte zijden gewaad lichtte fel op als de zon erop viel, en ook in de schaduwen behield het een zachte glans.

Ik weet niet waarom ook geesten door het licht beschenen kunnen worden en dan beter zichtbaar zijn dan in het donker, net als levenden en alles waar deze wereld uit bestaat. Geesten bestaan niet uit tastbare materie en hebben geen oppervlak waar licht en schaduw op kunnen vallen.

Een psychiater zou misschien zeggen dat dit aspect van de geestverschijningen aantoont dat ze niet bovenaards zijn. Hij zou opperen dat het misschien psychotische waanbeelden zijn en dat het me aan verbeeldingskracht ontbreekt om ze voor te stellen als wezens op wie het licht geen vat heeft, want bij echte geesten – vooropgesteld dat die zouden bestaan – zou dat inderdaad het geval zijn.

Soms vraag ik me af waarom degenen die theorieën over de menselijke geest opstellen zo gemakkelijk geloven in het bestaan van dingen die ze niet kunnen zien of meten of op een andere manier kunnen aantonen – zoals het id, het ego, het onderbewuste ik – maar het bestaan van de ziel afdoen als bijgeloof.

Bij een boom aangekomen hield de vrouw het paard in. Toen ik bij haar kwam, wees ze omhoog naar de takken van de grote eik en gaf te kennen dat ik erin moest klimmen.

Ondanks het spel van licht en schaduwen was de angst – ze was bang voor wat mij zou overkomen – nog steeds op haar gezicht af te lezen.

Hoewel ik in het verleden ook kwaadwillende geesten was tegengekomen die als een klopgeest allerlei dingen in beweging brachten, van meubilair tot diepvrieskalkoenen, had ik nog nooit meegemaakt dat een op aarde ronddolende geest probeerde me te misleiden. Het vermogen tot misleiding leken ze met hun stoffelijk omhulsel te hebben achtergelaten.

Omdat ik ervan overtuigd was dat deze vrouw iets wist van de rampspoed die me te wachten stond, liep ik naar de boom en klom erin. Tak voor tak werkte ik me tegen de ruwe bast omhoog, tot ik op zo'n vier meter boven de grond bij de eerste vertakking kwam.

Toen ik tussen de takken door naar beneden keek, zag ik een stukje van de plek waar het paard en de vrouw hadden gestaan. Nu waren ze er niet meer.

Als geesten mochten ze natuurlijk doen en laten wat ze wilden – to be or not to be – en omdat het paard noch de vrouw kon spreken, hoefden ze niet te blijven rondhangen om een monoloog af te steken.

Toen ik daar in die boom zat, begon ik me al snel opgelaten te voelen. Als volwaardig lid van de menselijke soort ben ik een bodemloze put vol dwaasheden, die ik uit een soort pervers verlangen najaag. Dat ik tot nu toe nog nooit een geest was tegengekomen die me niet voor de gek had gehouden, wilde nog niet zeggen dat er geen een bij was die me om de tuin wilde leiden.

De ronddolende geesten vormen over het algemeen een honkvast zootje; meestal blijven ze rondhangen op de plek waar ze gestorven zijn. Ze kunnen niet zomaar naar de bioscoop om de nieuwste onbeschofte Hollywood-comedy te gaan zien en een zak met scharrelmaïs leeg te eten die in officieel goedgekeurde visolie is gefrituurd en waar ze dertig dollar voor neer mogen tellen. Nadat ze zich jarenlang zorgen hebben gemaakt over wat ze aan gene zijde zouden aantreffen en in deze wereld zijn blijven rondhangen om hun moordenaars berecht te zien, kunnen ze wel een verzetje gebruiken.

Ik zag het al voor me: die twee geesten, de vrouw en het paard, galopperend over het terrein van Roseland, schaterend van de lach – maar wel geluidloos – om hoe gemakkelijk ze die goedgelovige Odd Thomas hadden kunnen wijsmaken dat hij die boom in moest. Daar zat hij nu, huiverend van angst vanwege een boosaardig wezen dat helemaal niet bestond. Het ergste wat me kon overkomen, was dat ik een vogelpoepje op mijn hoofd kreeg.

Maar toen kwam het boosaardige wezen.

Meervoud: boosaardige wezens.

De eerste aanwijzing dat ik niet door een geest voor de gek was gehouden, was de lichte chloorlucht die door het gebladerte drong en contrasteerde met het gemengde aroma van de eikenschors en de groene blaadjes en de gebarsten eikels die nog steeds aan de takken hingen, als beschadigde ornamenten.

Hoewel de ozongeur hier veel minder scherp was dan in de stal, paste hij desalniettemin niet bij deze omgeving. In de buitenlucht was het niet logisch dat hij met dezelfde intensiteit te ruiken was als in een afgesloten vertrek. Maar ik twijfelde er niet aan dat deze geur net als toen een voorbode was van iets raarders en gevaarlijkers dan de geesten van overledenen.

Het licht veranderde ook ineens, wat mijn vermoeden bevestigde dat de onwelriekende horde die me in de donkere stal met een bezoekje had vereerd, ook hier zijn opwachting zou maken. Het gouden zonlicht dat tussen de bladeren door viel, werd geeloranje naarmate de zon naar het westen opschoof.

Misschien snap ik niet altijd de raadselachtige taal die mensen soms uitslaan, maar die onzekerheid speelt me nooit parten wanneer er gevaar dreigt. Als er een landelijke competitie bestond voor onzekere, paranoïde mensen met een paranormale gave, zou ik de eerste prijs winnen en met pensioen kunnen gaan.

De grond lag bezaaid met kleine, ovale, droge eikenbladeren, zodat niemand zich door het bos kon begeven zonder dat dat te horen was. Bovendien wist ik dat de troep die had geprobeerd me uit de voedercontainer te halen, geen moeite deed zo stil mogelijk te werk te gaan. Ze kwamen strompelend en gejaagd aanzetten en vertrapten de bosgrond op zo'n luidruchtige manier dat ik niet eens kon horen of ze ook nu knorden en snoven.

Ik keek door het bladerdek naar beneden, alle kanten op, maar het weinige wat ik kon zien, leverde geen informatie over mijn belagers op. De schaduwen van de eiken waren donkerder dan eerst, en het gelige schijnsel boorde zich niet krachtig tussen de takken door, zoals de ochtendzon had gedaan, maar fladderde er zo'n beetje doorheen, flakkerend en dof, alsof vlammen die ik niet kon zien, werden aangewakkerd door een briesje dat ik niet kon voelen, en het schijnsel ervan door het bos trok.

Van de horde beneden waren geen details te zien, alleen schimmen. Sommigen waren snel, maar anderen bewogen zich strompelend voort. Ze leken stuk voor stuk geagiteerd te zijn, en het was alsof ze naar iets op zoek waren. Het leek me sterk dat ze op zoek waren naar deugdzame maagden om met hen te trouwen en kinderen te krijgen die 's avonds bij hen voor de open haard zouden zitten om in familieverband fluit en viool te spelen.

Zowel de behendigen als de onhandigen volgden hetzelfde grillige pad tussen de eiken door, alsof ze totaal verdwaasd waren, eerst naar het oosten, daarna naar het noorden en zuiden. Hun uitzinnige tocht was gemakkelijk te volgen doordat miljoenen droge eikenbladeren onder hun voeten vermorzeld werden.

Steeds wanneer ze dichtbij genoeg waren, hoorde ik ze snuiven en knorren, zoals ze dat ook in de stal hadden gedaan. Maar vanuit mijn hoogverheven positie hoorde ik in die keelklanken nu iets anders dan toen in de stal.

Het waren nog steeds dierlijke geluiden die ze maakten, maar dat was niet het enige. Ik dacht dat ik ook iets menselijks in sommige van hun uitingen bespeurde: een woordloze uiting van wanhoop, een zielig, angstig gepiep, een geluid dat ik zelf onbewust ook zou hebben kunnen uitstoten in een stressvol moment vol gevaar. Ook hoorde ik getergde, woedende kreten die niet slechts dierlijke klanken waren maar uiting gaven aan verbitterde, opgekropte gevoelens, waar een zekere intelligentie uit sprak.

Het was niet koud. In mijn trui en spijkerbroek hield ik het wel uit. Desondanks huiverde ik.

Dit was zowel een woeste menigte als een troep.

Een troep dieren is een groep individuen die elk in grote lijnen dezelfde kenmerken vertonen en die voortgedreven worden door het instinct en de gewoonten van hun soort.

Een woeste menigte is daarentegen een groep mensen die ongeordend zijn en zich wetteloos gedragen. Ze hebben het kookpunt van opwinding bereikt, niet door de jacht, zoals dat bij dieren het geval is, niet door de noodzaak zichzelf in leven te houden, maar door een *idee* dat al dan niet waar kan zijn – en meestal is dat laatste het geval. Als het om een boosaardig idee gaat, wat een leugen per definitie is, zijn degenen die zich erdoor laten meeslepen oneindig veel gevaarlijker dan welk dier dan ook. Mensen die zich in een door leugens voortgedreven menigte laten meevoeren zijn wild, genadeloos en in staat tot zoveel geweld dat zelfs een leeuw uit angst op de vlucht zou slaan, en een beangstigende krokodil zou van schrik de veiligheid van het moeras opzoeken.

Uit het geluid dat ik hoorde, concludeerde ik dat er nu veel meer waren dan toen in de stal, misschien twintig of zelfs dubbel zoveel.

Ze leken door een sterkere drang te worden voortgedreven. De geluiden die ze voortbrachten, deden vermoeden dat ze zichzelf tot zo'n hoogte opzweepten dat ze alleen door flinke hoeveelheden bloed tot bedaren gebracht konden worden.

Drie keer waren ze al langs de boom gerend waarin ik me verborgen hield, en hun reukvermogen – of welk zintuig ze ook maar volgden – had hun nog weinig opgeleverd. Toen ze voor de vierde keer langsrenden, zag ik nog steeds niets van de beesten, behalve schimmen die onvoorstelbaar misvormde wezens deden vermoeden. Ze waren zo opgewonden dat ze elkaar wegduwden in hun ijver om mij te vinden.

Het geeloranje zonlicht begon al naar een donkere oranjetint te verkleuren. Beter kreeg ik deze wezens niet te zien, of ze moesten hun zoektocht al verticaal voortzetten, zodat ze vlak voor me in mijn eikenhouten vesting opdoken.

Wat we te zeer vrezen, komt daardoor vaak uit.

Bijna waren ze in noordelijke richting vertrokken, toen ze ineens terugkwamen. Deze schimmige gedaanten, deze vage, sinistere wezens, kwamen om de boom staan, als een golf die een rots in zee omspoelt.

Toen ook de laatste zijn plaats had ingenomen, hield het geritsel en gekraak van bladeren op. Ze vielen allemaal stil, als monsters die zich onder het bed van een kind hadden verstopt; door zich doodstil te houden, zou het kind zich veilig wanen, over de rand van het bed kijken, de dekens optillen en onder het bed kijken.

Ik waande me verre van veilig. Ze hadden me gevonden.

# 13

Het voelde minder hopeloos om in een boom dan in een voedercontainer vast te zitten. Ik had het avontuur in de container overleefd, dus ik dacht dat ik deze beproeving in de eik ook wel zou kunnen doorstaan.

Omdat ik geen werk meer had gehad nadat ik uit Pico Mundo was vertrokken en onlangs ontworteld was geraakt, had ik geen ziektekostenverzekering. Niet alleen was ik er daarom op gebrand om te overleven, maar ook wilde ik vermijden dat ik ernstig verminkt zou raken, omdat de staat me geen zorg meer zou verlenen, zodat ik de rest van mijn leven dan gedwongen in een souterrain van een operagebouw moest slijten. Ik ben nooit zo'n liefhebber van opera geweest, en jazzclubs hebben nooit een souterrain.

Omdat ik nu in de buitenlucht verkeerde, werd ik niet zo snel misselijk van de stank die de troep onder aan de eik verspreidde, maar toch kneep ik mijn neus dicht en ademde ik door mijn mond. Het aroma was minder lieflijk dan oud zweet en een stinkende adem. Ik vermoedde dat ze over geurklieren beschikten, net als stinkdieren, met dit verschil dat stinkdieren zo beleefd waren hun kwalijke reuk alleen te verspreiden door hun tegenstander gericht te bespuiten, terwijl deze wezens de stank continu uit elke porie van hun lijf leken uit te wasemen.

Ook als ik tuurde, lukte het me niet de gezichten of de contouren te zien van de belagers die zich aan de voet van de boom verzameld hadden en waarschijnlijk omhoogkeken. Weer was de schemering te vroeg ingetreden, al voordat de ochtend om was. Het tanende licht werd oranjerood. Zelfs waar het schijnsel hen bescheen en als een laag lichtgevend stof op hen lag, zag ik niets, alsof ik door een infraroodbril tuurde waarvan de batterijen bijna op waren.

Toen de duisternis langzaam intrad, begonnen hun ogen te gloeien. Eerst roze, een bijna grappig gezicht, als lampionnetjes van elfjes, maar al snel werden ze rood, zoals ik me voorstelde dat ogen van wolven in het donker oplichtten, hoewel mijn belagers lang niet zo schattig waren als wolven.

In het verleden heb ik het op moeten nemen tegen seriemoordenaars, enkelvoudige moordenaars, drugsdealers, corrupte politieagenten, een van het rechte pad geraakte voormalige miljardair en monnik, kidnappers, terroristen, en anderen die op een bepaald punt in hun leven de duistere zijde van het bestaan hadden opgezocht, door een misstap, of onder dwang, of juichend uit eigen beweging. Ik bind de strijd niet aan met vampiers en weerwolven, om de doodeenvoudige reden dat die niet bestaan.

Maar toen ik tussen de takken door naar de roodogige troep keek, kreeg ik bijna de indruk met wezens van doen te hebben die uit een *young* adult boek waren ontsnapt en op zoek waren naar bloed en een nieuw vriendinnetje. Zonder ze van dichtbij gezien te hebben, dacht ik tamelijk zeker te kunnen stellen dat ze zo onaantrekkelijk waren dat hun kans op een afspraakje voor het eindexamenfeest nihil was.

Er bestond een gerede kans dat deze beesten geen klimmers waren. Poema's kunnen in bomen klimmen, maar coyotes niet. Beren kunnen in bomen klimmen, maar wolven niet. Eekhoorns zijn er natuurlijk uitzonderlijk goed in, konijnen zouden zichzelf alleen maar voor schut zetten als ze het alleen al probeerden. Ik hoefde alleen maar te blijven zitten waar ik zat en te wachten tot deze vreemde schemering verdween. Dat was de vorige keer ook zo gegaan.

Een van hen begon in de boom te klimmen.

Ik verliet mijn schuilplek en klauterde zo snel mogelijk hoger in de boom, als een jongen die doet alsof hij een aap is.

Toen ik naar beneden keek, zag ik tot mijn opluchting dat mijn achtervolger – die niet meer dan een schim was – grote moeite had hoger te komen. Blijkbaar was het beest geen klimmer in hart en nieren. Te oordelen naar zijn gegrom, zijn woedende gebrul en de manier waarop de takken wild heen en weer werden geschud, zag het wezen de boom als een levend wezen dat hem moedwillig tegenwerkte, en uit frustratie rukte hij aan de takken, waardoor de blaadjes in grote hoeveelheden op de grond vielen.

Hoe hoger ik kwam, hoe minder dichtbegroeid het bladerdak werd, en hoe meer het licht tussen de takken door zou moeten kunnen doordringen. Maar deze zon zakte net zo snel de zee in als een brandend schip dat doorboord was met kanonskogels.

Nog een paar minuten en alle licht zou zijn verdwenen. Ik zag mezelf al op de tast door een eikenhouten doolhof gaan, hoog-verheven boven de aarde, met een stellige dood in het vooruit-zicht.

Voordat het licht echter ophield, hield de boom op. Op deze hoogte waren de takken tamelijk dun en bogen ze vervaarlijk door. Regelmatig gleed ik weg, en ik moest me steeds zo stevig vasthouden dat mijn handen er zeer van deden.

Ik staakte mijn pogingen en rustte uit met mijn rug tegen de nu niet meer zo brede stam. Ik zat op een tak die weinig ruim-te voor mijn zitvlak bood. Ik hoefde maar één verkeerde bewe-ging te maken of ik zou weer die hoge jongensstem van vroeger krijgen.

Boven mijn zware gehijg uit hoorde ik het wilde geritsel van blaadjes. Ongeduldig probeerde het woedende wezen de boom tot gehoorzaamheid te dwingen door wild aan de takken te gaan rukken. Ik troostte me met de gedachte dat zijn IQ, ongetwijfeld hoog genoeg om zich als president verkiesbaar te stellen, blijkbaar een fractie van dat van mij was.

Ik bleef de ozongeur ruiken, licht maar onmiskenbaar aanwezig. Op deze hoogte, zo'n twintig meter, kon ik de hongerige troep niet meer ruiken.

Toen ik die stank een minuut of twee later wel weer waarnam, concludeerde ik daaruit dat mijn belager ondanks alles toch enige vordering had gemaakt.

Boven me was de duisternis ingetreden, en de zwarte eikentakken kon ik niet meer zien, maar alleen voelen.

Dat het compleet donker was geworden, weerhield het omhoogklimmende beest niet van zijn pogingen. Het worstelde zich met veel geweld omhoog, tegen de tegenwerkende boom op, brak takken af en deed de bladeren zo heftig ritselen dat het leek of er een stevige wind was opgestoken. Soms bromde hij tevreden, waarschijnlijk als hij houvast had gevonden, en soms gromde en piepte hij gefrustreerd, waarschijnlijk op momenten dat zijn voortgang werd geblokkeerd of vertraagd. Twee keer hoorde ik een verontrustend, aanhoudend gegniffel, een walgelijk zompig geluid, wat mogelijk een uiting van blijdschap was bij het vooruitzicht mijn kop van mijn romp te trekken, die op een broodje te leggen en met wat mosterd te verorberen.

Terwijl de stank van het schepsel steeds sterker werd, kreeg ik het gevoel een soort Jean Valjean in *Les Misérables* te zijn, met dit verschil dat mijn opponent niet de onvermurwbare inspecteur Javert was, maar een roodogige, demonische mutant of zoiets.

De inktzwarte duisternis werd nu verdreven door het schijnsel van een opkomende gelige maan. Om me heen kon ik de eik weer zien, maar niet zo goed als ik een duidelijk zichtbare boom in een droom zag. Nog steeds kon ik de klimmer beneden me niet zien.

Ik kon het me niet veroorloven te blijven wachten tot deze onaangekondigde nacht zou verdwijnen, samen met de mysterieuze wezens, zoals in de stal was gebeurd. Het duurde nu al langer dan de laatste keer, en ik had geen enkele reden om aan te nemen dat de huidige bevreemdende situatie zou omslaan en dat het daglicht van een milder en vriendelijker Roseland zou terugkeren.

Terwijl de stank alsmaar penetranter werd, kwam ik voorzichtig overeind, met mijn rug tegen de stam. Ik pakte de tak boven mijn hoofd, eerst met één hand, daarna met beide handen. Ik draaide me een halve slag om en keek langs de stam omlaag om te zien of mijn belager al in het zicht kwam.

De manoeuvre die ik voor ogen had, had ertoe kunnen leiden dat ik met mijn voeten weggleed, dat ik mijn houvast aan de tak boven me verloor, en dat ik tussen een veelvoud aan zwiepende, priemende twijgen en takken door zou stuiteren onder het slaken van een kreet die veel minder triomfantelijk zou klinken dan de kreet waarmee Tarzan door de jungle vloog. Ik wist niets anders te bedenken dan te blijven wachten tot het beest zou verschijnen, waarna ik net zo lang tegen zijn kop zou trappen tot hij zijn evenwicht verloor – of mijn voet eraf zou bijten.

Soms zou ik willen dat ik dol op vuurwapens was.

Ik heb mijn toevlucht wel eens tot pistolen en geweren moeten nemen, maar nooit van harte. Door de angstwekkende trucjes die mijn gestoorde moeder met een pistool uithaalde toen ik nog klein was, heb ik een blijvende aversie tegen vuurwapens ontwikkeld. Ik strijd liever met wapens die simpeler zijn – in dit geval zo simpel als mijn voet – ook al zou me dat op een gegeven moment mijn leven kosten.

De onmiskenbare stank was zo penetrant geworden dat mijn ogen ervan gingen tranen, maar nog steeds was de klimmer niet in zicht. Door alle kabaal kon ik echter wel horen dat hij eraan kwam.

Pas toen iets zich van de andere kant van de eik om de stam slingerde en op mijn tak terechtkwam, links achter me, begreep ik dat er minstens nog een klimmer was, naast het beest dat ik steeds in de gaten had gehouden. Ik voelde dat ik door een ruwe hand bij mijn rechterschouder werd beetgepakt, en ik verwachtte elk moment gebeten of opengereten te worden.

Voordat klauwen of tanden hun werk konden doen, liet ik me voluit naar achteren vallen. Mijn voeten gleden van de tak – en vonden niets dan lucht. Ik hing nu aan de tak boven me, en met die plotselinge beweging had ik mijn aanvaller uit zijn evenwicht gebracht. Die hield zich aan mijn schouder vast, en door het enorme gewicht kreeg ik het gevoel alsof de spieren in mijn schouder van het bot getrokken werden. Een pijnscheut vlamde door mijn arm naar mijn rechterhand, die daarop van de tak gleed.

Ik bungelde nu alleen nog met mijn linkerhand aan de tak, maar door de abrupte beweging maakte het wezen dat aan me hing ook een schuiver, en zijn hand – die zo te voelen weinig ontwikkeld was en een beperkte kracht had – gleed van mijn schouder. Met een luide kreet viel het schepsel in de diepte, en de kreet werd uit hem geslagen toen hij op hardhandige wijze in contact kwam met de tamelijk rigide architectuur van de eik. Het beest, waarvan ik geen enkele glimp had kunnen opvangen, was waarschijnlijk boven op de troep gevallen die aan de voet van de boom was blijven staan, want er stegen pijnlijke en woedende kreten op.

Terwijl die kreten verstomden, hoorde ik het geklapwiek van duizend lange, leerachtige vleugels door het donkere bos. Waarschijnlijk ging het om dezelfde wezens die ik de vorige avond vanuit het noordoosten had zien aankomen. Ze vlogen tussen de bomen door en vielen de beesten op de grond aan, die daarop angstige kreten slaakten.

Terwijl ik me weer met twee handen aan de tak boven me vasthield en heen en weer schommelde om te zoeken waar ik mijn voeten neer kon zetten, bereidde ik me erop voor dat een van de reusachtige vleermuizen – als je die zo kon noemen – omhoog zou fladderen en mijn gezicht zou openrukken. Als hij me eenmaal geproefd had, zou hij zijn soortgenoten roepen, waarna het Odd-banket kon beginnen.

Ik vond een plek om mijn voeten op te zetten, maar verwachtte dat niet lang vol te kunnen houden. Terwijl ik huiverend luisterde naar het tumult en geschreeuw aan de voet van de boom, hoopte ik dat de prooi op de grond overvloedig genoeg zou zijn, en dat de vlucht, de kolonie, of hoe je zo'n troep vleermuisachtige vogels ook maar moest noemen, genoeg zou hebben aan wat ze op de bosgrond zouden verorberen.

Ik moest denken aan een tv-documentaire, waarin een vleermuizensoort werd beschreven die vlijmscherpe, gebogen snijtanden had, en een andere soort met scherpe, kromme klauwen waarmee vissen uit het water konden worden geplukt. Natuurfilms kunnen net zulke heftige nachtmerries teweegbrengen als welke griezelfilm over bloederige monsters dan ook.

Ineens verdween de duisternis en werd ik door het ochtendlicht beschenen. De zonneschijn spoelde de wezens weg die in de onnatuurlijke nacht waren verschenen, alsof ze nooit bestaan hadden. Voor zover ik kon zien, stond niets me op het kleed van eikenbladeren op te wachten.

# 14

Met zijn formidabele postuur en zijn witte kokskledij leek meneer Shilshom op een zeilschip vol grootzeilen en marszeilen en stagzeilen dat door de wind werd voortbewogen. Maar in de keuken stond natuurlijk geen zuchtje wind. De kok zat aan het aanrecht en was bezig een paar kilo aardappels te pitten.

Ik had een doodvermoeiende ochtend achter de rug, en omdat ik alleen maar een amandelcroissantje had gehad, werd het tijd mijn brandstoftank bij te vullen. 'Meneer, ik wil u niet storen, maar Roseland vergt vandaag een hele hoop van me. Ik kan wel een stoot proteïne gebruiken.'

'Mmmmm,' zei hij, en hij wees naar een warme quiche die op een rek stond af te koelen, en naar een pasgebakken *cheesecake* die net voorzien was van een laag citroenglazuur.

Als gast die toegang tot de keuken was vergund, kon ik een broodje ham klaarmaken, of ik kon op zoek gaan naar een restje kippenborst. Maar in plaats daarvan pakte ik een bordje en nam een puntje van de quiche en een stuk cheesecake. Ook schonk ik een glas melk voor mezelf in.

Ik maak me geen zorgen over mijn cholesterol. Gezien mijn gave en de beperkte levensduur die daar bijna zeker mee gepaard

gaat, zullen mijn bloedvaten bij mijn dood nog net zo maagde-
lijk schoon zijn als die van een pasgeboren kind, ook al zou ik
vanaf nu alleen nog maar ijs eten.

Ik ging op een krukje bij een kookeiland zitten, dicht bij de
kok, en ik keek hoe hij de aardappels pitte. Hij deed dat met zo'n
intense concentratie dat het bijna beangstigend was. Het puntje
van zijn tong stak tussen zijn tanden door, zijn vlezige wangen
waren rozer dan gewoonlijk, hij had zijn ogen half toegeknepen,
alsof hij de aardappels minachtte, en ook de zweetdruppels op
zijn voorhoofd leken er een teken van dat hij de aardappels als
geduchte tegenstanders beschouwde, die hij onschadelijk probeerde te maken.

Sinds mijn komst op Roseland had ik geprobeerd meneer
Shilshom op betrekkelijk subtiele wijze informatie afhandig te
maken. Mijn aanpak was tamelijk indirect geweest, en dat had
me eigenlijk geen steek verder geholpen. Die ochtend was ik iets
directer te werk gegaan, en hoewel ik hem niet dusdanig onder
druk had gezet dat hij me een geheim had toevertrouwd, had ik
hem wel enigszins geprikkeld, want hij had iets van zijn verho-
len vijandigheid laten zien toen ik me omdraaide. In het raam
had ik toen gezien dat hij minachtend naar me keek.

Toen ik mijn quiche voor de helft had opgegeten, zei ik:
'Meneer, weet u nog dat ik u iets vroeg over het paard dat ik een
paar keer heb gezien?'

'Mmmmm.'

'Een zwarte hengst, een Fries paard.'

'Als jij het zegt.'

'Aangezien meneer Wolflaw geen paarden houdt, dacht ik dat
het misschien een paard van de buren was, en u zei toen dat dat
mogelijk waar kon zijn.'

'Kijk eens aan.'

'Maar ik vroeg me af, meneer, hoe dat paard door de poort
kon zijn gekomen, met die bewaker erbij en zo.'

'Inderdaad: hoe kan dat?'

'Misschien is het beest over de muur geklommen.'

De kok kon moeilijk doen alsof hij verstrooid was nu ik hem met zulke absurde opmerkingen confronteerde. Hij keek op, maar richtte zich vervolgens tot de aardappel die hij onderhanden had toen hij antwoord gaf. 'Er zijn hier al heel wat jaren geen paarden meer.'

'Wat is het dan dat ik gezien heb?'

'Dat vraag ik me af.'

Ik at de rest van mijn quiche op en zei: 'Meneer, hebt u korte tijd geleden een zonsverduistering gezien?'

Hij schilde een aardappel en zei: 'Zonsverduistering?'

'Dat de dag nacht wordt. Een paar duizend jaar geleden dacht iedereen dat God de zon dan had uitgedaan bij wijze van straf, en werden ze doodsbang en rukten zich het haar uit en offerden baby's en geselden zichzelf met bramentakken en beloofden nooit meer ontuchtige handelingen te verrichten, maar dat kwam omdat ze niet beter wisten, maar daar konden ze eigenlijk niets aan doen, omdat ze in die tijd nog geen Discovery Channel of National Geographic hadden, en misschien wilden sommigen van hen 'zon uitgegaan' googelen om erachter te komen wat er aan de hand was, maar die mensen waren hun tijd natuurlijk ver vooruit.'

Meneer Shilshom schilde met resolute hand en zei: 'Ik kan je niet helemaal volgen.'

'U bent de eerste niet,' verzekerde ik hem.

Ik proefde van de cheesecake. Die was verrukkelijk.

'Meneer,' zei ik, 'als we het mysterieuze paard voorlopig even aan de kant schuiven, wil ik u vragen of u misschien een dier kent dat in deze contreien voorkomt en minstens zo groot als de mens is, mogelijk groter, met donkerrode ogen die in het donker oplichten, en dat een echt afschuwelijke stank verspreidt?'

De kok ontdeed de aardappel tot nu toe zonder onderbreken van zijn schil, zodat er een lange sliert ontstond, alsof hij hele aardappelschillen spaarde, op dezelfde manier waarop sommige mensen touw sparen en oprollen tot ze een bol hebben met het formaat van een auto. Maar halverwege mijn vraag hield hij zijn hand stil, en een voortijdig afgebroken sliert viel in de gootsteen.

Ik betwijfel ten zeerste of Sherlock Holmes mijn overgrootvader is geweest, maar uit het incident met de afgebroken sliert aardappelschil deduceerde ik dat meneer Shilshom wel degelijk op de hoogte was van het bestaan van de onwelriekende dieren die ik ter sprake had gebracht. Blijkbaar was hij geschrokken door hetgeen ik had gezegd, al deed hij zijn best dat verborgen te houden.

Onmiddellijk ging hij door met schillen, maar het duurde zo lang voordat hij reageerde, dat het me zonneklaar was dat hij geschrokken was. Uiteindelijk zei hij: 'Een afschuwelijke stank?'

'Een niet te harden meur, meneer.'

'Zo groot als een mens?'

'Ja, meneer. Mogelijk nog groter.'

'Hoe zagen ze eruit?'

'Ik ben ze alleen in het donker tegengekomen.'

'Maar je hebt vast wel iets gezien.'

'Nee, meneer. Het was echt heel donker.'

Hij leek zich iets te ontspannen. 'Zulke grote dieren komen er in deze streken niet voor.'

'En beren dan?'

'Tja.'

'Bruine beren?'

Hij zei: 'Mmmmm.'

'Misschien zijn de beren over de muur geklommen om alle poema's op te eten.'

De glibberige aardappel glipte uit zijn hand en stuiterde in de roestvrijstalen gootsteen.

'Zouden het beren geweest kunnen zijn?' zei ik nog eens, hoewel ik wist dat het niet zoiets aaibaars was geweest als de moordmachine die de bruine beer in wezen is.

De kok pakte de aardappel en begon die weer te schillen, maar hij was niet meer zo geconcentreerd als in het begin. Onhandig hakte hij in op dit nobele exemplaar van de aloude pieper, en ik had met de aardappel te doen.

'Misschien kun je in het vervolg 's nachts beter binnen blijven.'

Nadat hij de aardappel op klunzige wijze had geschild, deed hij hem in een grote pan die voor de helft met water gevuld was.

Ik zei: 'De eerste keer dat ik ze tegenkwam, was in de stal, vanmorgen, ongeveer een halfuur na zonsopgang.'

Hij pakte weer een aardappel en viel erop aan alsof aardappels enkel zijn minachting en woede opwekten.

'De tweede keer,' zei ik, 'was nog geen twintig minuten geleden, in een eikenbos, waar het ineens zo donker werd dat ik dacht dat er misschien een zonsverduistering plaatsvond.'

'Dat klinkt niet erg logisch.'

'Het kwam ook niet erg logisch op me over.'

'Er heeft geen zonsverduistering plaatsgevonden.'

'Nee, meneer, dat denk ik ook niet. Maar het moet iets geweest zijn.'

Terwijl ik hem in de gaten hield, at ik de rest van mijn cheesecake op.

Meneer Shilshom deed de tweede aardappel in de pan, legde het aardappelschilmesje neer en zei: 'Mijn medicijnen.'

'Meneer?'

'Ik ben vergeten mijn medicijnen in te nemen,' zei hij. Hij liep de gang in.

Bij een andere gootsteen spoelde ik mijn bordje, mijn vork en mijn glas om en zette die in de vaatwasser.

Het eten lag me zwaar op de maag, en ik had het gevoel alsof ik mijn galgenmaal had gehad.

*… er is iemand die in groot gevaar verkeert en die je erg nodig heeft…*

Ik dacht bewust aan de woorden die Annamaria gezegd had, in de hoop mijn paranormaal magnetisme te kunnen gebruiken, zoals ik ook gedaan had voordat ik door de vrouw op het paard gewaarschuwd was. Ik liep de keuken door, naar een van de twee klapdeurtjes die via de voorraadkamer toegang gaven tot de rest van het huis.

Ik liep de officiële eetkamer, de gezellige informele zitkamer, die maar een fractie was van de grote officiële zitkamer, en een gelambriseerde gang door, langs dichte deuren. Ik voelde niet de drang ze open te doen.

De afgelopen dagen was het me meer dan eens overkomen dat ik door de indeling van het grote huis in verwarring was geraakt, niet alleen vanwege de grootte, maar ook omdat de architect kennelijk een nieuwe geometrie had uitgevonden, met een voorheen onbekende dimensie, waardoor mijn geheugen danig op de proef werd gesteld. Kamers leken met elkaar verbonden te zijn op manieren waar ik bij herhaling versteld van stond.

Tegen de tijd dat ik in de leeskamer kwam, via een route die ik niet voor mogelijk had gehouden, waren er twee dingen die me opvielen: de diepe stilte in het grote huis en de afwezigheid van personeel. Er was geen stofzuiger te horen. Geen stemmen. Niemand die de kalkstenen vloeren dweilde of de mahoniehouten vloeren in de was zette, niemand die aan het stoffen was.

De vorige dag had ik voor het eerst van de uitnodiging gebruikgemaakt overal op de begane grond rond te kijken, en ik was een tijdje in de kaartenkamer en de volledig ingerichte sportzaal geweest. Ik was alleen het hoofd van de huishouding tegengekomen, mevrouw Tameed, en een dienstmeisje dat Victoria Mors heette.

Nu ik in de deuropening van de leeskamer stond en me erover verbaasde hoe stil het in huis was, besefte ik dat noch de huishoudster noch het dienstmeisje met een of andere klus bezig was toen ik hen was tegengekomen. Ze hadden in de kaartenkamer gestaan en waren in een druk gesprek gewikkeld. Toen ik me verontschuldigde en zei dat het niet mijn bedoeling was ze in hun werkzaamheden te storen, verzekerden ze me dat ze net klaar waren en ergens anders een klusje moesten doen. Ze waren onmiddellijk weggegaan, maar pas nu drong het tot me door dat ze geen van beiden schoonmaakspullen bij zich hadden, zelfs nog geen stofdoek.

Aan een huis dat zo groot was als dit – met al het versierde lijstwerk, de bewerkte marmeren open haarden, de vele architectonische ornamenten, en kamer na kamer vol antiek meubilair – zouden mevrouw Tameed en zo'n vijf dienstmeisjes van 's morgens vroeg tot 's avonds laat de handen vol hebben. Het huis was weliswaar keurig aan kant, maar toch had ik tot nu toe nog maar twee leden van het huishoudelijk personeel ontmoet, en geen van hen had ik betrapt op enige activiteit.

Ik liep de leeskamer in en merkte dat er niemand was. Het grote, rechthoekige vertrek stond vol boekenkasten, en voor de ramen hingen zware brokaten gordijnen. Ik bleef niet staan om de titels op de boekruggen te bekijken, en ging ook niet in een van de fauteuils zitten. Geleid door paranormaal magnetisme ging ik rechtstreeks naar de open wenteltrap die in het midden van de kamer stond.

Het zes meter hoge plafond bestond uit diepe cassettes, en op drieënhalve meter hoogte bevond zich een entresol van bijna anderhalve meter diep.

De bronzen wenteltrap was voorzien van een balustrade waarvan de spijlen prachtig versierd waren met wijnranken en vergulde bladeren. Misschien symboliseerde die de boom der kennis.

Boven aan de trap verbond een brug de twee langste zijden van de entresol. Zonder een moment te aarzelen ging ik naar links, en aan het eind naar rechts.

In de zuidwesthoek van de entresol, geplaatst onder een hoek tussen de boekenplanken, bevond zich een zware houten deur onder een fronton, met daarboven een bronzen toorts en een vergulde vlam. De deur gaf toegang tot de gangen op de eerste verdieping.

De uitnodiging om alle kamers van het huis te bekijken, strekte zich niet uit tot de vertrekken op de eerste verdieping. Ik maakte misbruik van het privilege dat me vergund was. En daar had ik totaal geen moeite mee. Ik denk niet dat ik een slecht mens ben, maar ik moet toegeven dat ik soms stoute dingen doe.

In aanmerking genomen dat het hoofd van de beveiliging, Paulie Sempiterno, onlangs nog de stellige wens had geuit me dolgraag voor de kop te willen schieten, zou mijn misbruik van de gastvrijheid van meneer Wolflaw mogelijk worden afgestraft met iets stevigers dan een verwijt dat ik geen manieren had. Het leek nu extra belangrijk om goed uit mijn doppen te kijken.

Alsof de gedachte aan Sempiterno de man zelf had opgeroepen, hoorde ik zijn ruige stem achter een van de gesloten deuren van de westelijke gang, rechts van me.

Een andere stem, die bezorgder en minder woedend klonk dan die van Sempiterno, was onmiskenbaar die van meneer Shilshom, de kok. Blijkbaar was hij niet naar zijn appartementje in de bediendevleugel op de begane grond gegaan om medicijnen op te halen.

Een derde stem, rustiger dan de andere twee, was mogelijk die van Noah Wolflaw, wiens slaapkamersuite in de westvleugel gelegen was.

Ik kon alleen de hard uitgesproken woorden verstaan, maar uit de toon waarop de drie mannen praatten, was me duidelijk dat er een stevige discussie gevoerd werd. Ik vermoedde dat Sempiterno me het liefst in een houtversnipperaar wilde gooiden, dat Shilshom me graag met wat uitjes en worteltjes zou braden om me vervolgens als vredesoffer aan de roodogige wezens van Roseland aan te bieden, en Wolflaw wilde me liever niet laten versnipperen of braden, omdat hij nog steeds uiterst gecharmeerd was van Annamaria, om redenen die hem zelf waarschijnlijk niet duidelijk waren.

Hoewel ik de neiging had bij de deur te gaan staan luisteren, werd ik door mijn voorzichtige natuur en mijn paranormale magnetisme ergens anders naartoe geleid. Ik liep de zuidelijke gang in, waarvan alle deuren zich in het eerste deel allemaal rechts van me bevonden. Ik bleef op de loper, zette mijn voeten voorzichtig neer, en ik was blij dat de kracht die mijn voeten stuurde niet van me verlangde dat ik nu een uitbundig dansje maakte.

Vlak voor de kruising van de zuidvleugel en de oostvleugel werd ik naar een deur rechts van me geleid. Ik aarzelde met mijn hand op de knop, luisterde, maar hoorde geen enkel geluid uit de kamer komen.

Ik ging naar binnen en kwam in een salon die deel van een slaapkamersuite uitmaakte. In een oorfauteuil zat een jongen met opengesperde ogen voor zich uit te kijken. Zijn witte ogen leken ernstig door staar aangetast.

# 15

Toen de jongen op geen enkele manier op me reageerde, deed ik de deur zachtjes dicht en liep ik verder de kamer in.

Zijn handen lagen op zijn schoot, met zijn palmen omhoog. Zijn lippen weken iets uiteen. Hij bewoog zich niet en hield zich zo stil dat het was of hij dood was, of in coma.

De salon en de aangrenzende slaapkamer die ik door een openstaande deur kon zien, waren niet ingericht of gemodelleerd naar de smaak van een jongen van acht of negen. Op het witte plafond prijkten versierde medaillons waarin pijlenbundels stonden afgebeeld, aan de muren hingen wandkleden met complexe randpatronen en jachtscènes, er stond Engels meubilair uit een periode die ik niet kon thuisbrengen, en op tafels en kastjes stonden talloze bronzen beelden van jachthonden. Op de vloer lag een Perzisch tapijt in dieprode, bruine en goudkleurige tinten, en dit alles was absoluut smaakvol voor een heer die tientallen jaren aan jachtervaring achter zich had liggen, maar het was minder geschikt voor een jongen van prille leeftijd.

De gordijnen waren dicht, en het licht was afkomstig van een schemerlamp die op een tafel bij de bank stond, en van een staande schemerlamp naast een fauteuil. Beide lampen hadden zijden kappen. In de hoeken was het donker, maar ik ging er zonder meer van uit dat het kind alleen was.

Ik liep naar hem toe zonder dat hij een reactie vertoonde, en peinzend stond ik bij hem, me afvragend wat er met hem aan de hand was.

De afzichtelijke staarogen waren zo wit dat de irissen en pupillen totaal niet te zien waren. Hoogstwaarschijnlijk was hij stekeblind.

Hoewel ik hem niet kon horen ademen, zag ik dat zijn borst op en neer ging. Zijn ademhaling was traag en oppervlakkig.

Zijn ogen waren het enige dat weerzin opwekte. Hij had een aantrekkelijk gezicht en een bleke, schone huid, verfijnde gelaatstrekken die deden vermoeden dat hij te zijner tijd zou uitgroeien tot een knappe verschijning, en hij had een dikke bos donker haar. Mogelijk was hij een beetje klein voor zijn leeftijd. Doordat hij in een grote fauteuil zat, leek hij kleiner dan hij was. Zijn voeten raakten de grond niet.

Ik dacht dat ik iets van het gezicht van de vrouw op het paard herkende, maar daar was ik niet zeker van.

*… er is iemand die in groot gevaar verkeert en die je erg nodig heeft…*

Ik had het idee dat ik degene had gevonden waar Annamaria het over had gehad. Ik wist echter niet in welk gevaar hij verkeerde, of wat ik voor hem kon doen.

Zijn linkerhand bewoog, en met de hak van zijn linkerschoen tikte hij twee keer tegen de voorkant van de stoel aan, alsof een arts met een hamertje op zijn knie had geslagen om zijn reflexen te testen.

Ik zei: 'Kun je me horen?'

Toen hij niet reageerde, ging ik op een poef tegenover hem zitten. Nadat ik hem een tijdje had bestudeerd, pakte ik zijn rechterpols om zijn hartslag te meten.

Hoewel hij rustig op zijn stoel zat en langzaam ademde, ging zijn hart flink tekeer; hij had een pols van 110. Er was niets onregelmatigs in de hartslag te horen, en hij leek niet onder grote spanning te staan.

Hij voelde zo koud aan dat ik zijn rechterhand tussen mijn handen nam om die warm te maken.

Eerst reageerde hij niet, maar ineens greep hij mijn handen stevig vast. Een zachte kreet gleed over zijn lippen, en hij huiverde.

Bij nader inzien bleek dat hij geen last van staar had. Zijn ogen waren verder naar achteren gedraaid dan ik voor mogelijk had gehouden. De oogbollen draaiden terug in de normale stand, en de irissen verschenen, lichtbruin en helder.

Aanvankelijk leek hij dwars door me heen te kijken, naar iets buiten deze kamer. Langzaam richtte hij zijn blik en keek hij me aan, zonder dat hij verrast leek, alsof we elkaar kenden of alsof niets hem van zijn stuk kon brengen, ondanks het feit dat hij zo jong was en weinig had meegemaakt.

Zijn vingers ontspanden zich, en hij trok zijn hand terug. Langzaam kwam er wat kleur op zijn lijkbleke huid, alsof hij bij een vuur zat, maar de dichtstbijzijnde open haard was donker en koud.

'Gaat het?' vroeg ik.

Hij knipperde een paar keer en keek om zich heen, alsof hij nu pas zag waar hij was.

'Ik ben Odd Thomas. Ik logeer in het gastenverblijf.'

Hij richtte zijn aandacht weer op mij en keek me opmerkelijk strak aan, zeker gezien het feit dat hij nog zo jong was. 'Ik weet het.'

'Hoe heet je?'

In plaats van op mijn vraag in te gaan, zei hij: 'Ze zeiden dat ik op mijn kamer moet blijven zolang u hier bent.'

'Wie zeiden dat?'

'Allemaal.'

'Waarom?'

Toen hij zich uit de stoel liet glijden, stond ik op van de poef. Hij ging naar de open haard en bleef daar staan, starend door het vuurscherm naar het hout dat op de vuurbok lag opgestapeld.

Nadat ik had geconcludeerd dat hij pas weer wat zou zeggen als hem wat gevraagd werd, zei ik weer: 'Hoe heet je?'

'Hun huid smelt van hun schedels af. En hun schedels worden zwart als er lucht bij komt, en al hun botten ook. En dan waait het zwarte er als roet af en is er niks meer van ze over.'

De toonhoogte waarop hij sprak, was die van een jongen van zijn leeftijd, maar ik had zelden of nooit een kind zo ernstig horen praten. En naast de ernst was er iets in zijn manier van spreken waardoor ik vanbinnen helemaal koud werd, een droefenis die misschien aan vertwijfeling raakte, het onvermogen om hoop te koesteren, misschien geen pure wanhoop maar iets wat daar heel dichtbij zat.

'Ongeveer twintig meisjes in uniform en kniekousen,' ging hij verder. 'Ze liepen naar school. Van het ene moment op het andere vlogen hun kleren in brand, en hun haar, en toen ze wilden schreeuwen, kwamen er vlammen uit hun mond.'

Ik deed een stap naar hem toe en legde een hand op zijn tengere schouder. 'Een nachtmerrie?'

Hij staarde in de koude open haard, alsof hij daar brandende schoolmeisjes zag in plaats van houtblokken, en schudde zijn hoofd. 'Nee.'

'Een film, een boek,' zei ik, in een poging hem te begrijpen.

Hij keek me aan. Zijn donkere ogen glansden – en ik merkte dat iets hem kwelde, zoals Roseland werd gekweld door het zwarte spookpaard en diens ruiter.

'U kunt zich maar beter verstoppen,' zei hij.

'Hoe bedoel je?'

'Het is bijna negen uur. Dan komt ze altijd terug.'

'Wie?'

'Mevrouw Tameed. Om negen uur komt ze altijd terug om het dienblad op te halen.'

Ik keek naar de deur en hoorde een geluid op de gang.

'U kunt zich maar beter verstoppen,' zei hij nogmaals. 'Als ze erachter komen dat u me gezien hebt, maken ze u dood.'

# 16

Paulie Sempiterno had gezegd dat hij me voor de kop wilde schieten omdat mijn gezicht hem niet aanstond. Ik had mezelf vaak genoeg in de spiegel gezien en begreep wat hij bedoelde. Maar ik snapte niet waarom ik verdiende te sterven vanwege het feit dat ik deze jongen hier op de eerste verdieping had gezien. Hoewel de jongen zich een beetje vreemd gedroeg, geloofde ik hem ogenblikkelijk.

Toen ik gauw vanuit de salon naar de aangrenzende kamer liep, zag ik dat het bed al was opgemaakt, wat betekende dat mevrouw Tameed misschien alleen maar in de salon hoefde te zijn. Maar toen zag ik een dienblad op een tafeltje staan, naast een stapel boeken.

Door een openstaande deur zag ik een badkamer. Badkamers hadden meestal zulke kleine raampjes dat je er niet door naar buiten kon, zodat de enige vluchtroute daar het afvoerputje was.

Ik wierp een blik in een inloopkast, maar besefte dat ik daar niet veiliger was dan in de badkamer. Omdat ik mevrouw Tameed in de salon hoorde vragen of de jongen klaar was met zijn ontbijt, stapte ik toch maar deze enig mogelijke schuilplaats binnen. Ik liet de deur een centimeter openstaan.

In *Rebecca*, zowel het boek als de film, was het hoofd van de huishouding, mevrouw Danvers, een lopende hakbijl in een lange zwarte jurk, en in de eerste filmscène waarin ze verscheen, wist je dat ze uiteindelijk iemand in mootjes zou hakken, of anders het huis in brand zou steken.

Mevrouw Tameed had die school van strenge en zwijgzame bedienden niet doorlopen. Ze was 1,80 meter lang, blond, stevig maar niet dik, en haar handen leken sterk genoeg om een vetgemeste stier te masseren. Ze had een gulle lach, en zo'n open, Scandinavisch gezicht waar onmogelijk een misleidende uitdrukking op leek te kunnen verschijnen. Misschien was ze niet meteen iemand van wie je zou denken dat ze afschuwelijke geheimen met zich meedroeg, maar ik zag in haar iets van een amazone, die heel goed een dolk en een slagzwaard kon hanteren.

Toen ze de slaapkamer van de jongen binnenkwam, leek het of ze niet naar het tafeltje liep maar ernaartoe schrééd om het dienblad te pakken, de schouders naar achteren, het hoofd geheven, alsof zelfs deze onbeduidende klus veel gewicht had.

De jongen verscheen achter haar in de deuropening en zei: 'Ik wil met hem praten over meer privileges.'

'Hij is niet in de stemming om jou te woord te staan,' zei mevrouw Tameed. Ze klonk koel, niet minachtend maar wel streng, zonder veel respect, alsof het kind veel lager op de sociale ladder van Roseland stond dan zij.

Het lieve jongenskoorstemmetje was een generatie jonger dan de woorden die gezegd werden: 'Hij heeft een verplichting naar mij toe, een zekere verantwoordelijkheid. Hij denkt misschien dat de regels niet voor hem gelden, maar hij is heus niet boven alles en iedereen verheven.'

Met het dienblad in haar handen zei de huishoudster: 'Moet je jezelf nou eens horen. Geen wonder dat hij je niet te woord wil staan.'

'Hij heeft me hiernaartoe gebracht. Als hij me niet meer te woord wil staan, moet hij me weer terugbrengen. Dat is wel het minste wat hij dan kan doen.'

'Je weet heus wel wat dat zou betekenen. Dat wil je echt niet.'

'Misschien wil ik dat toch wel. Waarom niet?'

'Als je wilt dat hij je te woord staat, zul je het over een andere boeg moeten gooien. Hij zal geen moment geloven dat je weer teruggebracht wil worden.'

Toen ze naar hem toe liep, blies de jongen de aftocht. Samen verdwenen ze in de salon.

Ik duwde de kastdeur iets verder open en hoorde dat ze tegen hem zei: 'Vergeet niet de gordijnen dicht te houden, en kom niet bij het raam.'

'Wat maakt het nou uit als de gasten me zien?'

'Dat maakt misschien niets uit, maar we mogen geen risico's lopen,' zei mevrouw Tameed. 'Je hebt het over verantwoordelijkheden. Als we gedwongen werden hem en die vrouw te doden, zou jij daarvoor verantwoordelijk zijn.'

'Wat moet ík daarmee?' zei de jongen. Hij klonk dwars, nu kinderlijker dan eerst.

'Daar hoef jij niets mee. Hun soort zou jou koud moeten laten, net als ons. Maar misschien lukt jou dat niet. Per slot van rekening ben jij... anders.'

'Als het zo link is om ze hier te logeren te hebben, waarom heeft hij ze dan uitgenodigd?' vroeg de jongen, en ik wist dat hij het had over Noah Wolflaw.

'Ik mag een boon zijn als ik het weet,' zei mevrouw Tameed. 'We snappen er geen van allen iets van. Hij zegt dat die vrouw hem fascineert.'

'Wat is hij dan van plan met haar te gaan doen?' vroeg de jongen. Er schemerde een zekere wellust in zijn stem door, iets wat niet bij zijn leeftijd paste.

'Ik weet helemaal niet of hij überhaupt iets van plan is met haar,' zei mevrouw Tameed. 'Maar hij kan alles doen met die trut wat hij wil, net als ik, net als ieder van ons, en dat gaat jou helemaal geen klap aan, klein opdondertje.'

'Was u altijd al zo'n serpent,' vroeg het kind, 'of bent u dat pas op latere leeftijd geworden?'

'Wat ben je toch een misselijk ventje. Als je nog even zo doorgaat, zet ik je op een staak in het veld, zodat de gedrochten 's nachts met je kunnen doen wat ze willen.'

Van dit dreigement had de jongen niet terug, en ik vermoedde dat de gedrochten de wezens waren die steeds in de op magische wijze invallende duisternis verschenen.

Nu de huishoudster een serpent was genoemd, nam ze de gelegenheid te baat om nog wat gif te spuwen voordat ze wegging: 'Misschien nemen de gedrochten je eerst lekker een paar keer voordat ze de kop van je romp bijten.'

Als er een meneer Tameed in het spel was, en als hij net zo'n type was als zijn vrouw, stelde ik me zo voor dat er in hun bed net zoveel liefde heerste als in de gemiddelde vechtkooi voor pitbulls.

Mevrouw Tameed beet hem tot besluit nog iets toe, raadselachtiger dan haar eerdere verwensingen: 'Je bent niets meer dan een dood jongetje. Je bent niet een van ons, en dat zul je ook nooit worden, *dood jongetje.*'

De deur naar de gang werd met kracht dichtgeslagen. Toch kwam ik niet onmiddellijk uit de kast tevoorschijn. Ik wachtte tot de jongen zou bevestigen dat mevrouw Tameed echt verdwenen was.

Toen hij na een paar minuten nog niet was verschenen, liep ik op mijn hoede terug naar de salon.

In weerwil van wat de huishoudster gezegd had, had de jongen de gordijnen bij een van de ramen opengetrokken, en hij keek naar buiten, in zuidelijke richting, naar de tuinen en de watervalletjes, die doorliepen tot aan het mausoleum boven op de heuvel. Hij reageerde niet op mijn komst. De kleur was uit zijn gezicht getrokken, en hij zag nu net zo bleek als eerst, toen ik hem in een soort trance had zien zitten, met zijn ogen naar achteren gedraaid.

'Wat bedoelde ze met "dood jongetje"?'

Geen reactie.

'Was dat een dreigement? Zijn ze van plan je dood te maken?'

'Nee. Het is gewoon zoals het is. Het betekent verder niks.'

'Volgens mij wel. En volgens mij weet jij dat ook best. Ik ben hier om je te helpen. Hoe heet je?'

Hij schudde zijn hoofd.

'Ik kan je helpen.'

'Niemand kan me helpen.'

'Jij wil hier weg,' zei ik.

Hij bleef in de verte staren, naar het mausoleum.

'Ik kan je hier weghalen, zodat de autoriteiten zich over je kunnen ontfermen.'

'Onmogelijk.'

'De muur over. Dat gaat heel makkelijk.'

Hij draaide zich om en keek me aan. Zijn melancholieke ogen straalden een en al verdriet uit, en die zwaarmoedigheid sloeg op mij over toen ik die blik in zijn ogen zag.

'Ze weten altijd waar ik ben,' zei de jongen. Hij trok de linkermouw van zijn trui op en liet zien dat er om zijn pols iets zat wat te veel op een keten leek om een horloge te kunnen zijn.

Toen ik dichterbij kwam en het ding nader bekeek, zag ik dat het om zijn pols was vastgemaakt; er zat een sleutelgat in, dat op een sleutelgat van handboeien leek. Het was groter dan een horloge. Op de dunne pols leek het roestvrijstalen geval overdreven groot, al was zijn huid er niet door beschadigd.

'Dit is een GPS-zendertje,' zei hij. 'Als ik deze kamer verlaat, klinkt er meteen een signaal door het hele huis. En ook in het huisje bij de poort. En in de walkietalkies die de bewakers bij zich hebben. Als ik naar beneden ga, horen ze een ander signaal, en een derde signaal als ik naar buiten ga.'

'Waarom houden ze je hier vast?'

Hij ging niet op mijn vraag in, maar zei: 'Ze kunnen mijn locatie in het huis en op het terrein in de gaten houden via een kaart die ze op hun mobieltje hebben. Zo gauw ik deze verdieping verlaat, komt er iemand die bij me blijft, waar ik ook naartoe ga.'

Ik bekeek de band met het zendertje nog eens goed en zei: 'Dat slot lijkt een beetje op dat van handboeien. Daar weet ik wel iets vanaf. Waarschijnlijk krijg ik dat wel met een paperclip open.'

'Als u dat probeert, gaat er een alarmsignaal af, net als wanneer ik de gang op ga.'

Toen ik mijn ogen naar hem opsloeg, keek hij me met tranen in de ogen aan.

'Ik zal je niet laten stikken,' zei ik, maar die belofte klonk arrogant, alsof ik het lot daarmee tartte. Grote kans dat ik hem niet zou kunnen helpen.

# 17

Ik was bang dat het nog niet mee zou vallen om deze jongen te redden als men erachter zou komen dat hij de instructies in de wind had geslagen. Ik trok de gordijnen dicht.

'We hoeven niet van het terrein af, als we de politie maar inschakelen. Mij vinden ze misschien een raar figuur, maar ik heb een goede vriend in Pico Mundo die commissaris is. Hij zal me zeker geloven, en hij zal dan de autoriteiten inlichten.'

'Nee. Geen politie. Dat zou... het eind van alles zijn. U snapt niet wie ik ben.'

'Leg het me dan uit.'

Hij schudde zijn hoofd. 'Als ik dat zou doen, zouden de mensen hier... u nog doder dan dood maken.'

'Ik ben taaier dan je misschien denkt, hoor.'

Misschien wilde hij me recht in mijn gezicht uitlachen, maar dat deed hij niet en nam weer plaats in de fauteuil.

Ik ging weer op de poef zitten. 'Je zei tegen mevrouw Tameed dat hij je hiernaartoe heeft gebracht en dat hij je in elk geval ook weer terug moest brengen. Wie bedoelde je daarmee?'

'Hij. Wie anders dan hij? Alles komt door hem.'

'Noah Wolflaw?'

'*Wolflaw*,' zei hij, en uit de minachting waarmee hij die naam zei, sprak een leven vol bittere ervaringen, iets wat niet paste bij een jongetje van zijn leeftijd.

'Hij heeft je hiernaartoe gebracht, zei je. Bedoel je dat je ontvoerd bent?'

'Erger dan ontvoerd.'

Hij leek de cryptische stijl van Annamaria te hebben overgenomen.

Omdat ik maar al te goed wist tot welke duistere daden sommige mensen in staat zijn, zette ik me schrap toen ik vroeg: 'Wat moet Wolflaw van je? Wat... verwacht hij van je?'

'Ik ben zijn speeltje. Iedereen is een speeltje van hem.' Zijn stem trilde, en onder de minachting waarmee zijn woorden doorspekt waren, leek er een andere emotie schuil te gaan, iets wat dichter bij droefenis dan bij woede zat, een gevoel van een tragisch verlies.

Ik dacht aan de woorden van Henry Lolam, de poortwachter die had aangegeven dat Noah Wolflaw het kind van Annamaria wilde voor 'een nieuwe sensatie'... 'voor de kick'.

Ik kreeg een drukkend gevoel op de borst, en mijn keel leek vol slijm te zitten, maar dat kwam door de walging die me bekroop toen ik deze jongen over perversiteiten hoorde praten.

'Ik weet wat de hel is,' zei hij, en hij leek helemaal in de grote stoel weg te zakken. 'De hel, dat is Roseland.'

Na enige aarzeling vroeg ik: 'Heeft hij... aan je gezeten?'

'Nee. Dat is niet waar het hem om te doen is.'

Zijn antwoord stelde me in zekere mate gerust, maar aan de andere kant moest ik nu bedenken wat erger kon zijn dan mijn ergste vermoedens.

De jongen zei: 'Ik ben hier omdat hij een moment van spijt heeft gehad.'

Dat was niets voor een kind om te zeggen, en ook was het weer cryptisch.

Gezien onze conversatie tot dusverre had ik er een hard hoofd in dat ik iets verhelderends uit hem kon krijgen.

Voordat ik weer een poging kon doen een nieuwe draai aan het gesprek te geven, zei hij: 'Hij houdt me hier om zichzelf te bewijzen dat er geen grenzen zijn aan wat hij allemaal kan doen.'

Gefrustreerd door zowel de beperkingen die hem – en mij – waren opgelegd door het zendertje aan zijn pols en door zijn gebrek aan bereidwilligheid om me informatie te verschaffen, zei ik: 'Ik wil je alleen maar helpen.'

'Ik wou dat u dat kon.'

'Help me dan je te helpen. Waar heeft hij je vandaan gehaald? Hoe lang zit je hier al? Hoe heet je? Weet je nog wie je ouders waren, hoe ze heetten, waar je woonde?'

Op dat moment vertoonden zijn lichtbruine ogen een opmerkelijke diepte, meer dan eerst, meer dan ik ooit bij iemand had gezien, een peilloze eenzame diepte, en het leek niet zonder gevaar om me daarin te verliezen, alsof ik daar zoveel wanhoop kon zien dat mijn hart zou verstenen, zoals bij het aangezicht van een Gorgo.

'Je hebt donker haar, maar je moeder was blond.'

Hij keek me zwijgend aan.

'Ze had een grote zwarte hengst, een Fries paard, dat ze aanbad. En ze kon heel goed paardrijden.'

'Ik weet niet wie u bent, maar misschien weet u al te veel,' zei de jongen, klaarblijkelijk een bevestiging van wat de geest me duidelijk had gemaakt. 'U kunt het in het bijzijn van de anderen maar beter niet over haar hebben. Ga hier weg, nu hij u nog laat gaan. Dat zal niet lang meer duren. Als u denkt dat u geen gevaar te duchten hebt... neem dan eens een kijkje in het mausoleum. Ga naar het mozaïek en druk op het schild dat de engel omhooghoudt.'

Zijn ogen draaiden naar achteren tot hij net zo blind was als een standbeeld van wit marmer. Zijn handen gleden van de armleuningen en vielen met de palmen omhoog op zijn schoot.

Misschien kon hij zichzelf moedwillig in deze trance brengen, of misschien overviel het hem, zoals bij een epileptische aanval. Ik vermoedde dat hij bewust zijn blik naar binnen had gericht – als dat was waar zijn aandacht naartoe ging – en dat hij op die manier te kennen gaf dat ons onderhoud ten einde was.

Ik bleef een tijdje naar hem kijken. Hij zou niet binnen afzienbare tijd uit eigen beweging uit zijn trance ontwaken, en het leek geen zin te hebben om hem wakker te schudden en hem te dwingen mee te werken.

De persoon die mijn hulp dringend nodig had, bleek die hulp geenszins te willen aanvaarden. Dat had ik niet voorzien.

Voordat ik wegging, besloot ik de slaapkamer nader te inspecteren, beter dan ik gedaan had toen ik er mijn toevlucht had gezocht om mevrouw Tameed te ontlopen. Net als de salon leek ook deze kamer naar de smaak van een volwassene te zijn ingericht. Het thema was de jacht en jachthonden. Geen speelgoed. Geen stripboeken. Geen filmposters. Geen gameconsoles. Geen televisie.

Niet alleen op de tafel waar het dienblad had gelegen, lagen boeken, maar ook op een nachtkastje en een ladekast. De schrijvers waren nu niet bepaald auteurs die een negenjarige op het lijf geschreven waren: Faulkner, Balzac, Dickens, Hemingway, Graham Greene, Somerset Maugham...

Ik kreeg onmiddellijk het idee dat dit geen vertrek was waar een kind verbleef, maar dat hier ook een volwassene zijn intrek moest hebben genomen. Maar in de inloopkast en de ladekast vond ik alleen maar kleren voor een jonge jongen. In de badkamer lag maar één tandenborstel, en nergens zag ik een scheerapparaat en andere toiletartikelen voor volwassenen, wat overeenkwam met wat ik in de slaapkamer had aangetroffen.

Toen ik weer in de salon was en nogmaals naar hem keek, was ik niet alleen bezorgd maar ook ontsteld. Hij zag er zo kwetsbaar uit, en ik wist dat ik hem moest helpen, maar net als alle anderen op Roseland leek hij niet bereid zijn geheimen prijs te geven.

Om mij en Annamaria ertoe aan te zetten het landgoed zo snel mogelijk te verlaten, had hij me een aanwijzing gegeven. Het mausoleum.

Plotseling moest ik denken aan iets wat Paulie Sempiterno had gezegd, vlak nadat hij had besloten me toch maar geen kogel door de kop te jagen: *Ik weet niet wat jullie hier te zoeken hebben, maar je zult altijd het tegenovergestelde aantreffen. Als je het er levend van af wilt brengen, moet je op zoek gaan naar de dood.*

Ik wilde meteen naar het mausoleum toe, waar de doden netjes verast in urnen werden bewaard. Althans, dat idee had ik.

# 18

Stilletjes liep ik door het grote huis terug naar de keuken, maar ik had dat net zo goed zingend en dansend kunnen doen, want er leek niemand aanwezig te zijn. Meneer Shilshom was nog niet terug, en ik vroeg me af of de bespreking in de slaapkamer van Noah Wolflaw nog steeds in volle gang was.

Buiten liep ik over het terras aan de zuidkant naar de trap die naar de fontein leidde, en iets verderop op het gazon zag ik meneer Jam Diu, de tuinman. Hij was een gedrongen man met een gladgeschoren gezicht dat altijd net zo vrolijk stond als dat van Boeddha. Mogelijk was hij een Vietnamees, maar dat wist ik niet zeker, omdat we elkaar maar één keer hadden gesproken, heel kort, toen ik hem complimenteerde met de verzorgde staat van de tuin en hij me complimenteerde met het feit dat ik oog had voor zijn noeste werkzaamheden.

Meneer Diu leek de enige op Roseland die nog enig gevoel voor humor had, en als er vandaag allerlei nare dingen stonden te gebeuren – waar het alle schijn van had – zou ik even naar hem kunnen gaan om de zorgen weg te lachen.

Op dit moment had hij geen kruiwagen of tuingereedschap bij zich. Hij leek het gemillimeterde gazon te bestuderen, mogelijk op zoek naar onkruid om uit te trekken.

Het stond me vrij om naar het mausoleum te gaan, en dat had ik al eerder gedaan, maar ik wilde liever niet dat meneer Diu nu een praatje aanknoopte en met me meeging. In zijn bijzijn zou ik me niet vrij voelen om te doen wat de jongen me had aangeraden: op het schild van de engel drukken.

Ik verliet het terras en ging eerst in oostelijke richting, om later mijn koers te verleggen. Als ik eenmaal buiten het blikveld van de tuinman en het huis was, zou ik vanuit het zuiden naar het mausoleum lopen.

Toen het huis en de tuinman niet meer te zien waren, drong het tot me door dat ik meneer Jam Diu de afgelopen twee dagen en vandaag nooit aan het werk had gezien. Ook had ik nog nooit iemand van zijn assistenten gezien. Ik nam aan dat hij een ploeg van zes of zeven man onder zich had om het terrein te onderhouden.

Nooit had ik iemand het gras horen maaien. Nooit had ik een bladblazer gehoord.

In huis zag het er overal smetteloos schoon uit – terwijl de enigen van het huishoudelijk personeel mevrouw Tameed en Victoria Mors leken te zijn, die nooit enige huishoudelijke klus leken te doen.

Die constateringen hadden iets met elkaar te maken, en dat had iets te betekenen. Voorlopig zei het me allemaal net zo weinig als een document in braille.

Voor me, aan drie kanten omzoomd door eiken, lag een langgerekt gazon, met middenin een groot loden beeld van Enceladus, een van de titanen uit de Griekse mythologie. Hij keek op naar de hemel en balde een opstandige vuist.

De titanen wilden de strijd met de goden aangaan en werden verpletterd onder de rotsen die ze op elkaar hadden gestapeld in een poging tot de hemel te reiken.

Ambitie en domheid vormen een gevaarlijke combinatie.

Iets leek me niet in de haak. Toen ik dichterbij kwam, zag ik dat het beeld twee tegengestelde schaduwen wierp, de ene donkerder en korter dan de andere.

Niet goed. De vorige keer toen dit fenomeen had plaatsgevonden, bij de stallen, was het als bij toverslag nacht geworden en waren er wezens opgedoken die door mevrouw Tameed gedrochten werden genoemd.

In het noorden vormden donkere wolken een vloot galjoenen, maar het grootste deel van de lucht was nog steeds onbewolkt. De zon had bijna het hoogste punt bereikt.

Met een hand boven mijn ogen tuurde ik naar de schaduwen tussen de bomen om me heen, met de verwachting daar vreemde gedaanten met vijandige bedoelingen te ontwaren, want zoals gebruikelijk voelde ik me bespied. Maar de bespieders, voor zover ze al bestonden, hielden zich goed verborgen.

Voor mijn ogen kromp de naar het oosten vallende schaduw en verdween in de titan, zodat alleen de donkere, korte schaduw overbleef. De natuur had een steekje laten vallen, maar probeerde dat nu recht te zetten.

Ik vind het prima dat ik doden zie die hier op aarde blijven rondhangen, zolang ze me maar niet komen lastigvallen als ik op de wc zit. Minder aangenaam vind ik gebeurtenissen die ogenschijnlijk bovennatuurlijk zijn en die buiten mijn normale ervaringsspectrum vallen, omdat ik dan bang ben dat ze continu deel van mijn leven zullen gaan uitmaken. Als ik er niet van op aan kan dat de zon volgens een redelijk voorspelbaar schema opkomt en ondergaat, als alles voortdurend twee tegengestelde schaduwen kan hebben, is het goed mogelijk dat morgen vogels blaffen en honden kunnen vliegen, en dan kun je er donder op zeggen dat ik binnen een week een totaal doorgedraaide snelbuffetkok ben die tegen pannenkoeken praat en ook nog verwacht dat ze iets terugzeggen.

Enceladus, die op de snelweg naar de hemel was platgewalst, liet ik achter me, en ik liep door naar het eind van dat doodlopende gazon.

Voordat ik het eikenbos in ging, keek ik om me heen, in de hoop dat de spookruiter zou verschijnen om me te vertellen dat alles veilig was, ofwel dat er gevaar dreigde. Maar mijn spook-gids miste de betrouwbaarheid van Tonto, en ik beschikte niet over de opvallende garderobe en het sexy masker van de Lone Ranger.

Ik liep tussen de dicht op elkaar staande eiken door, waar het zo donker was dat er geen struikjes of planten groeiden. Spikkels van de zon vielen als gouden munten op de schemerige bosgrond, en op die kale grond zonder stenen waren mijn voetstappen bijna zo geluidloos als die van een insluiper.

Het was zo stil dat ik mijn pas inhield. Dat de grond zo kaal was, snapte ik niet. Door het spaarzame licht dat tussen het bladerdek door viel, realiseerde ik me dat er allemaal afgevallen blaadjes op de grond zouden moeten liggen.

Ik dacht aan het gekraak en geritsel toen de monsters op de blaadjes stapten, in dat andere bos.

Deze eiken bleven ook 's winters groen, maar lieten hun kleine ovale blaadjes het hele jaar door vallen, in groten getale. Zelfs als meneer Jam Diu en een ondersteunend team van ijverige kabouters diezelfde ochtend nog alle blaadjes bij elkaar hadden geharkt en ze hadden afgevoerd, zouden er nu al weer tientallen pas afgevallen blaadjes op de grond moeten liggen, maar ik hoorde niets onder mijn voeten kraken. En er waren geen kabouters. Afgaand op wat ik had gezien, verwachtte ik niet dat Jam Diu in zijn betrekking als tuinman ooit een vinger uitstak.

Dit bos vormde een onderdeel van de landschapsarchitectuur van Roseland en nam nog geen acht van de ruim twintig hectare in beslag; het andere bos lag op het natuurterrein van het landgoed. Een ander verschil tussen de twee bossen was er in mijn ogen niet, en ik snapte dan ook niet waarom er nog geen blaadje op de grond te vinden was.

Het belangrijkste was echter niet hoe de tuinman het bos in zo'n keurig aangeharkte staat hield, of waarom hij het noodzakelijk achtte dat te doen. Het ging in de eerste plaats om de jongen die in het hoofdgebouw werd vastgehouden.

Toen ik het bos uit was, liep ik omhoog door een glooiende wei, waar het gras hier en daar tot aan mijn middel kwam. Door de hitte van de zomer had het een witgouden tint gekregen. Tot nu toe was het regenseizoen zo droog geweest dat het verdorde gras nergens was platgeslagen, en ook kwamen nergens groene loten op.

Boven op de heuvel aangekomen bleef ik even staan. Een paar honderd meter verderop zag ik het mausoleum liggen, in zuidwestelijke richting. Ik zou even hebben uitgerust om daarna verder te gaan, ware het niet dat ik iets vanuit mijn ooghoek zag bewegen.

Het landschap liep in grote lijnen omlaag, niet gelijkmatig maar in golven, steeds omhoog en dan weer iets verder naar beneden, zoals een goudkleurige zee na een storm, wanneer de wildste bewegingen zijn weggeëbd maar er nog steeds hoge golven zijn, met flinke dieptes ertussenin.

Ik zag ze niet goed vanwege de hoek waaronder ik ze te zien kreeg, en bovendien gingen ze half schuil in het hoge gras en vielen ze door hun grauwbleke kleur nauwelijks op in het witgouden grasland. Ze liepen twee heuveltjes verderop, waren minstens met z'n twintigen, hooguit met z'n dertigen, en verplaatsten zich op een merkwaardige manier voort, snel maar houterig.

Sommigen van hen hadden een bochel, liepen met gebogen hoofd en leken mismaakt, al kon ik op die afstand niet goed zien of de asymmetrische vorm van hun hoofd echt was of dat het door het spel van licht en schaduw kwam. Hun armen leken te lang voor hun lijf en zwaaiden bijna spastisch door het hoge gras, als bij opgewonden orang-oetans.

De meesten liepen rechtop en hadden geen bochel tussen hun schouders, hielden hun hoofd rechtop, en hadden meer gestroomlijnde schedels dan die van hun misvormde soortgenoten. Ze leken zich gracieuzer voort te bewegen en zouden zich misschien sneller hebben verplaatst als ze niet werden opgehouden door hun mismaakte metgezellen.

De meesten waren ongeveer 1,80 meter, sommigen langer, sommigen korter. Van deze afstand zagen ze er gespierd en angstwekkend uit, en ik twijfelde er geen moment aan dat ze dodelijke tegenstanders waren.

Deze keer gingen ze niet vergezeld van de schemering. Blijkbaar konden ze overdag net zo goed zien als in het donker. Zeker was in elk geval dat dit dezelfde wezens waren die me in de container en bij de eik belaagd hadden. Ze waren te ver weg om ze te kunnen horen, maar ze zagen eruit zoals hun gegrom en gebrom en gesnuif en gesnork hadden gesuggereerd.

Ze verdwenen achter een heuvel, bij me vandaan, en ik liet de lucht uit mijn longen ontsnappen, opgelucht dat ik het geluk had gehad aan hun aandacht te ontsnappen. Ik zou van deze hoge heuvel af moeten, maar ik bleef verbijsterd staan en wachtte tot ik weer een glimp van hen opving.

Angst gleed langs mijn ijskoude ruggenwervels. Mijn geest leek bevroren en mijn gedachten ontdooiden niet, maar bleven hangen bij de herinnering aan wat ik net had gezien.

Ze verschenen weer op een andere helling, op weg naar een verder gelegen heuveltop. Ze waren nu zo ver weg dat ze op een luchtspiegeling leken, dus misschien losten ze niet echt in het niets op maar verdwenen ze in het nog hogere gras.

Hoewel de afstand steeds te ver was geweest om ze goed te kunnen zien, ging ik op indrukken af waarvan ik het idee had dat ze betrouwbaar waren. De indruk van lange platte koppen en platte vlezige snuiten. De indruk van armen, wat de aanwezigheid van handen impliceerde. Ze liepen rechtop, renden zelfs, maar het waren geen dieren die zich eigenlijk op minder dan vier poten zouden moeten kunnen voortbewegen. Alleen primaten bewogen zich rechtop voort: mensen, mensapen, gibbons, andere apen... Deze wezens waren van een ander soort. Ook dacht ik dat ze korte, puntige slagtanden hadden die donker tegen hun bleke koppen afstaken, scherpe slagtanden waarmee ze hun tegenstanders konden verwonden en openrijten, wat me aan wilde zwijnen deed denken. Zwijnen, varkens, met een lijf dat in grote lijnen in de mal van dat van een primaat geperst was, en een verwrongen, bloeddorstige kop. De misvormde, gebochelde soortgenoten werden ongetwijfeld getolereerd omdat elk lid van hun stam, misvormd of niet, in meer of mindere mate abnormaal te noemen was.

Ik zag ze niet meer op de helling in de verte verschijnen, alsof ze als geesten gedematerialiseerd waren. Maar ze waren geen geesten, noch producten van mijn fantasie. Ik wist niet of ze bij Roseland hoorden of dat ze op doortocht waren en hier vanuit een andere wereld terecht waren gekomen, maar zeker was dat ik ze koste wat het kost moest zien te ontlopen. Ze leken zich voortdurend te verplaatsen, als haaien, steeds op zoek naar nieuwe prooi. Misschien konden ze bloed ruiken, zelfs als dat nog veilig door de aderen van hun toekomstige prooi stroomde.

# 19

Het leek me beter mijn bezoekje aan het mausoleum op te schorten. Ik liep terug door het glooiende weiland, door het eikenbos waar geen enkel blaadje van de bomen was gevallen, het lange gazon over, langs de nog niet vermorzelde Enceladus.

Als dit de laatste dag van mijn leven was, wat met de minuut aannemelijker werd, wilde ik iets bij me hebben wat ik in mijn slaapkamer bewaarde.

In het eucalyptusbos liep ik snel over het flagstonepad, en toen ik bij de toren aankwam, zag ik dat Noah Wolflaw daar net vandaan kwam. Het was lastig te zeggen wie van ons het meest schrok, maar hij was de enige van ons die een jachtgeweer bij zich had.

In gewone tijden, als daar op Roseland ooit al sprake van was, was Wolflaw de Mount Vesuvius in een inactief stadium, een stevig gebouwde persoon met zo'n rustige uitstraling dat hij hetzelfde geduld leek te hebben als een granieten berg die met de top tot aan de wolken reikt. Maar je voelde zijn kracht, vulkanisch en altijd latent aanwezig, de energie waardoor hij zo'n succesvolle en vermogende man was geworden.

Hij was lang van stuk, grof gebouwd, en zijn lijf hing aan

zijn botten alsof het er door een specialist in bepantsering op was aangebracht. Ook zonder zijn kaliber 12 met verkorte loop en pistoolgreep vormde hij een imposante verschijning. Zijn gezicht bestond uit geometrische vlakken, zijn grijze ogen lagen diep in de perfect ovale kassen, zijn neus was een grote gelijkbenige driehoek, zijn kin was een vooruitstekende plint met zijn kaak als steunpilaren. Zijn volle donkere haar leek op een bos manen waar elke hengst of leeuw jaloers op zou zijn geweest. Alleen zijn volle lippen, onevenredig klein, deden vermoeden dat er binnen in deze sterke man een zwakkere vent huisde.

'Thomas!' riep hij toen hij me zag.

Het was niet uit hoogmoed dat hij weigerde me meneer te noemen, maar hij vond mijn voornaam zo raar dat hij me liever met alleen mijn achternaam aansprak. Op de dag dat we elkaar tegenkwamen, zei hij dat hij mijn achternaam als mijn voornaam zou gebruiken, want 'als ik je Odd noem, krijg ik het gevoel dat ik je bespuug'. Hij kwam niet over als een fijngevoelig type, maar misschien gedroeg hij zich extra hoffelijk en welgemanierd omdat Annamaria erbij was, van wie iedereen altijd gecharmeerd raakte.

Ik schrok bijna net zo erg van zijn geweer als van de varkensachtige primaten die ik net had gezien, maar hij dreigde me niet met zijn wapen, al had ik dat eigenlijk wel verwacht.

In plaats daarvan zei hij: 'Hoe speelt ze het toch klaar? En wat doet ze precies? Als ik iets tegen haar zeg, probeer ik me altijd heel zorgvuldig uit te drukken, en ze geeft dan op elegante wijze antwoord, maar toch sta ik uiteindelijk met mijn mond vol tanden en weet ik niet meer wat ik in eerste instantie wilde vragen.'

Natuurlijk had hij het over Annamaria, en het enige wat ik kon zeggen, was: 'Ja, meneer, dat heb ik nu ook altijd. Maar toch heb ik het gevoel dat er in alles wat ze zegt een zekere waarheid schuilt, en dat ik het mettertijd vanzelf zal begrijpen. Misschien niet meteen de volgende dag of de volgende maand of volgend jaar, maar uiteindelijk wel.'

'Ze straalt iets vorstelijks en gracieus uit, net als Grace Kelly destijds, al was Grace Kelly een echte schoonheid. Volgens mij ben je te jong om te weten wie Grace Kelly was.'

'Dat was een actrice. *Dial M for Murder*, *Rear Window*, *To Catch a Thief*. Ze was getrouwd met de prins van Monaco.'

'Kennelijk ben je niet de onwetende snotneus waar sommigen je misschien voor zouden verslijten.'

Op die toon praatte hij met me – en met eigenlijk iedereen – als Annamaria niet in de buurt was. 'Dank u, meneer.'

Hij keek steeds gespannen om zich heen. De zon viel in strepen tussen de eucalyptusbomen door, waardoor niet goed was te zien of zich iets in de schaduwen ophield. 'Ik was hiernaartoe gekomen om te vertellen dat jullie hier weg moeten. Vandaag nog. Binnen een uur. Nu. Weet je wat ze zei?'

'Ongetwijfeld iets gedenkwaardigs.'

Zijn grijze ogen keken me dreigend aan, als roestvrijstalen messen die dwars door me heen sneden. 'Ze zei dat wat ik wilde zien gebeuren, nooit zou plaatsvinden als jullie nu weggingen, en dat jullie op z'n vroegst morgenochtend zouden vertrekken, als mijn doel om jullie hiernaartoe te halen verwezenlijkt was.'

'Ja, dat is typisch iets wat zij gezegd zou kunnen hebben.'

'Ik heb nog nooit meegemaakt dat een gast weigerde te vertrekken als ik dat vroeg.' Verstoord fronste hij zijn borstelige wenkbrauwen, en toen hij zich naar me toe boog, viel er zonlicht op zijn staalharde gezicht, dat daardoor alleen nog maar dreigender werd. Zijn stem klonk onheilspellend toen hij me zonder enige aarzeling toebeet: 'Als jullie zo vrij denken te kunnen zijn om zelf te bepalen wanneer jullie hier willen vertrekken, komen jullie hier uiteindelijk misschien nóóit meer weg.'

Ik nam niet aan dat hij bang was dat we hier voor altijd wilden blijven, maar dat hij ons een urn en een nis in het mausoleum in het vooruitzicht stelde.

Dat was een bijzondere en veelzeggende uitlating voor hem. De druk in de Vesuvius nam toe.

'Wie denkt ze wel niet dat ze is?'

'Hebt u dat aan haar voorgelegd, meneer?' vroeg ik, want ik was eigenlijk ook wel benieuwd wat ze daarop zou zeggen.

De staalharde blik verdween uit zijn ogen, de dreiging verdween uit zijn stem, en hij keek weer om zich heen, niet alsof hij bang was dat er een troep gemuteerde zwijnen aankwam, maar alsof hij niet goed snapte hoe hij hier terecht was gekomen.

'Nee. Ze deed een kunstje met een bloem, als een soort goochelaar uit Vegas of zo.' Hij leek er nog steeds van onder de indruk. 'Heb je die truc van haar wel eens gezien?'

Voordat ik de kans kreeg te reageren, ging hij verder.

'Ineens hoorde ik mezelf zeggen dat het prima was als ze wilde blijven, jullie allebei, net zo lang als nodig was, als dat was wat ze wilde. Ik zei dat ik me alleen maar zorgen maakte om jullie welzijn, snap je, door die poema die de boel hier onveilig maakt. En toen heb ik me verontschuldigd omdat ik zo onnadenkend was geweest. Het zou best kunnen dat ik zelfs haar hand heb gekust. Dat heb ik van mijn leven nog nooit gedaan. Waarom zou ik een vrouw de hand kussen?'

Hij zoog zijn longen vol lucht, zuchtte gefrustreerd en schudde zijn hoofd alsof hij versteld stond van zichzelf.

Hij ging verder: 'Dus zij zei dat jullie pas zouden vertrekken als wat ik wilde dat er gebeurde daadwerkelijk gebeurd was en mijn doel om jullie hier uit te nodigen volbracht was. Maar over wat voor doel heeft ze het nou eigenlijk?'

'*Uw* doel, meneer.'

'Ga nou niet de wijsneus uithangen, Thomas.'

'Nee, meneer.'

'Ik heb geen idee waarom ik haar heb uitgenodigd. Dat was een domme zet van me. Onnadenkend. Ik moet haar helemaal niet. Ik zei tegen Paulie dat ik haar misschien wel zag zitten, gewoon om een excuus te hebben, omdat ik niet wist hoe ik mijn gedrag anders moest goedpraten, maar hij wist dat ze mijn type niet was.'

'Meneer Sempiterno heeft veel inzicht in dat soort zaken.'

'Hou je kop.'

'Goed, meneer. Morgen zullen we weggaan,' beloofde ik.

Nu zei hij, meer tegen zichzelf dan tegen mij: 'Ik moet haar niet. Ik vind haar walgelijk, weerzinwekkend, zwanger en opgezwollen als een dikke koe. Daar krijgt een man hem niet van omhoog. Ik wil niets met haar te maken hebben, nu niet en nooit niet.'

'Morgen zullen we weggaan,' zei ik nog eens.

Hij richtte zijn aandacht weer op mij, en vol walging perste hij zijn te kleine lippen op elkaar, alsof ik iets was wat hij nooit van zijn schoenzool zou willen moeten schrapen, laat staan dat hij er een gesprek mee moest voeren. 'Jij hebt tegen Henry Lolam gezegd dat je degene bent tegengekomen die zich Kenny noemt. Niemand heeft hem in jaren gezien. Je hebt meneer Shilshom verteld dat je bruine beren met rode ogen hebt gezien.'

'Misschien geen bruine beren, meneer. Maar wel iets.'

Weer keek hij om zich heen. Ondanks zijn hardvochtige maar knappe kop en staalgrijze ogen, oogde hij niet zo onverschrokken als eerst. Zijn lippen trilden.

'Heb je ze ook overdag gezien?'

'Nee, meneer,' loog ik.

''s Nachts is nog wat, maar overdag is een heel andere kwestie.' Hij keek me weer aan. 'Je zit overal vragen te stellen, Thomas, en iedereen uit te horen. Constant.'

'Ik ben gewoon nieuwsgierig, meneer. Altijd al geweest.'

'Hou je kop.'

'Ja, meneer.'

'Er is hier niets wat jou aangaat. Hoor je me, Thomas?'

'Jazeker, meneer. Het spijt me. Ik heb misbruik gemaakt van uw gastvrijheid.'

Nu wierp hij me een norse blik toe. 'Probeer je grappig te zijn?'

'Nee, meneer. Als ik echt grappig probeer te zijn, moet echt iedereen lachen, ook al zeg ik het zelf.'

'Als ik zeg dat je je kop moet houden, moet je je kop houden. Hou je kop.'

'Goed, meneer.'

'Blijf in de toren tot morgen, tot je weggaat.'

Ik keek naar zijn geweer en knikte.

'Blijf binnen, doe de deuren op slot, sluit de ramen af, doe de gordijnen dicht en wacht tot morgen.'

Ik knikte.

Toen hij merkte dat ik naar het geweer keek, besefte hij met terugwerkende kracht dat hij me een verklaring schuldig was. 'Ik wilde gaan kleiduivenschieten.'

Hij liep weg over het flagstonepad, en ik ging naar de ingang van de toren.

Hij zei: 'Nog wat.'

Ik draaide me naar hem om en zag tot mijn blijdschap dat de loop van het geweer nog steeds naar de grond wees.

'Jullie hebben geen telefoon op de kamer, maar waarschijnlijk hebben jullie wel een mobieltje. Ik wil met nadruk stellen dat hier absoluut niets is waarin de politie geïnteresseerd zou zijn. Begrijpen we elkaar?'

Ik knikte. Ik had geen mobieltje, omdat ik geen behoefte had om videospelletjes te spelen of op internet te kijken of met een lid van het Congres naaktfoto's uit te wisselen.

'Ik heb goede banden met de plaatselijke politie,' zei Wolflaw. 'Betere banden dan jij met je jongeheer. Een paar agenten hebben hier als bewaker gewerkt. Ik heb heel wat voor die jongens gedaan, meer dan je voor mogelijk zult houden, en ik kan je verzekeren dat ze geen boodschap zullen hebben aan een waardeloze zwerver die kwaadspreekt over mij. Is dat duidelijk?'

Ik knikte.

'Heb je nu ineens je tong verloren of zo?'

'Het is me allemaal duidelijk, meneer. Over de politie. Ik moet in de toren blijven, de deuren op slot doen, de ramen afsluiten, de gordijnen dichttrekken, en niet de politie bellen en zelfs niet de brandweer, ook al staat de boel in de fik. Ik moet gewoon wachten tot morgen, en dan ga ik bij het krieken van de dag gewoon de poort uit, wegwezen.'

Hij keek me dreigend aan en perste zijn meisjesachtige lippen weer op elkaar. Ik had zo'n vermoeden dat het niet lang meer zou duren voordat hij me Odd in plaats van Thomas zou gaan noemen, want hij zei: 'Wat ben je toch een misselijk ventje.'

'Ja, meneer. Dat zal ik aan Annamaria overbrengen.'

Een tijdlang bleven we elkaar aankijken, hij vol wrok, ik vol verwondering, tot hij uiteindelijk zei: 'Zeg... ik heb liever niet dat je dat doet.'

'Dat ik wát doe?'

'Ik heb liever niet dat je dat aan haar doorvertelt. Ik weet niet wat er mis is met me. Belachelijk is het. Zou ze me gehypnotiseerd hebben of zo? Wat maakt het mij in hemelsnaam uit of jij haar vertelt dat ik je een misselijk ventje heb genoemd?'

'Dan kan ik het haar dus rustig vertellen.'

'Niet doen,' zei hij meteen. 'Het maakt me niet uit hoe ze over me denkt, ze laat me koud, ze zegt me net zo weinig als een doofstomme stoeptegel met een spreekverbod. Met een vrouw als zij heb ik helemaal niets, maar toch heb ik liever niet dat je haar over mijn uitbarsting vertelt.'

'Vreemd, het effect dat ze op anderen heeft,' zei ik.

'Ontzettend vreemd.'

'Ik zal mijn mond houden.'

'Bedankt.'

'Graag gedaan.'

Ik keek hem na en zag dat hij tussen de eucalyptusbomen door naar het zonovergoten gazon liep, in de richting van het hoofdgebouw. Zelfs in het open veld, waar niets hem stiekem kon besluipen, keek Wolflaw om zich heen, ook herhaaldelijk achterom. Waarschijnlijk was hij op zijn hoede voor de poema, luisterde hij of hij de roep van de fuut kon horen, en was hij alert op de mogelijkheid dat hij plotseling de Krakelwok met de vlammende ogen en de glurieuze beffersnaai tegenkwam.

# 20

Toen Stormy Llewellyn en ik zestien waren, zijn we eens een avondje naar de kermis geweest. In een grote spelletjestent kwamen we bij een waarzegmachine, een soort telefooncel, bijna twee meter hoog. De onderste helft was afgedekt, en daarbovenop stond een glazen cabine. Volgens een bordje ernaast zat er in de machine het gemummificeerde lijk van een zigeunerin, een dwerg die de toekomst kon voorspellen.

De verschrompelde, spookachtige vorm – waarschijnlijk geen echt stoffelijk overschot maar iets wat van gips, papier, was en latex was gemaakt – was gehuld in zigeunerkledij. Als je er een kwartje in deed, kreeg je een kaartje met een spreuk erop, als antwoord op een vraag die je had gesteld. Een kwartje lijkt niet veel voor een voorspelling die je leven kan veranderen, maar de doden kunnen goedkoop werken omdat ze geen eten hoeven te kopen en ook geen kabel-tv nodig hebben.

Een jong stel dat voor ons was, had gevraagd of ze gelukkig zouden worden als ze met elkaar in het huwelijk zouden treden. Hoewel ze tot acht keer toe een kwartje in de machine stopten, kregen ze steeds maar niet een antwoord dat hun enige duidelijkheid verschafte. Stormy en ik hoorden dat de toekomstige bruidegom, Johnny, steeds alle kaartjes aan zijn vriendin voorlas, en hoewel de waarzegster steeds geen direct antwoord gaf, snapten wij wel wat er bedoeld werd. Op een van de kaartjes stond: *De boomgaard der verziekte bomen produceert giftig fruit.* Ook de andere kaartjes waren weinig bemoedigend.

Nadat Johnny en zijn aanstaande bruid sikkeneurig waren weggegaan, stelden we de zigeunermummie dezelfde vraag. In het koperen bakje viel een kaartje waarop stond: JULLIE ZIJN VOORBESTEMD VOOR ALTIJD BIJ ELKAAR TE BLIJVEN.

Stormy lijstte het kaartje in en hing het boven haar bed, waar het een paar jaar bleef hangen. Nu stond het in een kleiner lijstje naast mijn bed in de toren.

Nadat Stormy me ontvallen was, heb ik nooit overwogen uit woede het kaartje te verscheuren. Ik ken geen woede. Ik ben nooit in woede ontstoken over wat er gebeurd is, tegen niemand, ook niet tegen God. Vanaf die afschuwelijke dag heb ik met het verdriet moeten leven, en ook met een nederig stemmend besef van mijn tekortkomingen, die niet te tellen zijn.

Om te voorkomen dat ik door verdriet overmand word, richt ik me altijd op de schoonheid van deze wereld, die overal om ons heen in een bonte variëteit aanwezig is, van de kleinste wilde bloemen en de iriserende kolibrie die er zijn voedsel uit haalt tot de nachtelijke hemel vol flonkerende sterren.

En omdat ik de hier ronddolende doden kan zien, weet ik dat er iets buiten de tijd moet bestaan, een plek die hun bestemming is en waar ik op een dag naartoe zal gaan. Daarom kan de voorspelling van de zigeunermummie altijd nog uitkomen. Ik hou mijn verdriet in toom door uit te kijken naar de verwezenlijking van die gekoesterde lotsbestemming.

Sinds mijn vertrek uit Pico Mundo heb ik het kaartje van de waarzegster steeds meegenomen op het pad dat ik aan de hand van mijn intuïtie bewandelde. Maar omdat ik bang was dat ik het tijdens een of ander roekeloos avontuur zou verliezen, had ik het niet constant op zak.

Door de recente gebeurtenissen op Roseland was ik ervan overtuigd geraakt dat het kwaad hier van ongeëvenaarde proporties was. Annamaria was me tot steun, maar kon me niet beschermen, en de kans dat ik de ochtend levend zou halen, leek miniem. Natuurlijk werd ik heus niet onkwetsbaar als ik het kaartje in mijn zak zou stoppen, maar ik had het gevoel – en misschien was dat een dwaas idee – dat als ik zou sterven en buiten de tijd zou komen te staan, de heersende krachten aan gene zijde zich meer verplicht zouden voelen me meteen naar Stormy te brengen als ik het bewijs van de beloofde lotsbestemming bij me droeg.

Ik vind het niet erg om voor dwaas uitgemaakt te worden. Ik ben net zo'n dwaas als ieder ander, en nog dwazer dan sommigen, en die waarheid houd ik in mijn achterhoofd, om te voorkomen dat ik arrogant word. Want arrogantie kan je dood betekenen.

Ik verboog de klemmetjes achter het lijstje en haalde het rechthoekige karton eruit. Het kaartje stopte ik in een van de plastic hoesjes in mijn portemonnee.

De andere hoesjes waren leeg. Er zat geen foto van Stormy in, omdat dat niet nodig was. Haar gezicht, haar lach, haar figuur, haar mooie ranke handen, haar stem waren allemaal onuitwisbaar in mijn geheugen opgeslagen. In mijn herinneringen leefde ze en bewoog ze en lachte ze, terwijl een foto slechts een gefixeerd moment uit het leven is.

Ik trok een sportjasje over mijn trui aan, dat ik in de stad had gekocht. Niet dat ik mijn imago wat op wilde krikken, maar het was onopvallend en er zaten zakken in.

Zoals Noah Wolflaw me had opgedragen sloot ik de smalle, betraliede ramen af en trok ik de gordijnen dicht. Ik deed alle lampen aan, zodat later, als het donker was geworden, het licht om de gordijnen heen van buitenaf zichtbaar zou zijn en men zou denken dat ik in de toren zat.

Nadat ik mijn suite op slot had gedaan, liep ik langs de stenen wenteltrap naar boven. Toen ik wilde aankloppen, bewogen de knokkels van mijn rechterhand met de deur mee, omdat die net op dat moment openzwaaide.

Raphael, de golden retriever die we in Magic Beach gered hadden, lag met smaak op een Nylabone te kauwen. Hij begon te kwispelen toen hij me zag, maar het bot was op dat moment interessanter voor hem dan het vooruitzicht door mij over zijn borst of buik geaaid te worden.

Boo was waarschijnlijk ergens anders in de suite, of misschien was hij naar buiten gegaan om Roseland verder te gaan verkennen. Als spookhond kon hij door muren heen lopen en andere spookachtige dingen doen. Het was me al eerder opgevallen dat hij net als levende honden heel nieuwsgierig was en het leuk vond op verkenningstocht te gaan.

Ook nu zaten de gordijnen dicht, en het enige licht was afkomstig van twee gebrandschilderde lampen. Annamaria zat weer aan het eettafeltje. Er stonden deze keer geen dampende mokken thee klaar.

In plaats daarvan stond er op tafel een ondiepe blauwe schaal van zo'n vijftig centimeter doorsnee, gevuld met water, waarin drie grote witte bloemen dreven. Ze leken op magnoliabloemen, maar dan groter, zo groot als meloenen, met weelderige bladeren, zo dik dat ze van was leken.

Ik had die bloemen al eens eerder gezien, aan een reusachtige boom die in Magic Beach bij het huis stond waar ze een tijdje had gewoond. We hadden samen gegeten, en op tafel stond toen eenzelfde schaal als deze, waarin drie bloemen dreven.

De namen van dingen kennen is mijn manier om respect te betonen aan de schoonheid van de wereld waar ik kracht uit haal en waardoor ik mijn verdriet kan beteugelen. Ik ken heel wat bomennamen, maar niet de naam van de boom waarvan deze bloemen afkomstig waren.

Ik liep naar de tafel toe en zei: 'Waar heb je deze vandaan?'

De bloemen werden door de lamp beschenen, en via de wasachtige bloembladeren viel het licht op Annamaria. Het leek alsof ze van binnenuit licht uitstraalde.

Ze keek me glimlachend aan en zei: 'Ik heb ze van de boom
geplukt.'

'Die boom staat helemaal in Magic Beach.'

'De boom staat hier, Oddie.'

Ik had maar één keer in mijn leven zo'n boom gezien, de naamloze boom in Magic Beach, met uitwaaierende zwarte takken en
achtlobbige bladeren.

'Hier op Roseland? Ik ben overal op het terrein geweest, maar
ik heb geen boom gezien die zulke bloemen droeg.'

'Nou, toch is hij er gewoon, net als jij.'

Nog geen week geleden had ze met een van deze witte bloemen een trucje gedaan. Een vriendin van me, Blossom genaamd,
die als enige aanwezig was, stond helemaal perplex. Blijkbaar had
ze Noah Wolflaw er ook mee versteld doen staan, al leek hij er
in tegenstelling tot Blossom danig door van slag te zijn geraakt.

'In Magic Beach zei je dat je me een trucje met zo'n bloem
zou laten zien.'

'Dat zal ook zeker gebeuren. Iets wat je je leven lang niet meer
zult vergeten.'

Ik trok de stoel naar achteren waarop ik de vorige keer ook
had gezeten.

Voordat ik de kans had gekregen plaats te nemen, hief ze een
hand. 'Niet nu.'

'Wanneer dan?'

'Alles op zijn tijd, Oddie.'

'Dat zei je toen ook.'

'En dat zeg ik nu weer. Volgens mij is er iets wat een grotere
prioriteit heeft.'

'Ja. Ik heb degene gevonden die mijn hulp nodig heeft. Een
jongen die niet wil zeggen hoe hij heet. Volgens mij zou het best
eens haar zoon kunnen zijn… als je snapt wat ik bedoel.'

In haar grote donkere ogen zag ik de bloemen in de schaal

weerspiegeld. 'Je hebt geen tijd om alles uit te leggen, en dat is ook helemaal niet nodig. Doe wat je moet doen.'

Iets raakte mijn hand aan, en toen ik omlaag keek, zag ik dat Boo uit het niets was verschenen. Hij voelde net zo stoffelijk aan als een levende hond, zoals ik alle geesten kan voelen. Hij likte met zijn warme tong aan mijn vingers, zonder dat mijn hand nat werd.

Annamaria zei: 'Vergeet niet wat ik je eerder ook al verteld heb. Als je twijfelt aan de juistheid van wat je doet, kan dat je dood betekenen. Twijfel niet aan de schoonheid van je hart.'

Ik snapte waarom ze die raad nog eens herhaalde. Het was nog maar een paar dagen geleden dat ik bij gebeurtenissen betrokken raakte waardoor ik me gedwongen voelde vijf mensen te vermoorden die in een terroristisch complot verwikkeld waren. Een van hen was een mooie jonge vrouw met grote helderblauwe ogen. Als ik dat niet had gedaan, zouden ze honderdduizenden of misschien zelfs miljoenen slachtoffers hebben gemaakt, nadat ze mij hadden doodgeschoten. Maar ik had er last van dat ik die mensen had vermoord, vooral die vrouw, ook al was het uit zelfverdediging geweest. Ik voelde me zwart vanbinnen, en ik walgde van mezelf.

Daarom zei ik in het begin van mijn relaas dat ik de laatste tijd wat somber was. Ik zag de lol van het leven niet zo in en was niet zo vrolijk als anders. Waarschijnlijk kwam het daardoor dat ik over Auschwitz droomde, en dat ik bang was twee keer dood te gaan.

'Die jongen heeft je nodig,' zei ze.

Ik wierp een laatste blik op de bloemen in de schaal en liep naar de deur.

'Jongeman.' Toen ik me naar haar omdraaide, zei ze: 'Vertrouw erop dat het rechtvaardig is wat je doet, en kom weer bij me terug. Jij bent de enige die me kan beschermen.'

De retriever en de witte herdershond keken naar me. Geen van beide honden kwispelde. Henry Ward Beecher heeft eens gezegd: 'De hond is speciaal voor kinderen geschapen. Hij is de god van het dartele plezier.' Dat ben ik met hem eens. Maar honden kunnen je ook een heel ernstige blik toewerpen, meer nog dan andere diersoorten of mensen, alsof ze in de toekomst kunnen kijken en voor je leven vrezen.

Ik verliet de suite, trok de deur dicht, viste de sleutel uit mijn zak en sloot haar in de veiligheid van haar kamer op.

# 21

Toen ik de toren had verlaten, viel het me op dat er onder de eucalyptusbomen, net als tussen de eiken bij het beeld van Enceladus, geen enkel blaadje op de grond lag, niet op de bosgrond, niet op het spaarzame gras, en ook niet op het flagstonepad.

Terwijl ik daarover nadacht, en over tal van andere dingen, liep ik naar de woning van de tuinman, via een omweg, omdat ik wilde voorkomen dat ik vanuit het hoofdgebouw gezien zou worden. Ik ging gazons over, weides door, sloop achter bomen langs en maakte een omtrekkende beweging naar het noordelijke punt van het uitgestrekte landgoed. Ondertussen was ik constant op mijn hoede voor de mysterieuze zwijnen, als je ze zo kon noemen, en ook voor de hengst en zijn ruiter.

Voor de zwijnen was ik bang, maar gelukkig was het enige paard op Roseland een geest. Paarden zijn best mooi en nobel en zo, maar... Jaren geleden ben ik eens in de buurt van Pico Mundo door drie vrouwen te paard achternagezeten. Ze wilden mijn schedeldak lichten om mijn hersenen eruit te halen. En hun paarden waren minstens zo angstaanjagend als de vrouwen zelf.

Ik zag ze per toeval, toen ze met een ceremonie bezig waren die niet voor vreemde ogen bestemd was. Ik dacht dat ze heksen waren, maar ze bleken bij nader inzien bijna net zo erg op hekserij neer te kijken als op het verstand. Volgens die drie waren heksen gewoon mietjes.

Hun ceremonie was voor het grootste deel zo saai dat ik er absoluut geen kaartje voor had willen kopen, vooral niet omdat ik het met mijn leven leek te moeten bekopen. Het hele ritueel had wel wat weg van een bijeenkomst van oud-studentes, waarbij de agenda wordt voorgelezen en de penningmeester met een verslag komt, met dit verschil dat deze drie naakt rondliepen, paddothee zetten en hun samenkomst rond een offer van drie dikke duiven plaatsvond. Die arme beesten hadden niemand ooit iets aangedaan maar hadden de pech symbolen van de vrede te zijn, en niets wekte de woede van die vrouwen meer op dan het begrip vrede.

Ze vormden een naar stelletje. En hun paarden leken me op hun reuk te kunnen opsporen, alsof ze een kruising waren tussen een schimmel en een speurhond. Die trillende neusgaten, de zwarte lippen naar achteren getrokken zodat hun grote vierkante tanden bloot kwamen te liggen, de wilde ogen... Ik vind films als *Seabiscuit* en zelfs *Black Beauty* net zo eng als *The Silence of the Lambs*.

De tuinman woonde in een groot stenen gebouw van twee woonlagen dat in een schilderachtig, zonovergoten dalletje stond dat omzoomd werd door peperbomen. De boomblaadjes trilden in een briesje dat nauwelijks harder was dan de ademhaling van een baby.

De ramen op de begane grond waren groter dan die van de toren, maar ook hier zaten tralies voor. De kolossale deur zat op slot. Achter de drie garagedeuren stonden ongetwijfeld machines die door landschapsarchitecten gebruikt werden, waar die zich dan ook maar mochten ophouden. Tijdens een van mijn bezoekjes aan Henry Lolam was ik erachter gekomen dat Jam Diu in een appartement op de bovenverdieping was gehuisvest, en dat daar ook kamers waren voor andere inwonende leden van de tuinonderhoudsploeg, al had Henry nooit bevestigd dat die ploeg ook werkelijk bestond.

Hoewel het misschien gevaarlijk was om aan te nemen dat Jam Diu niet thuis was maar ergens bij het hoofdgebouw rondscharrelde, op zoek naar die ene pesterige paardenbloem die de perfecte staat van Roseland teniet zou doen, ging ik daar toch maar van uit. Ik was zo vrij te proberen via de voordeur binnen te komen, maar die bleek op slot te zitten. De rolluiken van de garage werden elektrisch bediend en konden zo te zien niet van buitenaf met de hand worden geopend.

Aan de achterkant van het gebouw vond ik twee deuren en een aantal betraliede ramen. Ik kon proberen een deur in te trappen, maar als die vergrendeld waren, zou dat nog knap lastig worden.

Bovendien droeg ik Rockports met rubberen zolen. Als je van plan bent deuren in te gaan trappen, kun je beter laarzen of soortgelijk stevig schoeisel aandoen, zodat je niet je hielbeen breekt en huilend van de pijn over de grond rolt.

Matt Damon en Tom Cruise en Liam Neeson en Bruce Willis en anderen van dat kaliber hebben talloze malen deuren ingetrapt zonder dat ze last kregen van de *calcaneus*, oftewel het hielbeen. Soms deden ze dat zelfs met blote voeten. Ik ben niet zo gehard als voornoemde heren, noch heb ik toegang tot de buitengewoon goede gezondheidszorg die de Screen Actors Guild biedt.

Op weg hiernaartoe had ik diep nagedacht over Noah Wolflaw. De man had verbijsterd geconstateerd dat hij niet meer wist waarom hij Annamaria op zijn landgoed had uitgenodigd. Henry Lolam en Paulie Sempiterno snapten daar ook al niets van. Als deze mensen destructieve geheimen koesterden, was het uitnodigen van vreemden op Roseland een zelfdestructieve daad.

Annamaria had ontegenzeglijk charisma, in de ware zin des woords, en misschien maakte ze in anderen een verlangen los om haar te helpen, maar ze was geen voodoopriesteres die met toverspreuken overal binnen kon komen. Ze had Wolflaw gezegd dat hij haar en mij met een bepaald doel naar Roseland had gehaald, en blijkbaar had ze zelf in elk geval enig idee wat dat doel zou kunnen zijn, al was het typisch voor haar om dat inzicht met niemand te delen en om zich in cryptische bewoordingen uit te drukken, net zo goed tegenover mij als tegenover de rest van de mensheid.

Doordat ik me in Pico Mundo stilzwijgend met moordzaken had beziggehouden, samen met commissaris Wyatt Porter, die als een vader voor me was, wist ik dat sommige recidivisten in feite gepakt willen worden, met name criminelen die gewelddadige, lichtelijk perverse misdaden begaan. Zo zijn ze niet allemaal. Misschien is zelfs de meerderheid niet zo. Maar sommigen wel. Zelf zijn ze zich er niet altijd bewust van, maar ze gaan altijd op dezelfde manier te werk, dagen de politie uit en nemen steeds grotere risico's, waardoor ze op een gegeven moment hun hand overspelen.

Ik wist niet met wat voor bizarre zaakjes Wolflaw bezig was, maar het zou goed kunnen dat hij er diep vanbinnen last van had, dat hij zich een gevangene van zijn eigen gedrag voelde en naar een manier zocht om er iets tegen te doen. Maar zoals dat met slechte gewoonten gaat die al diep zijn ingesleten, is het soms moeilijk met de waanzin te stoppen.

Terwijl ik stond na te denken of ik er goed aan deed een van de deuren aan de achterkant in te trappen, vroeg ik me ineens af of Wolflaw, in zijn onderbewuste verlangen om gesnapt te worden, me letterlijk de sleutel tot de hele zaak had gegeven.

Ik stak de sleutel van de toren in het slot, en merkte dat ik daarmee ook deze deur kon openmaken. Op beide gebouwen zat hetzelfde slot.

Op de benedenverdieping bevonden zich de garages. In twee van de drie stonden voertuigen, kleine wagentjes met een open laadbak die veel door tuinonderhoudsploegen worden gebruikt, maar deze leken oldtimers te zijn. Ze hadden nog glimmende koperen sierranden, ronde bolle koplampen en mooie spaakwielen die tegenwoordig niet meer bij een dergelijk voertuig geleverd werden. De wagens waren in perfecte staat.

Aangrenzend aan het garagegedeelte bevond zich een open ruimte waar gereedschappen werden bewaard. De schoffels en harken en bijlen en zeisen die aan de muur hingen, waren zo schoon als operatiemessen.

In het midden van deze ruimte stonden open stellingen. Ik liep eromheen, constateerde dat er geen spullen op de planken stonden en dat er geen stofje te zien was.

In de betonnen vloer waren veel koperen schijfjes te zien met een langgerekte acht erop.

Nergens zag ik zakken kunstmest, blikken insecticide, flessen onkruidverdelger, of andere tuinspullen.

Er stond een ladekast, die voornamelijk handgereedschap bleek te bevatten. Ik vond een ijzerzaag, die ik meenam. Een setje reservezaagjes stopte ik in een binnenzak van mijn sportjas.

Ook nam ik een schroevendraaier mee. Het was dan wel geen mes, maar ik kon er wel iemand mee verwonden. Het handvat was van hout, niet van plastic.

Alleen al de gedachte iemand met een schroevendraaier of een ander wapen neer te moeten steken, deed de betere Odd Thomas in me steigeren. Uit grimmige ervaringen had ik geleerd dat ik gewetenloze slechteriken te grazen kon nemen als ik eenmaal met mijn rug tegen de muur stond en wanhopig was. Ook als de slechterik een vrouw was. Ik heb een donkere kant in me die door de duisternis kan worden uitgedaagd en dan tot leven komt en bezit van me neemt. Ik probeer de onschuldige medemens te beschermen, maar soms vraag ik me af of ik diep in mijn hart wel zo onschuldig ben, en of ik zelfs nog te redden ben als ik eenmaal aan het eind van mijn vreemde levenspad ben gekomen.

Op de benedenverdieping bevond zich ook het kantoor van meneer Jam Diu. De bureauladen bleken er leeg te zijn, net als de archiefkast. Ook hier trof ik koperen schijfjes in de betonnen vloer aan.

Omdat er geen inpandige trap was, liep ik via de buitentrap aan de oostzijde van het gebouw naar de bovenverdieping. Over twee derde van de lengte van het gebouw liep een gang, waar vijf kamers en een badkamer op uitkwamen. Misschien waren ze ooit bedoeld geweest als woonvertrekken voor het inwonende tuinpersoneel, maar nu waren ze niet gemeubileerd.

Aan het eind van de gang lag het eenvoudige appartement van Jam Diu. Dit smetteloze vertrek was net zo sober gemeubileerd en ingericht als de kloostercel van een zenboeddhist.

Er stond geen televisie, maar wel een uitstekende muziekinstallatie. De rest van de wereld mocht dan muziek van internet plukken, Jam Diu bleef trouw aan zijn cd's. Zijn verzameling leek hoofdzakelijk uit klassieke werken te bestaan, pianoconcerten en symfonieën, al zag ik dat er ook een cd van Slim Whitman tussen stond, waarschijnlijk een cadeau van een onwetende ziel.

Zoals je bij een ware muziekliefhebber mocht verwachten, trof ik in de slaapkamer een Beretta-jachtgeweer en een aanvalsgeweer aan, die met gemakkelijk te openen clips aan de muur waren bevestigd. Ze waren geladen. Op een paar open planken stonden zo'n honderd dozen met munitie voor deze twee wapens, maar ook kogels voor pistolen en revolvers.

Blijkbaar maakte meneer Jam Diu zich niet alleen zorgen om bladluizen en schorskevers.

De pistolen en revolvers lagen in de onderste twee laden van een hoge kast. Omdat ik de schroevendraaier nu niet meer nodig had, legde ik het ding achter in de onderste la, en uit de aanwezige zes vuurwapens koos ik een Beretta px4 Storm, double action, 9 mm, met een tien centimeter lange loop. Een magazijn voor zeventien kogels.

Ook vond ik een reservemagazijn. Beide laadde ik met koperen kogels die weinig terugstoot hadden. Toen ik in gedachten weer de varkensachtige primaten in het hoge gras zag lopen, stopte ik een doos met twintig kogels in een van mijn jaszakken.

In de laden zaten eenvoudige holsters, gemaakt van eersteklas leer, dubbel gelaagd, onopvallend aan een riem onder een jas te dragen, in positie verstelbaar, voor elk van de pistolen en revolvers op maat gemaakt. Moeiteloos schoof ik een holster aan mijn eigen riem, zodat er nog geen twee minuten later een geladen 9 mm op mijn heup hing, onder mijn jas.

Het zou niet lang meer duren voor het zou beginnen. Ik hoopte dat ik alleen maar op zwijnen zou hoeven te schieten, waarbij ik het begrip 'zwijn' definieerde in strikt biologische zin.

In de slaapkamerkast lag het linnengoed. Ik pakte een badhanddoek en een kussensloop, wikkelde de ijzerzaag in de handdoek en stopte die in de kussensloop, wat een prima zak opleverde.

Ik wilde zo onopvallend mogelijk te werk gaan, maar als ik daarbij iemand tegen het lijf zou lopen, kon ik die zak als excuus gebruiken, bijvoorbeeld door te zeggen dat ik wilde gaan picknicken en dat mijn lunch in de zak zat. Het zou een stuk lastiger zijn om uit te leggen waarom ik een ijzerzaag bij me had.

Met een beetje geluk zou ik niemand tegenkomen voordat ik een betere smoes had verzonnen dan die stomme picknick.

Voordat ik op pad ging, bekeek ik de boekenkast in de woonkamer, waar zo'n vijftig boeken stonden, voor het merendeel dikke boeken over zware filosofische onderwerpen. Vier fotoboeken lagen plat op de plank omdat ze te groot waren om rechtop te staan.

Elk van die vier boeken ging over Hongkong. Er stonden foto's in van de stad vanaf het eind van de negentiende eeuw tot aan de dag van vandaag.

Jam Diu leek me een Vietnamese naam. Maar ik ben maar een eenvoudige snelbuffetkok met paranormale gaven die net zo weinig van Aziatische culturen weet als van moleculaire biologie.

Hongkong was ooit een Britse kolonie geweest. Tegenwoordig was het een Chinese provincie. De tuinman sprak Engels zonder dat er een Aziatisch of Brits accent viel te bespeuren.

Misschien heette de man niet eens Jam Diu. Als Roseland inderdaad één grote schijnvertoning vol complotten was, kon hij net zo goed Mickey Mouse heten. Los van de vraag hoe hij werkelijk heette, leek het me aannemelijk dat hij soms heimwee naar Hongkong had.

Ik ging naar buiten, deed alle deuren op slot en zocht de bescherming van de bomen en de velden.

Nu ik goed bewapend was, lag de verleiding op de loer me veiliger te voelen, maar dat stond ik mezelf niet toe. Als mijn zelfvertrouwen te groot werd, zo had de ervaring me geleerd, zouden de schikgodinnen een paar gespierde kerels op me afsturen, van die types met van die platte hoedjes op, die me dan net zo lang in een koelcel zouden stoppen tot ik geheel bevroren was, of anders zouden ze me in de ronddraaiende trommel van een cementwagen gooien en me in de fundering van een nieuw te bouwen waterzuiveringsinstallatie storten.

Kerels die van die platte hoedjes dragen hebben in mijn ogen altijd kwaad in de zin en vinden het nog leuk ook. Of het door die hoedjes komt dat voorheen vriendelijke lieden zich ineens als psychopaten ontpoppen of dat ze toch al psychopathisch van aanleg waren en zich tot die hoofddeksels aangetrokken voelen, is een van de raadselen des levens die nooit opgelost zullen worden, al zal het ministerie van Justitie ongetwijfeld al tientallen studies op dit gebied hebben bekostigd.

Terwijl ik in oostzuidoostelijke richting liep, kwam er achter me vanuit het noorden bewolking opzetten. Maar de lucht voor me was zo blauw en het landschap zo zonovergoten dat ik onder andere omstandigheden in 'The Sound of Music' zou zijn uitgebarsten.

Men moet natuurlijk niet vergeten dat *The Sound of Music* weliswaar de beste *feelgood*-musical aller tijden is, maar dat er wel gigantisch veel nazi's in rondlopen.

# 22

Met de ijzerzaag in een kussensloop, mijn zogenaamde picknick-pakket, naderde ik het mausoleum vanuit het zuiden. Eerst kwam ik door met onkruid overwoekerde velden, en daarna liep ik zo'n vijftien meter over een gazon dat er zo strak en groen bij lag als in een erotische droom over een golfparcours.

Het raamloze kalkstenen gebouw was meer dan tien meter breed. Boven de gevel prijkte een uitvoerig bewerkte kroonlijst, en op gegraveerde panelen stonden gestileerde zonsopgangen en paradijselijke landschappen afgebeeld. De ingang, een gegolfde bronzen deur met aan weerszijden reusachtige pilaren, lag niet aan de noordkant, in de richting van het hoofdgebouw, maar op het zuiden.

Volgens mevrouw Tameed was bijgeloof daar de reden van. De oorspronkelijke eigenaar was bang dat het ongeluk zou brengen als je vanuit het hoofdgebouw de deur van dit huis van de doden zou kunnen zien.

De bronzen deur zwaaide gemakkelijk en geluidloos op kogelscharnieren open. Nadat ik de deur achter me had dichtgedaan, deed ik het licht aan: drie met bladgoud versierde kroonluchters en een reeks muurlampen.

Deze gigantische lege ruimte zou ideaal zijn geweest voor een echt cool Halloween-feestje. Maar toen er een beeld bij me bovenkwam van gemaskerde mensen die met roodogige, zwijnachtige primaten over de dansvloer zwierden, leek het me veel beter Halloween in mijn eentje door te brengen, met de deuren op slot en de gordijnen voor de ramen getrokken, de hele tijd op mijn nagels bijtend.

Op de muren waren glastegelmozaïeken aangebracht, kopieën van beroemde schilderijen met spirituele thema's. Tussen die kunstwerken bevonden zich nissen, waarin urnen geplaatst konden worden.

In slechts drie nissen stond een urn, die van Constantine Cloyce, de stichter van Roseland, en die van diens vrouw en kind. Zijn opvolgers hadden zich minder sterk met het landgoed verbonden gevoeld en hadden ervoor gekozen hun stoffelijke resten elders te laten begraven.

De naamloze jongen had gezegd dat ik hiernaartoe moest gaan. Voordat ik hem zou bevrijden, dacht ik er verstandig aan te doen zijn advies op te volgen.

Hij had me verteld dat ik bij een van de mozaïeken op het schild moest drukken dat de engel omhooghield. Pas nu zag ik dat er op elk van de veertien kunstwerken een engel stond afgebeeld.

De titels van de schilderijen stonden er niet bij, maar ingelegd in elk mozaïek was wel de achternaam van de desbetreffende kunstenaar te lezen: Domenichino, Franchi, Bonomi, Berrettini, Zucchi...

Gelukkig hadden niet alle engelen een schild. En alleen de engel in het schilderij van Franchi hield een schild omhoog, om een kind te beschermen, niet tegen demonen maar tegen het goddelijk oordeel.

Het schild was roodbruin en bestond uit talloze stukjes gekleurd glas. Met een zekere schroom liet ik mijn hand heen en weer over het hele schild glijden. Er gebeurde helemaal niets.

Ik klopte hier en daar op het schild, om te horen of het ergens hol klonk. Zonder enig resultaat.

Net toen ik dacht dat ik het verkeerde mozaïek had gekozen, zag ik dat een van de grotere stukjes glas, ongeveer drie centimeter groot, niet op dezelfde manier was gevoegd als de andere scherven. Ik drukte alleen op dat stukje, merkte dat het meegaf, drukte harder, nog harder, en met een klik schoof het drie centimeter naar achteren.

Iets begon te sissen. Zacht rommelend schoof het complete mozaïek, twee meter hoog en meer dan een meter breed, naar achteren. Na ongeveer een meter kwam het tot stilstand.

De muur was een halve meter dik, waardoor er aan beide zijden een ruimte van zo'n vijftig centimeter was ontstaan, waarin het licht automatisch was aangegaan. Zowel links als rechts liep een smalle trap naar beneden.

Het lag voor de hand dat ik op een gegeven moment vanzelf mijn Indiana Jones-moment zou beleven, als ik in mijn avontuurlijke leven maar lang genoeg in leven wist te blijven.

Ik ging ervan uit dat de twee trappen naar dezelfde ruimte voerden, en ik koos de rechtertrap. Die was heel steil. Ik hield me goed aan de leuning vast en was ervan doordrongen hoe ironisch het zou zijn als ik hier onderuitging en mijn nek brak, terwijl ik talloze aanslagen door moordzuchtige psychopaten had overleefd.

Beide trappen kwamen inderdaad uit in een bijna drie meter hoge ruimte die zo groot was als het mausoleum zelf. Hier stond het meest imposante mechaniek dat ik ooit had gezien.

In het midden stonden zeven bollen, elke bol zo'n twee meter in doorsnee, die met de grond en het plafond verbonden waren middels een paal of buis van zo'n acht centimeter doorsnee. Die buizen zaten vast, maar de grote bollen draaiden zo snel dat hun oppervlak een goudkleurig waas vormde. Het zou kunnen dat ze hol waren, maar in elk geval waren het concrete vormen, al oogden ze als glanzende bellen die elk moment weggeblazen konden worden.

Langs de noordwand, met uitzondering van de plek waar de trap uitkwam, en langs de hele zuidwand stonden tientallen glanzende vliegwielen in diverse afmetingen, sommige zo klein als een cd, andere zo groot als de deksel van een afvalcontainer. Ze waren bevestigd op een reeks klokvormige machines en stonden daarmee in verbinding via glanzende kruk-, drijf- en zuigerstangen. De glanzende zuigerpennen aan het eind van de stangen dreven drijfassen aan. De wielen draaiden in een razend tempo rond, het ene nog sneller dan het andere, sommige met de klok mee, sommige in tegengestelde richting, en toch kreeg ik de indruk dat alles nauwgezet op elkaar was afgestemd.

Zo nu en dan maakte zich van het omhulsel van de vliegwielen een serie gouden vonken los, die naar het plafond stegen. Het waren niet echt vonken maar iets wat ik niet goed kon omschrijven, goudkleurige lichtimpulsen die de vorm van regendruppels hadden en die niet met hoge snelheid wegschoten, zoals vonken, maar die traag naar het plafond gleden, waar ze werden opgenomen door een netwerk van koperdraad, dat ingewikkeldere patronen vormde dan er op het meest geraffineerde Perzische tapijt te zien waren.

Afgezien van het koperen plafond en de betonnen muren, was alles in deze ruimte, alle zichtbare onderdelen van de vreemde machines, bedekt met edelmetaal, met goud en zilver. Het geheel deed me denken aan een bijouteriedoos, fonkelend en glanzend en schitterend.

Wat voor doel dit alles had, ging me boven mijn pet. Het indrukwekkendste was misschien dat al die bewegende delen totaal geen geluid maakten, geen gezoem of gebrom, geen getik of gekraak. Het enige geluid dat deze bedrijvige machinerie indirect produceerde, was een fluisterend geruis, afkomstig van de lucht die in beweging werd gebracht door de vliegwielen en de grote draaiende bollen.

Zo'n machine kon onmogelijk dusdanig zijn ontworpen en uitgevoerd dat er geen wrijving tussen de verschillende onderdelen bestond, en alles zou in elk geval gesmeerd moeten worden. Maar nergens was een spoor van smeer of olie te zien, en ook was er geen geur van te bespeuren. Blijkbaar werd de machine niet gesmeerd, en toch leek er geen wrijvingswarmte te ontstaan.

Ik kan niet genoeg benadrukken hoe griezelig het was om al die apparaten in volstrekte stilte te zien rondtollen. Ik had het gevoel dat ik op de grens van onze dimensie en een andere terecht was gekomen, een wereld waarin de machine die over de kosmische orde waakte, tot in alle eeuwigheid voortdenderde en daarbij een precair evenwicht bewaarde.

Toch kwam deze ruimte niet futuristisch op me over. Sommige elementen vond ik iets victoriaans hebben, en andere deden me aan art deco denken. Het geheel oogde niet als een constructie uit het volgende millennium, maar leek eerder antiek, of misschien niet eens antiek als wel tijdloos, alsof het er altijd al geweest was.

Het gevoel dat ik in de gaten gehouden werd, wat ik op Roseland steeds had gehad, werd nu sterker.

Van de glanzende, rondtollende vliegwielen stegen steeds meer goudgele lichtdruppels als kleine heliumballonnen naar de koperen bedrading aan het plafond. Hun trage, opgaande beweging contrasteerde met de rondtollende apparaten, en ineens werd ik gegrepen door een opwaartse druk, geen positief gevoel maar een misselijkmakende sensatie waarbij ik de indruk kreeg dat ik misschien opgetild zou worden en zou wegzweven.

Achter me hoorde ik de zware mannenstem die ik ook voor zonsopgang gehoord had, toen ik naar dit mausoleum toe was gegaan omdat het gloeide als een lamp: 'Ik heb je gezien...'

Ik draaide me om, maar er was niemand te bekennen.

'... waar je nog niet geweest bent,' fluisterde hij met een mij onbekend accent.

Toen ik me weer omdraaide, zag ik een besnorde man die aan het eind van het gangpad stond dat tussen de bollen en vliegwielen doorliep. Hij was lang en broodmager, en droeg een donker pak dat losjes om zijn knokige lijf hing. Door zijn kleding en ernstige uitstraling deed hij me aan een begrafenisondernemer denken.

Harder dan eerst zei hij: 'Ik ben van je afhankelijk,' waarna hij naar opzij liep, van het ene gangpad naar het volgende, en achter de bollen verdween.

Snel liep ik achter hem aan, ging naar rechts en tuurde in het volgende gangpad. Hij was verdwenen. Ik zocht nog verder in het vertrek, maar hij was nergens meer te bekennen, alsof hij door muren kon lopen.

Geesten kunnen niet praten. Maar levenden kunnen niet als geesten in het niets oplossen.

Wat geesten betreft, toen ik me weer omdraaide, stond ik oog in oog met de vrouw in het wit. Haar lange blonde haren zaten in de war, en er zat bloed tussen, als in de nacht waarin ze haar laatste ritje te paard had gemaakt.

Er zat ook bloed op haar nachtgewaad, en voor het eerst manifesteerde ze zich met drie schotwonden in haar borst. Het schot vlak boven haar hart en dat er vlak onder waren duidelijk van dichtbij afgevuurd, omdat de stof van haar gewaad op die plaatsen geschroeid was. De kogel die haar borstbeen had verbrijzeld, was van een grotere afstand afgevuurd. Waarschijnlijk was dat het eerste schot geweest en was ze op slag dood. Dat haar moordenaar daarna nog twee schoten had gelost, van dichtbij, deed vermoeden dat er uitzonderlijk heftige woede in het spel moest zijn geweest.

Er was een krachtig wapen met een groot kaliber gebruikt, en snelle kogels, want er leek een gat in haar borst te zijn geslagen.

Blijkbaar zag ze dat ik van slag raakte door de gevolgen van het geweld dat tegen haar was gebruikt, want de wonden en het bloed verdwenen, en ze kreeg het uiterlijk dat ze gehad moest hebben voordat de trekker was overgehaald. Een aantrekkelijke verschijning. Haar houding en gelaatsuitdrukking deden een sterke wilskracht vermoeden. Ze had een onverschrokken blik en een integere oogopslag.

Ze draaide zich om, deed drie passen en keek me toen over haar schouder aan.

Omdat ik begreep dat ze me iets wilde laten zien, liep ik achter haar aan naar de andere kant van deze ruimte. In een hoek leidde een smalle wenteltrap nog verder naar beneden.

Ze wilde dat ik samen met haar nog dieper in het mausoleum afdaalde.

# 23

Gekromd ijzer voerde steeds dieper een duisternis in die niet werd bepaald door de afwezigheid van licht maar door de afwezigheid van hoop, want het licht dat beneden scheen was net zo goudkleurig als dat in de ruimte met de bollen en vliegwielen.

Toen ik van Auschwitz had gedroomd, was ik bang geweest dat ik twee keer zou sterven. Annamaria had me verzekerd dat ik in werkelijkheid maar één keer zou sterven, en dat die dood er op geen enkele manier toe zou doen.

Iedereen kent echter dagen waarin we een beetje doodgaan, wanneer we verdriet of een nederlaag te verwerken hebben, of bang zijn, of anderen zien lijden die we enkel medelijden kunnen bieden, geen hulp, mensen die buiten de grenzen van onze genade vallen.

De wenteltrap was als een grondboor die dwars door de aardlagen van Roseland heen ging. Wanneer een putboorder naar water zoekt en door aarde en rotspartijen boort, worden er wel eens fossielen naar boven gehaald, soms bizarre schepsels met ogen op steeltjes en lange staarten en lange poten met vele gewrichten, wezens die in voorbije tijden over de bodem van de zee hebben gekropen. Als je hun afdruk in steen ziet, krijg je soms het idee dat je de aarde niet zozeer helemaal niet kent als wel minder goed kent dan je dacht. De kilte die dan door je aderen trekt is de kou van het plotselinge vermoeden dat je een vreemdeling in een vreemd land bent. Het enige wat ik hier onder de grond hoorde, was het geluid van mijn voetstappen op de ijzeren traptreden, en omgeven door de stilte aan de voet van de trap kreeg ik iets te zien wat zo bizar was, zo naargeestig dat ik nooit iets afschrikwekkenders zou kunnen zijn tegengekomen op een vreemde planeet die rond een verre ster cirkelde.

Deze ruimte was ruim drie meter hoog, iets hoger dan de vorige. Later zou ik de evenwijdig aan elkaar opgestelde, met bladgoud bedekte machines, die de bovenste meter van het vertrek in beslag namen, beter bekijken. Boven en onder werden ze geleid door ondiepe zilveren rails. De machines zaten niet aan de rails vast, werden niet voortbewogen als gevolg van het ontvangen en doorgeven van een bepaalde kracht, maar leken uit zichzelf voort te bewegen, kwamen uit een gat in de muur en verdwenen even later in een gat in de tegenoverliggende muur. De eerste, derde en vijfde rails draaiden van oost naar west, en de tweede, vierde en zesde gingen de andere kant op. Tandraderen draaiden in elkaar, en doordat ze in elkaar grepen, draaiden de glanzende wielen zo gestaag en geluidloos als de vliegwielen in het hoger gelegen vertrek. Ik snapte niet waar ze voor dienden, wat ze aandreven, als ze überhaupt iets anders dan zichzelf aandreven.

Maar het mysterie van de machines verbleekte bij het feit dat er allemaal dode vrouwen op de grond zaten, met hun rug tegen de muur.

Zoals ik al eens eerder heb geschreven in minstens een van de voorgaande delen van deze memoires, zijn er bepaalde dingen die ik onbeschreven laat. Het tableau in deze kelder was weerzinwekkend en ongelofelijk obsceen. De onschuldige doden verdienen ons respect.

De laaghartigheid van deze misdaden was niet gelegen in het

grote aantal slachtoffers, want elk van deze vrouwen was een bijzondere ziel, net als iedereen die op aarde ter wereld is gekomen. Wat elk van hen was aangedaan, was op zich een onrechtvaardigheid, en een misdaad die zo monsterlijk was dat de geest ertegen in opstand kwam en het hart ineenkromp door het kwaad dat eruit sprak. Wat elk van deze slachtoffers was aangedaan, vormde genoeg reden om de dader zonder enig voorbehoud ter dood te veroordelen. Later, toen ik ze telde, kwam ik erachter dat het er vierendertig waren.

Er was hier geen enkel geluid te horen, en ook hing er geen enkele geur... en dat was nog niet eens het meest raadselachtige van het geheel.

De vrouwen waren allen naakt en waren naast elkaar op de grond gezet, met hun rug tegen de betonnen muur. Hun zielen mochten dan uniek zijn geweest, maar uiterlijk leken ze op elkaar. Ze waren stuk voor stuk blond, al was de ene wat lichter blond dan de andere. Een paar hadden kort haar, maar bij de meesten viel het haar minstens tot op de schouders. Sommigen zagen eruit alsof ze nog maar zestien waren, en geen van hen leek ouder dan dertig. Het waren knappe vrouwen met fijne gelaatstrekken. Hun ogen waren blauw of blauwgrijs, of blauwgroen, en ze keken met opengesperde ogen voor zich uit, sommigen doordat ze zo hadden gekeken toen de dood hen had overvallen, en anderen doordat hun oogleden met spelden waren vastgezet.

Toen ik door de geest van de vrouw in het nachtgewaad werd rondgeleid, terwijl de gouden machines een halve meter boven onze hoofden in stilte ronddraaiden en rolden, viel het me steeds meer op hoezeer ze op de dode vrouwen leek.

Mijn eerste aanname was dat ze het eerste slachtoffer was geweest, en dat haar moordenaar er geen genoegen mee had kunnen nemen dat hij haar maar één keer had kunnen vermoorden. Hij was op zoek gegaan naar vrouwen die op haar leken en die hij vervolgens vermoordde, alsof hij haar op die manier weer van het leven kon beroven.

Het was duidelijk dat geen van deze dode vrouwen krampachtig probeerde in deze wereld te blijven, want behalve de ruiter en haar trouwe paard had ik op Roseland geen andere ronddolende geesten gezien. Ik was blij dat ze snel naar gene zijde waren gegaan, want als ik in deze kelder door meer dan dertig gekwelde geesten zou zijn aangeklampt, had ik dat misschien niet aangekund.

Hoewel de meesten op de een of andere manier waren gemarteld, ga ik hier niet uit de doeken doen met wat voor technieken of instrumenten dat gebeurd was. Bij sommigen had de bruut zich op hun handen gericht, bij anderen op hun voeten, hun borsten. Maar met uitzondering van de spelden waarmee hun oogleden waren vastgezet, waren hun gezichten niet bewerkt. Doordat er geen bloed in de ogen te zien was, vermoedde ik dat de spelden er na de dood in waren gestoken.

Blijkbaar wilde de moordenaar het gezicht van de vrouw op het paard in zijn slachtoffers kunnen herkennen. Misschien kwam hij hier steeds om zijn collectie te bekijken, om hun blikken op zich gericht te weten, om hun in te wrijven dat hij nog leefde en zelfs in goeden doen was, ondanks de misdaden die hij tegen hen begaan had.

Dat er in deze ruimte totaal geen lijkenlucht hing, was opvallend, maar nog opvallender was de staat waarin de vierendertig dode vrouwen verkeerden. Ze oogden alsof ze stuk voor stuk pas diezelfde ochtend om het leven waren gebracht.

# 24

Dat de lijken zonder uitzondering in zo'n goede staat verkeerden, was onmogelijk. Ze waren niet gebalsemd of gemummificeerd. Bovendien hebben mummies niet meer zo'n gladde meisjeshuid, zijdezacht haar, heldere ogen. En zelfs lijken die gebalsemd zijn, ontbinden.

Ik nam aan dat Noah Wolflaw ze vermoord had. Hij had Roseland van de tweede eigenaar overgenomen, de teruggetrokken Zuid-Amerikaanse erfgenaam van een mijnbouwimperium, in 1988, nu vierentwintig jaar geleden. Als Wolflaw deze macabere collectie na de koop had ontdekt, zou hij de politie hebben ingeschakeld en de lijken hebben laten weghalen.

Gezien het feit dat de paardenweide en de oefenbak totaal waren overwoekerd en al jaren niet meer gebruikt werden, gezien het feit dat de onberispelijk schone stallen deden vermoeden dat er al tientallen jaren geen paarden meer gehouden werden, dacht ik dat de ruiter en haar hengst hoogstwaarschijnlijk vermoord waren voordat Wolflaw het landgoed kocht. Meneer Shilshom leek te hebben bevestigd dat er al jaren geen paarden meer op Roseland werden gehouden.

Maar toen de geest van de ruiter me in deze crypte rondleidde en we bij de laatste van de vierendertig lijken kwamen – hoogstwaarschijnlijk de eerste die vermoord was – bleek zij het zelf te zijn. Het lijk was in zo'n gave staat dat het net was of haar geest het lichaam nog maar een uur geleden had verlaten. Als dit het werk van Wolflaw was, moest er minstens één paard op Roseland hebben gestaan toen hij het landgoed in handen kreeg.

Haar lijk was het enige dat niet naakt was en dat het lange, witte nachtgewaad van zijde en kant aanhad, de kleding waarin haar geest zich openbaarde. Van de vierendertig was zij de enige die niet was gemarteld, wat de theorie leek te ondersteunen dat ze inderdaad als eerste vermoord was en dat haar moordenaar bij die gelegenheid totaal door passie verblind was. Daarna had hij zijn slachtoffers berekenend uitgekozen, en had hij ze bijna ritueel misbruikt en mishandeld voordat hij hen uiteindelijk van het leven had beroofd.

De schrik die met deze ontdekking gepaard ging, zakte langzaam af, maar de ontsteltenis werd steeds groter. In mijn korte leven ben ik veel walgelijke dingen tegengekomen, en ben ik gedwongen geweest weerzinwekkende dingen te doen, waardoor ik daarna steevast een tijd van de kaart was. Maar niets bracht me zo van mijn stuk als dit afschuwelijke schouwspel in de onderste kelder van het mausoleum.

Even moest ik mijn ogen dichtdoen om dit mensonterende geheel buiten te sluiten, alsof ik bang was dat ik door het kwaad besmet zou raken als ik hier te lang naar zou kijken.

Alle kracht stroomde uit me. Ik wankelde in mijn zelfverkozen duisternis. Zette mijn knieën op slot. Probeerde tot bedaren te komen.

Ik voelde een troostende hand op mijn schouder, waarschijnlijk afkomstig van de spookruiter. Ik kan de aanraking van de ronddolende doden voelen, al komt het niet vaak voor dat ze proberen me te troosten.

Doordat ik zo vaak bovennatuurlijke ervaringen heb gehad, is mijn fantasie sterk ontwikkeld, al vanaf mijn geboorte. Toen de hand op mijn schouder bleef liggen, kreeg ik de indruk dat het niet de vrouw in het witte gewaad was die me aanraakte, maar iemand of iets met minder sympathieke bedoelingen.

Ik deed mijn ogen open en ontdekte dat de hand bij nader inzien toch die van de spookruiter was. Ik keek haar een tijdje aan en richtte mijn blik toen op haar lijk.

Eigenlijk is het verbazingwekkend dat er nog steeds nachten zijn waarin ik de slaap prima kan vatten.

De kogelwonden in de borst waren afzichtelijk. Ik wilde er niet te lang naar kijken.

Na enige aarzeling besloot ik toch bij het lijk neer te knielen en het met bloed besmeurde nachtgewaad aan te raken om te verifiëren of het waar was wat ik dacht. Inderdaad. Het bloed waarmee de stof doorweekt was, was nog steeds plakkerig – en in de wond zag het er vochtig en vloeibaar uit, iets wat ik niet snapte.

De moordenaar had de slachtoffers in deze obscene collectie neergezet alsof ze poppen waren waarmee hij een tijdje gespeeld had en die hij had weggedaan toen hij er genoeg van had gekregen. Ze zaten met gespreide, gestrekte benen, hun ranke armen krachteloos langs hun romp, met de palmen omhooggekeerd, alsof ze om een aalmoes vroegen.

Met uitzondering van de vrouw in het nachtgewaad – dat tot boven haar knieën was opgeschoven – hadden deze andere poppen niets anders bij zich dan het instrument van hun dood. Sommigen waren gewurgd met een stropdas, die zo diep in hun hals sneed dat het duidelijk was dat de moordenaar in de greep van een kwaadaardige macht moest zijn geweest, door woede en intense wrok bevangen. Sommigen waren een paar keer gestoken, anderen veel vaker, en in elk van die gevallen zat het mes nog in het lijk.

Bij de drieëndertig vrouwen die geen kleren aanhadden, lag er tussen hun gespreide benen een systeemkaart, met de hand geschreven, kennelijk omdat de moordenaar anders niet meer wist wie ze waren. Zoals een meisje elk van haar poppen een naam zal geven, zo hadden alle slachtoffers een naam, naar ik aannam de naam die ze bij leven hadden gehad.

Met enige tegenzin knielde ik bij het tweede lijk neer. Ik deed mijn best haar niet aan te kijken en me alleen te focussen op de systeemkaart. De moordenaar had er TAMMY VANALETTI op geschreven, en daarnaast had hij heel netjes vier sterretjes getekend, mogelijk een aanduiding hoezeer hij van haar had genoten.

Mijn walging verdween niet, noch mijn verdriet. Maar nu voelde ik een duistere mist van woede bij me opkomen, iets wat me niet vaak overkomt, en die woede maakte zich langzaam meester van me.

Elk van deze vrouwen was een dochter, een zus, een vriendin, misschien een moeder. Geen speeltje. Wat hij met ze had uitgespookt, was geen sport waarop je een ratingsysteem kon loslaten. Ze waren van zichzelf en voor zichzelf onbetaalbaar, en elk van hen zou iemand dierbaar kunnen zijn, zoals Stormy mij dierbaar was geweest.

Woede is een heftige emotie, rancuneus, en net zo gevaarlijk voor degene die erdoor overmand wordt als voor degene tegen wie de woede zich keert. Als woede persoonlijk en zelfzuchtig is – wat meestal het geval is – word je erdoor verblind, en dat is gevaarlijk. Ik moest mijn hoofd koel houden om het vervolg van de gebeurtenissen aan te kunnen. Ik moest Stormy Llewellyn hier buiten laten, ik mocht deze wreedheden niet persoonlijk opvatten, ik moest de woede zien om te buigen naar gerechtvaardigde verontwaardiging, om de kwaadaardige daden enkel te veroordelen op grond van het feit dat ze uit het kwaad waren voortgekomen. Woede is een rood waas dat je wereld kleurt, maar wie gerechtigheid zoekt, zoekt klaarheid. Wie door woede verblind is, schiet maar al te vaak vanaf de heup en mist zijn doelwit of raakt de verkeerde, terwijl iemand die naar gerechtigheid zoekt, geen boosaardige intenties heeft maar enkel wil dat het recht zijn loop heeft.

Onder Tammy Vanaletti's naam stond een datum. Het kon

niet haar geboortedag zijn, want het was een datum van acht jaar geleden, en ze leek me iemand van begin twintig. De meest voor de hand liggende conclusie was dat hij haar op die dag had vermoord.

Tammy was doodgestoken. Het bloed op de randen van haar wonden leek vers te zijn.

Ik had geen idee hoe dat kon, acht jaar nadat ze vermoord was. Maar het deel van mijn geest dat nooit slaapt of rust, leek bezig te zijn de verschillende losse draadjes van Roseland tot een geheel te weven.

Ik ging van lijk tot lijk, las wat er op de kaartjes stond zonder ze aan te raken. De datum waarop de desbetreffende slachtoffers van het leven waren beroofd, schoof steeds meer op naar het heden. Ginger Harkin, het meest recente slachtoffer, was nog geen maand geleden vermoord.

De drieëndertig van wie de datum van hun dood op het kaartje was geschreven, waren allen in de afgelopen acht jaar vermoord. De moordenaar leek steeds met tussenpozen van minder dan drie maanden toe te slaan. Vier slachtoffers per jaar, jaar na jaar, met zo nu en dan een extra slachtoffer ertussendoor.

Nu er sprake was van zoveel moorden, kon je nauwelijks meer spreken van een impuls tot moorden, noch van een psychotische dwangneurose. Dit was het levenswerk van een man, dit was waar hij zich mee bezighield, zijn *roeping*.

Toen ik me weer tot de naamloze geest richtte, zei ik: 'Bent u door Noah Wolflaw om het leven gebracht?'

Ze aarzelde even en knikte toen: *Ja.*

'Was u zijn geliefde?'

Weer een aarzeling. *Ja.*

Voordat ik een derde vraag kon stellen, stak ze een hand uit en liet ze me een verlovingsring en een trouwring zien, die natuurlijk niet echt waren maar slechts het *idee* van de huwelijkse sieraden die ze had gedragen toen ze nog in onze wereld rondliep.

'Zijn vrouw?'

*Ja.*

'U wilt voorkomen dat hij zijn gerechte straf ontloopt.'

Ze knikte heftig en legde beide handen op haar hart, alsof ze daarmee wilde aangeven dat dat haar liefste wens was.

'Ik zal ervoor zorgen dat het recht zijn loop heeft en dat hij achter de tralies belandt.'

Ze schudde haar hoofd en ging met haar wijsvinger langs haar keel, het universele gebaar dat betekende dat hij dood moest.

'Daar zal het waarschijnlijk op uitdraaien,' zei ik. 'Hij zal niet geneigd zijn zich coöperatief op te stellen.'

# 25

De doden die hier op aarde blijven rondhangen, zijn meestal niet scheutig met het verstrekken van nuttige informatie, maar ook degenen die me graag willen helpen, hebben vaak last van psychologische belemmeringen, net als dat in het gewone leven het geval is. Juist omdat ze tussen deze wereld en het hiernamaals verkeren, worden ze vaak geplaagd door angsten, door ontreddering, en misschien door emoties die zo complex zijn dat ik ze me niet kan voorstellen. Als gevolg hiervan gedragen ze zich soms irrationeel, lopen ze me in de weg wanneer ze me alleen maar willen helpen, en keren ze zich van me af als ze zich juist tot me moeten richten.

Omdat ik graag zo veel mogelijk van Wolflaws vermoorde vrouw te weten wilde komen voordat ze minder coöperatief werd, zei ik: 'Er is een jongen in dat huis. Zoals u al had aangegeven.'

Ze knikte heftig. De tranen sprongen haar in de ogen, omdat zelfs geesten kunnen huilen, hoewel hun tranen niet tot in onze wereld doordringen.

Omdat de jongen had gezegd dat hij ergens vandaan was gehaald en weer teruggebracht wilde worden, was ik van de veronderstelling uitgegaan dat hij geen familie van Noah Wolflaw was en niet van Roseland afkomstig was. Maar toen ik zag dat de vrouw tranen in haar ogen kreeg, werd ik toch gedwongen die aanname te herzien.

'Uw zoon.'

*Ja.*

'Is Noah Wolflaw zijn vader?'

Weer aarzelde ze, wierp me een gefrustreerde blik toe en reageerde beamend. *Ja.*

'Ik neem aan dat u weinig van me weet, alleen dat ik u kan zien, net als anderen die de oversteek nog niet hebben gemaakt. Maar ik wil dat u goed begrijpt dat ik hier ben vanwege uw zoon. Ik zal mijn uiterste best doen hem te helpen.'

In haar blik lag hoop, maar ook onzekerheid. Door haar moederlijke ongerustheid, die haar zelfs over de dood heen parten speelde, was ze een meelijwekkende persoon.

'Hij zegt dat hij weer teruggebracht wil worden, maar ik weet niet waar hij vandaan kwam. Woonde hij tijdelijk ergens anders, bijvoorbeeld bij zijn grootouders?'

*Nee.*

'Bij een tante of oom?'

*Nee.*

'Ik beloof u dat ik hem terug zal brengen.'

Tot mijn verbazing reageerde ze geschrokken en schudde ze heftig haar hoofd. *Nee, nee, nee.*

'Maar hij wil graag terug, dat wil hij meer dan wat dan ook, en als dit eenmaal achter de rug is, zal hij toch *ergens* heen moeten.'

Wijlen mevrouw Wolflaw was duidelijk in paniek geraakt. Ze bracht haar handen naar haar hoofd, alsof het haar een afschuwelijke gedachte leek als haar zoon ergens anders naartoe gebracht zou worden.

'Deze moorden zijn niet het enige wat hier op Roseland gebeurd is. Er is hier iets ontzettend raars aan de hand, iets wat dreigt te escaleren. Straks bestaat er misschien helemaal geen

Roseland meer, of anders krijgt het een slechte naam, wordt het een toevluchtsoord voor verwarde types, geestelijk uit balans geraakte figuren, cultaanbidders, en gedrochten van diverse pluimage. Uw zoon zal teruggebracht moeten worden naar de plek waar hij naartoe wil.'

Haar lieftallige gezicht vertrok van angst, maar desondanks haalde ze woedend met een vuist naar me uit.

De doden die hier ronddolen kunnen me wel aanraken – en ik kan ze dan voelen – als ze iets goeds in de zin hebben. Maar als ze kwaad willen doen, gaan ze dwars door me heen zonder dat dat enig effect heeft en worden ze er des te meer mee geconfronteerd dat ze onstoffelijk zijn.

Waarom dit zo is, snap ik absoluut niet. Ik heb de regels niet verzonnen, en als ik ze mocht herschrijven, zou ik heel wat veranderingen doorvoeren.

Ik weet niet eens waarom ík hier op aarde ben, alleen dát ik er ben.

Weer haalde mevrouw Wolflaw naar me uit, en nog eens. Dat ze me niets kon doen, frustreerde haar zo dat er een wanhopige grimas op haar gezicht verscheen, en ze begon te jammeren, al was ik doof voor het geluid, net als de rest van de wereld.

Ze was nu niet zozeer boos als wel bang en gefrustreerd. Ik achtte haar er niet toe in staat om die laaiende woede bij zichzelf op te roepen, iets waardoor een ongevaarlijke geest kan veranderen in een gevaarlijke poltergeist die met meubels gaat gooien.

Blijkbaar had ik gelijk, want ze draaide zich om, rende langs de dode vrouwen en verdween toen ze bij haar eigen gehavende lijk was.

Soms lijkt het of ik droom terwijl ik gewoon wakker ben, en lijkt de werkelijkheid rondom me net zo onecht als de territoria die ik in mijn slaap betreed.

Nu ik alleen was, slechts in het gezelschap van de doden, keek ik omhoog naar de zes rails met gouden machines. Glanzende tandwielen grepen ineen, beten zonder iets kapot te maken, kauwden zonder iets te verteren, tolden om hun as zonder enig geluid te maken, verplaatsten zich van de ene muur naar de andere, alsof ze het uurwerk van de hel waren, waaraan de duivel het voortschrijden naar de eeuwigheid kon aflezen.

Het uiteindelijke doel van mijn geheime zoektocht was om ongezien het huis binnen te glippen om vervolgens te doen wat er moest gebeuren om de geheimen van Roseland te ontrafelen en de jongen te bevrijden. De tunnel bood een ingang die bijna te mooi was om waar te zijn – zolang ik Wolflaw of Sempiterno maar niet tegenkwam, of een varken dat deed alsof het net als een mens rechtop kon lopen.

Dit was meer dan alleen maar een tunnel. Kennelijk diende hij ook nog ergens anders voor, als onderdeel van het barokke mechanisme dat ik in de twee kelders van het mausoleum had ontdekt.

De vloer, wanden en het plafond waren met koperen platen afgedekt, en de tunnel werd verlicht door rechthoekige lampen, waardoor er licht en schaduwen waren ontstaan. In beide wanden en het plafond lagen doorzichtige glazen buizen, waardoor in traag tempo gouden lichtvlekken werden geperst, die deden denken aan de druppels van licht die ik van de vliegwielen naar boven had zien zweven.

Het ene moment leken de lichtvlekken in de richting van het huis te gaan, het volgende moment gingen ze in tegengestelde richting. Als ik er langer dan een paar tellen naar keek, werd ik misselijk en kreeg ik het vreemde, verwarrende idee dat ik wel hier was maar toch ook weer niet, dat ik echt bestond maar toch ook weer niet, en dat ik naar het huis toe liep maar er tegelijkertijd vandaan.

Ik besloot er niet meer naar te kijken. Met mijn blik strak naar voren gericht liep ik zo'n honderd meter door.

Aan het eind deed ik een met koper beslagen deur open en zocht op de tast naar de lichtknop. Ik bleek in een wijnkelder terecht te zijn gekomen: stenen wanden, een betonnen vloer die versierd was met de uiteinden van koperen staven, en een paar duizend wijnflessen in houten rekken.

Iets wat zo normaal is als een wijnkelder leek hier niet op zijn plaats. Je martelt en vermoordt vrouwen, je houdt je bloedeigen zoon gevangen, jij en je personeel bewapenen zich alsof armageddon op het punt staat uit te breken, je huis of misschien zelfs je hele landgoed lijkt een soort machine te zijn, er zwerft een troep zwijnachtige dingen over het terrein rond, en dan trek je op een avond zeker een goede fles cabernet sauvignon open, pakt er een lekker kaasje bij, om vervolgens... wat? Naar een cd met musicalliedjes te gaan luisteren?

Niets in Roseland was zo alledaags als een musical-cd of een lekker kaasje, of wijn. Misschien was dit ooit een gewoon landhuis geweest waarin een gewone miljardair woonde die behept was met de gebruikelijke perverse afwijkingen, maar dat was nu niet meer het geval.

Ik zou bijna een van de flessen openmaken om te zien of er bloed in plaats van gegist druivennat in zat.

Achter een van de kunstmatig verweerde eikenhouten deuren lag een smalle trap. Ik nam aan dat die naar de keuken leidde.

Meneer Shilshom had me alles al verteld wat hij te melden had, tenzij ik zijn geslachtsdelen onder stroom zette om nog meer informatie van hem los te krijgen. Maar dat was mijn stijl niet. Alleen al bij de gedachte de geslachtsdelen van de kok te moeten aanschouwen bekroop me de neiging te gaan gillen als een meisje dat merkt dat er een tarantula op haar schouder zit.

Er was nog veel te doen en misschien te weinig tijd om het te doen. Ik liep naar de tweede deur en deed die voorzichtig open. Erachter bevond zich een lange keldergang, met aan beide zijden dichte deuren, en een deur aan het eind.

Ik luisterde aan de eerste deur aan mijn linkerhand en deed hem toen open. Het grote vertrek stond vol ijzeren ketels en enorme boilers, die zo te zien nog uit de jaren twintig stamden. Ze glommen alsof ze net waren geïnstalleerd, maar ik wist niet of ze nog steeds werkten, want ze maakten geen enkel geluid.

De eerste deur aan mijn rechterhand gaf toegang tot een voorraadkamer die helemaal leeg was, en toen ik de tweede deur links opende, trof ik daar Victoria Mors aan, het dienstmeisje dat net als mevrouw Tameed deel uitmaakte van het huishoudelijk personeel. Ze was bezig met de was.

De wasmachines en drogers waren nieuwer dan de verwarmingsketels en boilers, maar net als bij de wijnkelder het geval was, leken ze door hun alledaagsheid niet op hun plaats in deze vreemde en steeds grotesker wordende wereld die door de muren van Roseland omsloten werd.

Victoria Mors was kleren en beddengoed aan het sorteren, haalde ze uit een waskar en deed ze in de wasmachines. Geen van de machines was al aangezet, wat de reden was waarom ik niet had kunnen horen dat er iemand in dit vertrek aanwezig was.

Ze leek net zo heftig te schrikken van mij als ik van haar. Roerloos staarden we elkaar aan, met open mond, alsof we twee figuurtjes van een Zwitserse klok waren die was blijven stilstaan op het moment dat de deur was opengegaan.

Net als Henry Lolam en Paulie Sempiterno vond ook Victoria ongetwijfeld dat Noah Wolflaw iets roekeloos en onbegrijpelijks had gedaan door Annamaria en mij op Roseland uit te nodigen. Terwijl ik naar woorden zocht, wist ik dat ze overwoog alarm te slaan, omdat ik alleen toestemming had de vertrekken op de begane grond te betreden.

Voordat ze kon gaan gillen, stapte ik het washok binnen, schonk haar mijn zo-dom-als-het-achtereind-van-een-koeglimlach en liet de kussensloop zien waarin de in een handdoek gewikkelde ijzerzaag zat. 'Ik heb wat fijnwas, en ze zeiden dat ik die maar aan u moest geven.'

# 27

Victoria Mors was slank, 1,60 meter lang, en droeg een zwarte broek en een eenvoudige witte blouse, het uniform waarin ook mevrouw Tameed gekleed ging. Waarschijnlijk was ze achter in de twintig, maar ik zag haar als een meisje, niet als een vrouw. Ze was knap op een elfachtige manier, met grote vaalblauwe ogen. Met speldjes hield ze haar rosblonde haar op zijn plaats, maar een paar lokken waren losgekomen en hingen krullend langs haar gezicht, zoals bij de voorgaande keren dat ik haar had gezien. Mede door haar roze wangetjes oogde ze als een kind dat net had gehinkeld of had staan touwtjespringen. Hoewel ze het lijf van een ballerina had, bewoog ze zich soms op een springerige, onhandige manier, wat ik wel charmant vond. Vaak keek ze me zijdelings aan, of enigszins gebogen, van onder haar wimpers, alsof ze verlegen was, terwijl ze waarschijnlijk gewoon achterdochtig was.

In het washok keek ze me recht aan, en in haar grote vaalblauwe ogen ontwaarde ik angst, alsof er vlak boven me een vampier fladderde zonder dat ik dat in de gaten had.

Ze zei: 'O, u had de was zelf niet hoeven brengen, meneer Odd. Die had ik wel in de toren kunnen ophalen.'

'Ja, mevrouw, dat weet ik, maar ik hoopte u zo wat werk te besparen. Het zal voor u en mevrouw Tameed niet meevallen om alles in dit grote huis op orde te houden. Al dat stoffen en vegen en inwrijven en opruimen. Maar ik neem aan dat er nog veel meer dienstmeisjes zijn, die ik nog niet ontmoet heb.'

'Hebt u die nog niet ontmoet?' vroeg ze, en door de toon waarop ze dat zei en de manier waarop ze keek, oogde ze als een dom maar aantrekkelijk meisje dat in gesprekken al snel afhaakte als er zinnen van meer dan zes woorden werden gebruikt.

'Bent u hier al lang in dienst?'

'Ik ben zo blij met deze betrekking.'

'Tja, wie zou dat niet zijn?'

'We zijn hier één grote familie.'

'Jullie stralen een enorme warmte uit.'

'En het is hier zo mooi.'

'Betoverend mooi,' zei ik instemmend.

'Die prachtige tuinen, die mooie oude eiken.'

'Ik ben eens in zo'n eik geklommen, heb er zelfs nog een hele nacht in doorgebracht, al duurde die gelukkig niet zo lang.'

Ze knipperde met haar ogen. 'Wát zegt u?'

'Ik ben eens in een van die prachtige eiken geklommen. Helemaal tot bovenaan, waar de takken zo dun waren dat ze me nauwelijks konden houden.'

Misschien snapte ze me niet goed doordat ik veel meer dan zes woorden had gebruikt. 'Waar was dat dan voor nodig?'

'O,' zei ik, 'dat moest gewoon.'

'Het kan heel gevaarlijk zijn om in bomen te klimmen.'

'Soms is het net zo gevaarlijk om er níét in te klimmen.'

'Ik doe nooit iets wat gevaarlijk is.'

'Er zijn dagen dat het al gevaarlijk is om op te staan.'

Ze wendde haar blik van me af. Terwijl ze de was weer ging sorteren en die over twee wasmachines verdeelde, zei ze: 'Laat u uw spullen maar hier, dan zorg ik dat het goed komt, meneer Odd.'

'Mijn spullen?' vroeg ik. Soms kan ik me ontzettend onbenullig voordoen.

'Uw spullen voor de fijnwas.'

Omdat ik niet goed wist of ik wel wilde dat ze mijn ijzerzaag zou stijven, hield ik de kussensloop vast en zei ik: 'Zo te zien hanteert meneer Wolflaw een zeer hoge standaard. Het huis is brandschoon.'

'Het is een prachtig huis. Daarom is het goed dat het perfect schoon gehouden worden.'

'Is meneer Wolflaw een tiran?'

Terwijl ze doorging de was te sorteren, keek ze me van opzij aan, ogenschijnlijk oprecht gekwetst. 'Hoe komt u daar nou bij?'

'Nou, mensen die zo rijk zijn als hij kunnen soms zeer veeleisend zijn.'

'Hij is een fijne werkgever,' verklaarde ze, lichtelijk afkeurend omdat ik aan de exemplarische heer van Roseland had durven twijfelen. 'Ik wil nooit meer bij iemand anders in dienst.' Als een verliefd schoolmeisje zei ze: 'Nu niet en nooit niet.'

'Dat dacht ik al. Hij lijkt wel een soort heilige.'

Ze keek me fronsend aan. 'Waarom had u het dan over een tiran?'

'Pure nieuwsgierigheid. Ik wil hier namelijk gaan solliciteren.'

Ze keek weer recht in mijn ogen en zei laatdunkend: 'Er zijn geen vacatures.'

'Volgens mij is er niet voldoende bewakingspersoneel.'

'Twee bewakers zijn met vakantie.'

'Ah. Henry Lolam zegt dat hij acht weken vakantie krijgt. Dat noem ik nog eens een gunstige regeling.'

'Maar er zijn geen vacatures.'

'Henry heeft maar drie van de acht weken opgenomen. Hij zegt dat de wereld buiten de poort te veel veranderd is. Alleen hier voelt hij zich veilig.'

'Natuurlijk voelt hij zich hier veilig. Wie zou zich hier nou niet veilig voelen?'

Ik had zo'n vermoeden dat de vierendertig dode vrouwen onder het mausoleum zich op een gegeven ogenblik niet meer zo veilig hadden gevoeld op Roseland, maar dat bracht ik niet ter sprake, omdat ik niet bot wilde doen.

Als ik er ooit al over had gefantaseerd als ondervrager voor de CIA te gaan werken, was mijn interesse voor die baan verdampt toen de overheid voorschreef dat terroristen alleen onder druk mogen worden gezet door ze snoepgoed aan te bieden. Maar ik was tamelijk met mezelf ingenomen doordat ik het dienstmeisje nu al heel interessante reacties had weten te ontlokken, terwijl ik haar nog geen Mars in het vooruitzicht had gesteld.

Nu ik het over een andere boeg had gegooid en haar met wat prikkelende opmerkingen bestookte, bestond de kans dat ze zich tegen me keerde, en in dat geval zou ik moeten voorkomen dat ze mijn aanwezigheid hier aan anderen kenbaar maakte.

Helaas had ik nog niet bedacht wat ik dan zou moeten doen. Haar neerschieten leek me niet de meest voor de hand liggende oplossing.

Ze was bijna klaar met het sorteren van de was.

Ik zei: 'Henry Lolam vertelde me dat hij Roseland niet zo'n gezond oord vond, maar volgens mij was dat een grapje, gezien het feit dat hij er zoveel heimwee naar had.'

'Henry leest veel te veel gedichten, verdomme. Hij denkt verdomme veel te veel na en praat ook belachelijk veel, verdomme,' zei Victoria. Deze keer kwam ze helemaal niet als een schoolmeisje over.

'Wauw,' zei ik. 'Jullie zijn echt één grote familie.'

Even zag ik haat in haar ogen oplaaien, en ik kreeg het idee dat ze het liefst mijn neus zou afbijten en me aan Paulie Sempiterno zou uitleveren, zodat hij mijn kop van mijn romp kon schieten.

Maar Victoria beschikte over het vermogen zich razendsnel te herstellen. Terwijl ik de kussensloop op de grond legde, trok ze haar slagtanden in, knipperde ze alle gif uit haar ogen, loste ze de azijn in haar stem op in honing, en richtte ze zich tot me met de trillende emotie van een schattig meisje dat opkomt voor haar in reputatie aangetaste vader.

'Neemt u me niet kwalijk, meneer Odd.'

'*De nada.*'

'Vergeeft u het me, alstublieft.'

'Is al vergeven.'

'Het zit namelijk zo… ik kan het niet uitstaan als iemand iets gemeens zegt over meneer Wolflaw, omdat hij gewoon zo… zo ongelofelijk is.'

'Ik snap het. Zo kan ik er nooit tegen als mensen nare dingen over Vladimir Poetin zeggen.'

'Wie?'

'Laat maar.'

Victoria had alle was gesorteerd en wreef nu in haar handen, alsof ze de laatste tijd veel naar het acteerwerk uit de stomme-filmtijd had gekeken.

'Het is namelijk zo dat die arme Henry best wel een aardige man is, hij is echt als een broer voor me, maar hij is typisch iemand die je de hele wereld zou kunnen aanbieden en dan nog zou hij ongelukkig zijn omdat je hem niet ook nog de maan had gegeven.'

'Het liefst zou hij hebben dat er buitenaardse wezens kwamen om hem onsterfelijk te maken.'

'Ik snap hem soms niet. Waarom kan hij niet tevreden zijn met wat hij heeft?'

Alsof de zaak ook mij aan het hart ging, zei ik: 'Ja, raar, hè?'

'Noah is een geweldige man, een van de briljantste mensen die ooit geleefd hebben.'

'Ik dacht dat hij een hedgefonds beheerde.'

Meteen nadat ik dat had gezegd, ging de deur van het was-hok open en kwam de lange, broodmagere, besnorde man in het donkere pak binnen, degene die me had verteld dat hij me ergens gezien had waar ik nog niet was geweest en dat hij van me afhankelijk was. Zijn donkere, diep naar achter liggende ogen straalden een koortsachtige emotie uit, misschien de meest intense blik die ik ooit had gezien, zo doordringend dat ik er niet van zou hebben opgekeken als mijn hersenen aan de kook waren geraakt.

Hij kwam recht op me af en strekte smekend een knokige hand naar me uit. 'Dit allemaal is nooit mijn bedoeling geweest.'

In plaats van de hand te pakken die ik in een reflex had uitgestoken, liep hij dwars door me heen, alsof hij een spook was. Tijdens het korte moment dat we dezelfde ruimte in beslag namen, leek er een elektrische stroomstoot door me heen te gaan, van binnenuit naar buiten toe. Het deed geen pijn en was ook niet opwindend, maar ik werd me erdoor bewust van de zenuwbanen die alle sensaties van pijn en genot doorgaven, van heet en koud, glad en ruw, alles wat ik kon horen, zien, ruiken en voelen. Ik kreeg een glashelder beeld van de routes die elke zenuw in mijn lijf beschreef, als straten op een wegenkaart. Dat kon door geen enkele geest zijn bewerkstelligd.

Toen hij eenmaal door me heen was gegaan, deed hij nog twee stappen en loste toen in het niets op. Desondanks hoorde ik hem in zijn onmiskenbare accent nog vier woorden zeggen: 'Zet de hoofdschakelaar om.'

Victoria draaide zich om en zag dat de verschijning in het niets oploste. Daarna keek ze mij aan.

Geen van ons zei iets. Zonder dat ik het van haar te horen had gekregen, wist ik dat ze de lange, magere man al eens eerder had gezien, en zonder het van mij te horen wist ze dat ik genoeg over Roseland te weten was gekomen om niet aangeslagen te raken door deze bizarre gebeurtenis, en dat ik voor hen allen een levensgroot gevaar vormde.

Ik raakte haar onder de kin met een rechtse uppercut, gevolgd door een linkse die haar schuin boven haar rechteroog trof. Als een tas met wasgoed zakte ze in elkaar.

# 28

Ik was niet trots op mezelf. Aan de andere kant zakte ik nu ook niet bepaald door de grond van schaamte, maar ik moet toegeven dat ik blij was dat er in het washok geen spiegel hing.

Nooit eerder had ik een vrouw geslagen. Niet alleen was ze een vrouw, maar ze was ook nog eens kleiner dan ik. En niet alleen was ze een vrouw en kleiner dan ik, maar ze was ook nog eens knap op een leuke, elfachtige manier, zodat ik het gevoel kreeg dat ik Tinkelbel in elkaar geslagen had. Ja, ik weet wel dat Tink een fee was en geen elfje, maar toch voelde het zo.

Ik troostte me met de gedachte dat Victoria de duistere geheimen van Roseland kende en dus een van de slechteriken moest zijn. Het leek me onmogelijk dat ze niets af wist van de onheilspellende collectie vrouwen die in de kelder van het mausoleum te vinden was. Vanuit de kelder van het hoofdgebouw kon je daar zonder enige moeite naartoe.

Erger was dat ze kennelijk verliefd was op Noah Wolflaw, of in elk geval bewonderde ze hem in hoge mate. Wat voor iemand, of het nu een dienstmeisje was of niet, kon tedere gevoelens opbrengen voor iemand die vrouwen martelde en vermoordde?

Ik deed haar mond open om te controleren of ze misschien op haar tong had gebeten toen ik mijn uppercut uitdeelde, maar er was geen bloed te zien. Ze zou er waarschijnlijk wel een paar lelijke blauwe plekken en een hardnekkige hoofdpijn aan overhouden. Dat speet me voor haar, maar waarschijnlijk niet zo erg als misschien zou moeten.

In een hoek van het washok lag naaigerei. In een la vond ik een schaar.

Ik stak mijn hand tussen de kleren in een van de wastrommels, waar nog geen water in zat, en vond wat spullen – geen ervan ondergoed – die ik kapot kon scheuren om daarmee het dienstmeisje vast te binden.

Zo snel mogelijk, omdat ik bang was dat ze bij kennis zou komen en me dan de huid vol zou schelden, bond ik haar polsen voor haar buik vast, en vervolgens haar enkels. De polsen en enkels maakte ik vervolgens aan elkaar vast, om te voorkomen dat ze overeind zou kunnen komen.

Nadat ik de deur had opengedaan en op de gang had gekeken of de kust veilig was, pakte ik Victoria op en bracht haar snel naar het ernaast gelegen ketelhok. Ze was weliswaar slank, maar woog aanzienlijk meer dan Tinkelbel.

Ik legde haar in een hoek neer, achter een boiler die zo groot was als een derdetraps stuwraket van een spaceshuttle, zodat ze vanuit de deuropening niet zichtbaar was. Ze lag te mompelen als iemand die een verontrustende droom heeft. Ik ging terug naar het washok.

Daar borg ik de schaar op, pakte een paar van de verknipte lappen die ik nodig dacht te hebben, gooide de rest van de kapotgeknipte kleren in de vuilnisbak, en nam de kussensloop met de ijzerzaag erin.

Toen ik weer bij Victoria kwam, merkte ik dat ze kreunde en nog niet was bijgekomen. Ik zette haar in zittende houding, met haar rug tegen de muur, in ongeveer dezelfde houding als de vierendertig vrouwen onder het mausoleum, al had ze haar kleren natuurlijk nog aan, was ze niet gemarteld, leefde ze nog en was ze nog steeds een fan van Noah Wolflaw.

Van een katoenen broek haalde ik een slappe riem, die ik om haar hals bond. Het uiteinde ervan bevestigde ik aan een waterleidingbuis van een boiler. De buis zat stevig vast, en toen ik er met al mijn kracht aan trok, veroorzaakte dat zo weinig geluid dat niemand op de gang dat zou kunnen horen. Op deze manier vastgebonden zou ze niet naar de deur kunnen kruipen nadat ik was vertrokken.

Toen ik bij haar knielde, bewogen haar oogleden. Ze deed haar ogen even open en leek me aanvankelijk niet te herkennen. Maar al snel wist ze blijkbaar wel wie ik was, want ze spoog me recht in het gezicht.

'Lekker,' zei ik. Met een deel van een T-shirt dat ik al eerder aan stukken had geknipt, veegde ik het speeksel weg.

Het spugen was blijkbaar niet zonder moeite gegaan, want ze vertrok haar gezicht en bewoog haar kaken heen en weer om te voelen waar het pijn deed.

Ik zei: 'Het spijt me dat ik u heb moeten slaan, mevrouw.'

In weerwil van de pijn spoog ze me nogmaals in het gezicht.

Nadat ik het speeksel had weggeveegd, zei ik: 'Kunt u me iets vertellen over de dode vrouwen onder het mausoleum?'

Ze wenste me een besmettelijke ziekte toe.

'Blijkbaar bent u dus van hun bestaan op de hoogte.'

Nu wenste ze me een slopende ziekte toe.

Het scheen me toe dat haar ogen de blauwpaarse tint van dodelijk giftige wolfskers hadden. Nog steeds waren ze groot en helder, maar nu leken ze in de verste verte niet op die van een schattig verlegen meisje.

'Wat is dit voor een oord, waar dienen al die vreemde machines voor?'

Uit de opmerking die ze plaatste, maakte ik op dat ze me aanzag voor een mannelijk geslachtsdeel van niet geringe proporties.

Ik trok het pistool uit mijn holster, richtte dat op haar hoofd, en zei: 'Wie was die man die we hier net zagen?'

Ze liet zich niet intimideren, bleef me met haar wolfskersogen aankijken en adviseerde me het pistool in een deel van mijn fysiek te steken dat absoluut niet bedoeld is om als holster te fungeren.

'U moet me niet onderschatten,' zei ik dreigend. 'Ik ben gevaarlijker dan u misschien zou denken.'

Nadat ze me had verteld dat ik haar deed denken aan een bepaald deel van een hond, zei ze: 'Je zult Roseland nooit levend verlaten.'

'Misschien geldt dat voor ons allen.' Ik drukte de loop van de Beretta tegen haar voorhoofd. 'Ik heb al een paar mensen om het leven gebracht, mevrouw, en ik denk dat ik me hier op Roseland genoodzaakt voel om er nog een paar koud te maken.'

'Ik ben niet bang voor jou.'

'Dat mag dan wel zo zijn,' zei ik, 'maar ik ben wel bang voor mezelf.'

Dat was maar al te waar. Onder het mom voor onschuldige mensen op te komen, heb ik dingen gedaan die daarna door mijn geheugen zijn gaan krioelen, als wormen in een verrotte appel. In mijn slaap wriggelden en wriemelden ze mijn dromen binnen, de dromen waaruit ik badend in het zweet ontwaakte.

Victoria had me verteld dat ze nooit iets gevaarlijks deed, zelfs niet in een boom klimmen. Blijkbaar werd ze nu weer bevangen door angst voor gevaar, want ze deed haar ogen dicht en huiverde.

Ik besloot een beroep te doen op het laatste restje fatsoen dat ze mogelijk nog bezat. Nadat ik het pistool bij haar gezicht had weggehaald, zei ik met een mengeling van afkeer en begrip: 'Is dit misschien een sekte? Bent u er tegen uw zin bij betrokken geraakt en ziet u geen uitweg meer? Is Noah Wolflaw uw Jim Jones of zo?'

'Wie bij een sekte gaat, weet niet wat hij doet,' zei ze. 'Dat zijn onwetende lieden die geen idee hebben waar ze mee bezig zijn. Wij zijn geen sekte. Wij zijn de meest nuchtere en verstandige mensen ooit.'

'Ooit?'

'Jij en jouw soort zijn degenen die het spoor bijster zijn, en daar zijn jullie je niet eens van bewust.'

'Probeer me dan maar te vertellen hoe het zit.'

Op haar gezicht verscheen een uitdrukking vol minachting en arrogantie. 'Jullie gaan gebukt onder de slagen en de spot, maar wij niet, en dat zal ook nooit gebeuren. Jullie gaan eronder gebukt, en dat drijft jullie tot waanzin.'

'Nou, dan is het me nu helemaal duidelijk,' zei ik. Ik vroeg me af of een of andere voodoopriester stiekem een vloek over me had uitgesproken, waardoor iedereen die ik tegenkwam in raadselen sprak.

Ze liep rood aan en schonk me een blik vol haat. Haar stem klonk zo minachtend dat de woorden bijna in haar keel bleven steken. 'Jullie gedachten zijn door een dwaas geknecht, maar die van ons zullen dat nooit zijn.'

In weerwil van wat ze net beweerd had, klonk dit heel erg als een propagandapraatje van een sekte, woorden die de leider had uitgesproken en die werden nagebrabbeld door zijn volgelingen, die slechts ten dele snapten waar het over ging maar die ze als mantra's herhaalden, ongeacht of het daar het juiste moment voor was.

Nu ik haar aan de praat had gekregen, wilde ik het gesprek weer op de dode vrouwen onder het mausoleum brengen. 'U zei dat Wolflaw een van de geweldigste mensen was die ooit hadden geleefd. Hoe kunt u zo klakkeloos achter hem aan lopen als hij die vrouwen als poppen heeft behandeld die hij naar believen kapot kon maken en weg kon gooien?'

Dat Victoria net als de slachtoffers een vrouw was, betekende niet dat ze enig medelijden met ze had. 'Dat waren geen vrouwen zoals ik. Ze waren anders dan wij. Ze waren meer zoals jíj.

Dieren, geen goden. Wandelende schimmen, stuntelende figuranten. Hun levens stelden niets voor.'

Hoe meer ze zei, hoe verwarder ze klonk. Er was nu geen spoor van gezond verstand meer in haar gepraat te bespeuren.

Toch kwamen haar woorden me ergens bekend voor, alsof ik al eens eerder iets dergelijks gehoord had, in een rationele context, voor een nobeler doel.

Ik voelde me bezoedeld door deze Victoria, die de indruk wekte de boze tweelingzus van het dienstmeisje te zijn. Toch wilde ik nog meer weten. 'Waar kwamen die vrouwen vandaan? Hoe heeft Wolflaw ze zover gekregen dat ze hiernaartoe kwamen?'

Ze glimlachte zelfgenoegzaam, als een meisje dat een smerig geheim koesterde dat ze maar al te graag wilde delen. 'Noah blijft altijd in de buurt van Roseland. Paulie reist stad en land af om ze op te sporen. Henry ook wel, de hele staat door, ook in Nevada en dergelijke.'

'Maar... doen ze dan hetzelfde als Noah?'

Ze schudde haar hoofd. 'Nee. Het maakt ze niet uit wat hij doet. Zelf hebben ze daar totaal geen interesse in. Maar je onderbrak me. Het leukste heb ik nog niet verteld.'

'Vertel.'

'Ik kan ze als geen ander aan de haak slaan en binnenhalen, beter dan Paulie of Henry. Als ik er eenmaal eentje heb gevonden die qua uiterlijk het type is dat Noah wil hebben, zorg ik ervoor dat ik met haar in contact kom. En dan klets ik wat met haar. Ze vinden me altijd leuk. We genieten van elkaars gezelschap. Ik zorg dat ze me aardig gaan vinden en me vertrouwen. Daar ben ik heel goed in. Ik ben heel tenger, heb met m'n kabouterkop wel iets van een van huis weggelopen meisje. Iedereen vertrouwt kaboutertjes.'

'Ik dacht meer aan een elfje, een mooi elfje.'

Victoria plooide haar lippen in een warme, ondeugende glimlach en knipoogde naar me. Heel even was het masker van een onschuldig en innemend kaboutertje zo overtuigend dat ik de demon achter het elfachtige voorkomen totaal uit het oog verloor, ook al wist ik dat die er was.

'Op een gegeven moment,' zei ze, 'maken we een afspraak om tussen de middag ergens iets te gaan eten. Ik haal haar op van huis of van haar werk. We komen nooit bij het restaurant aan. Ik heb een verdovingspistooltje. Het slaapmiddel brengt haar bijna ogenblikkelijk onder zeil. Als ze wakker wordt, soms een paar uur later, soms dagen later, afhankelijk van hoe ver we moeten rijden, merkt ze dat ze aan een van de spijlen van Noahs bed is vastgeketend, en dan komt ze erachter wat ze is en wat wij zijn.'

Ik walgde van haar, ook al leek ze nog zo op een kabouter of een elfje. 'En wat zíjn jullie dan?'

'Outsiders,' zei ze, zo trots dat het woord een hoofdletter verdiende. 'We zijn Outsiders, zonder beperkingen, zonder regels, zonder wat voor angst dan ook.'

Het zou best kunnen dat de bewoners van Roseland zichzelf geen sekte wilden noemen, maar in alle relevante opzichten waren ze dat wel.

'Hij is niet uw Jim Jones,' zei ik, 'maar uw Charles Manson, Ted Bundy met apostelen.'

'Soms mag ik van hem blijven om toe te kijken.' Ze zag dat ze mijn weerzin opwekte en grijnsde boosaardig. 'Arme jongen, je zult het wel nooit kunnen snappen. Je bent een wandelende schim, een stuntelende figurant. Je bent van nul en generlei waarde.'

Haar woorden klonken me weer bekend in de oren.

Ergens wilde ik haar nog steeds proberen te doorgronden, om te snappen waarom ze zo van Wolflaw gecharmeerd was. 'Hij heeft u vast op de een of andere manier in zijn macht.'

'Liefde,' zei ze. 'De liefde voor de eeuwigheid.'

Blijkbaar zagen ze liefde als iets waarbij je nooit hoefde te zeggen dat het je speet, nu niet en nooit niet.

Toen Victoria vertelde dat ze soms mocht toekijken als Wolflaw met de vrouwen bezig ging, liep het water haar blijkbaar in de mond, want met kracht spoog ze een gemeen grote hoeveelheid in mijn gezicht. 'Over nog geen uur zal je nek door de voet verpletterd worden.'

Ik veegde mijn gezicht schoon met de inmiddels vochtig geworden doek en zei: 'Wat voor voet bedoelt u?'

'De zachte en onhoorbare voet.'

'Ah, op die manier, zo'n voet.' Ik dacht niet dat ik verder nog iets zinnigs uit haar kon krijgen. Ik maakte een prop van de doek en zei: 'Even braaf zijn. Doet u uw mond maar open.'

Ze drukte haar lippen stijf op elkaar. Ik kneep haar fraai gevormde neus dicht, en ze hield haar adem net zo lang in tot ze niet meer kon en naar lucht hapte, waarna ik de prop in haar mond deed.

Ik kon haar niet goed verstaan, maar volgens mij noemde ze me een stomme gokker, al snapte ik niet wat ze daar nu precies mee bedoelde.

Omdat ze met haar tong probeerde de prop uit haar mond te duwen, hield ik haar mond dicht. Niet zonder genoegen.

Ik pakte de laatste reep stof en bond die voor het onderste deel van haar gezicht, waarbij ze tevergeefs probeerde haar tanden in mijn handen te zetten. Ik knoopte de doek achter haar hoofd vast, om te voorkomen dat ze de prop kon uitspugen.

Het pistool stopte ik terug in de holster, en ik was blij dat ik het wapen niet had hoeven gebruiken. Ik had al eens een vrouw moeten neerschieten, een moordzuchtig type weliswaar, maar toch had dat zo'n trauma opgeleverd dat ik er de rest van mijn leven genoeg van had.

Ooit was ik in een afgebrand Indiaas casino geweest waar een poema van zeventig kilo van achteren op een vrouw af sloop die echt ontzettend haar best deed om als een slechterik van het zuiverste water voor de dag te komen. Ze hield me van dichtbij onder schot, en in plaats van netjes met mijn buik en hoofd wat kogels op te vangen, had ik nagelaten haar te waarschuwen, en daardoor had het grote poezenbeest haar aangevallen zoals een uitgemergelde junkie op een extra grote cheeseburger zou aanvallen. Het was niet iets waarvoor ik mezelf op de borst klopte – verre van zelfs – maar op de een of andere manier was het gemakkelijker om daarmee te leven dan wanneer ik iemand eigenhandig zou hebben doodgeschoten.

Victoria's handen en voeten waren vastgebonden, ze was gekneveld, en daarnaast ook nog aan een waterleidingbuis vastgemaakt, en nu leken haar wolfskersogen giftige pijlen op me af te vuren.

Ik liep naar de deur, deed het licht uit, deed de deur op een kier, zag dat de kust veilig was en stapte de keldergang in.

Het liefst zou ik nu Harry Potter zijn geweest met zijn onzichtbaarheidsmantel en alle andere fantastische spullen die hij als jonge tovenaar bij zich had. Maar met mijn 9mm-pistool, mijn extra munitie en de ijzerzaag van goede kwaliteit was ik beter bewapend dan in het verleden wel het geval was geweest bij andere hachelijke gelegenheden. Bovendien, als je alleen maar een mantel over je schouders hoefde te gooien om het hol van de draak binnen te komen, was er weinig lol aan, zowel voor jou als voor de draak.

Even bleef ik bij de dichte deur van het ketelhok staan luisteren. Ik ging ervan uit dat de geknevelde Victoria haar best zou doen een grote keel op te zetten en pogingen zou ondernemen om zich los te rukken van de waterleidingbuis, ook al zou ze daardoor bijna geen adem meer kunnen krijgen. Maar ik hoorde niets.

Ik ging een laatste keer naar het washok, liep naar de gootsteen en maakte mijn gezicht met vloeibare zeep en warm water schoon.

De verdorven vrouw die door mijn nalatige gedrag door een poema werd gedood, spoog ooit een mondvol rode wijn in mijn gezicht.

Vrouwen vinden me niet zo aantrekkelijk als bijvoorbeeld die zanger, Justin Bieber. Maar ik troost me met de gedachte dat Justin Bieber niet zou hebben geweten hoe hij uit een koelcel moest komen waarin hij geketend en wel was achtergelaten door een stel kleerkasten met platte hoedjes. Als hij dan een liedje had gezongen, was hij daar niets mee opgeschoten. Het lekkere ding zou dan in een ijslolly zijn veranderd.

In de hoop dat de lange magere man weer zou verschijnen en dan zou kunnen zeggen wie hij was en wat voor hoofdschakelaar hij wilde dat ik omzette, liep ik door de gang en voelde ik aan andere deuren. Pas bij de deur aan het eind van de gang trof ik iets interessants aan.

# 29

Toen ik die deur aan het eind van de gang opendeed, leek ik van Wolflaws elegante residentie in een ander gebouw te komen. Het plafond van de grote rechthoekige kamer was van gipsplaat, de muren waren gelambriseerd, en alles was wit geschilderd. Achter in de kamer bevonden zich vier ramen, twee aan twee, met zon werende, ouderwetse rolgordijnen ervoor.

In een hoek stond een houten kast met daarop een metalen bak. Daarnaast stond een gietijzeren waterpomp.

Voor elk van de dubbele ramen stond een groot eikenhouten bureau, met daarop een lamp met een groene glazen lampenkap. De bureaustoelen waren geheel van eikenhout vervaardigd, met zwenkwieltjes van staal en hard rubber. Ze waren in goede staat, maar leken al honderd jaar oud.

Op elk bureau stond een antieke telefoon van koper dat matzwart was gelakt, met bovenaan het mondstuk, en de hoorn aan een haak. Aan de voet bevond zich een ouderwetse draaischijf.

Tegen de muren links en rechts van me stonden eikenhouten archiefkasten en wat leek op een kaartenkast met brede, ondiepe laden. Midden in de kamer zag ik twee tekentafels, met de achterkant tegen elkaar aan. Er stonden eikenhouten stoelen bij, en rechts bevond zich een grote eikenhouten tafel die zo hoog was dat je erbij moest staan om eraan te kunnen werken.

Op de hoge tafel lagen blauwdrukken, die tot een dik pak waren gebonden. Op het bovenste blad stond een inktschets, een zijaanzicht van het hoofdgebouw vanuit het westen gezien. Onder die prachtige tekening stond de naam ROSELAND in fraai gekalligrafeerde letters. En linksonder in een kader waren de woorden CONSTANTINE CLOYCE RESIDENTIE te lezen.

Dit leek de werkkamer van de oorspronkelijke aannemer en misschien ook van de architect te zijn geweest, toen Roseland gebouwd werd. Waarschijnlijk was dit vertrek het eerste dat gereed was gekomen, en door de gave staat ervan rees het vermoeden dat Constantine Cloyce, de krantenbaron en stommefilmmagnaat, een landgoed voor ogen stond dat net zoveel historische uitstraling had als Hearst Castle of iets dergelijks.

Deze ruimte had maar twee dingen gemeen met de rest van het huis: de betonnen vloer, waarin koperen schijven lagen met het getal acht erop, en de tijdloze uitstraling, vergelijkbaar met een voorwerp dat hermetisch afgesloten in een museum tentoon wordt gesteld.

Terwijl ik rondkeek, werd ik plotseling nieuwsgierig naar de dichtgetrokken rolgordijnen, omdat ik me realiseerde dat er in een kelder helemaal geen ramen behoorden te zitten. Ik legde de kussensloop met de ijzerzaag weg, leunde over een van de twee bureaus heen en trok aan het touwtje met de ring, zodat het rolgordijn omhoogging.

Het uitzicht dat het raam bood, was zo ongelofelijk en overdonderend dat ik als aan de grond genageld bleef staan. Toen ik van de schrik was bekomen, liep ik naar het andere bureau, leunde erop en trok ook het gordijn van het tweede raam omhoog, alsof ik hoopte daar een ander uitzicht aan te treffen, of de blinde keldermuur die daar had moeten zitten. Maar het uitzicht was hetzelfde als bij het eerste raam.

Naast de deur waardoor ik binnen was gekomen, zat er in de

westelijke muur nog een deur, tussen de bureaus in. Ik liep ernaartoe, aarzelde even, deed hem open en stapte naar buiten.

Op de lange oprijlaan die over het glooiende terrein naar de weg liep, lag grind in plaats van keien, in tegenstelling tot wat eerder het geval was geweest. Aan het eind van dat lange pad stond noch een portiershuisje, noch een poort.

Ook werd het uitgestrekte landgoed niet begrensd door een muur. Het terrein, dat nog niet door de bouwploeg was afgegraven en ingedeeld, strekte zich uit tot de aangrenzende landerijen, en het enige wat het landgoed markeerde, waren witgeverfde palen.

Het parkachtige landschap bestond nog niet. In plaats daarvan zag ik velden vol hoog gras en bloemen, met veel minder eiken dan er op het terrein hadden gestaan dat ik de afgelopen dagen had verkend.

In de war gebracht door deze onmogelijkheid liep ik zo'n tien meter over het grindpad door voordat ik besefte dat ik nu een eind van de deur vandaan stond.

Ik draaide me om. Nergens was de imposante residentie te bekennen, alsof die in het niets was opgelost.

In plaats daarvan stonden er twee gebouwen, een van hout, met een geteerd dak en aan de voorzijde vier ramen en een open deur. Dit was waarschijnlijk de bouwkeet die ik net had verlaten.

Dertig meter links daarvan stond nog een gebouwtje, naar alle waarschijnlijkheid een toilet.

De meeste mensen zien de werkelijkheid eenvoudigweg als een schilderij dat voor hun neus hangt, gevat in hun referentiekader, bekend en zonder meer duidelijk. Ik ben behept met het inzicht dat er onder dat schilderij talloze lagen zitten, voorgaande beeltenissen waar overheen is geverfd. Iedere natuurkundige die onderlegd is in de kwantummechanica of de chaostheorie weet dat de werkelijkheid een beest met mysterieuze dimensies en mogelijkheden is, en hoe meer we ontdekken, hoe meer dingen er zijn die we niet weten.

Omdat dat begrip van de werkelijkheid de basis van mijn leven vormt, word ik maar zelden van mijn stuk gebracht. Roseland zag ik niet meer, maar ik stond nog steeds met beide benen op de grond. Desondanks voelde ik me als Wile E. Coyote die door een bulldozer was platgewalst.

Het idee dat de architect het landgoed had ingedeeld aan de hand van nieuwe geometrische begrippen en een mysterieuze nieuwe dimensie, iets wat ik al eerder heb genoemd, verbleekte bij de ontzetting die deze laatste ontdekking bij me teweegbracht. Ik had gemerkt dat kamers met elkaar verbonden waren op manieren die ik me niet kon herinneren, ik had het gevoel dat er altijd meer met een kamer of gang aan de hand was dan op het eerste gezicht te zien was.

Toen ik motorgeluiden hoorde, werd mijn blik weer naar het westen getrokken. Op een geplaveide maar primitieve landweg reden wat er op het oog uitzag als twee T-Fords, zwart, zonder overkapping. De oldtimers kwamen elk van een kant.

Op het moment dat ze elkaar passeerden, ongeveer ter hoogte van de plek waar de toegangspoort van Roseland ooit zou komen te staan, verscheen er vanuit het noorden nog een weggebruiker. Een paard-en-wagen, volgestapeld met balen hooi, kwam ratelend mijn kant op.

Ik stond te trillen op mijn benen, niet zozeer uit angst als wel vanwege het mysterie. Mijn hart bonsde wild en ging sneller dan het hoefgetrappel in de verte.

Drie eenden lieten zich traag meevoeren op de thermiek en kwamen laag aanvliegen, net zo geluidloos als de vliegwielen en ronddraaiende bollen onder het mausoleum, dat nu nog niet bestond.

Als er aan deze hemel vliegtuigen verschenen, zouden het tweedekkers zijn, geen lijntoestellen. In deze wereld had niemand nog over de oceaan gevlogen, en op de maan stonden nog geen voetafdrukken.

Vanuit het noorden stak een briesje op. Ik werd bang dat de

deur van de bouwkeet dicht zou waaien, dat er dan een of andere verbinding zou worden verbroken, en dat ik niet meer naar binnen kon om terug te keren naar het Roseland van de eenentwintigste eeuw.

Dan zou ik misschien vast komen te zitten in een wereld zonder penicilline, zonder inentingen tegen polio, zonder teflonpannen, zonder boeken van John D. MacDonald, zonder muziek van Paul Simon of Connie Dover of Israel Kamakawiwo'ole, zonder comfortabele sportschoenen, zonder klittenband.

Daar stond dan weer tegenover dat hier geen reality-tv was, zelfs überhaupt geen tv, geen kernwapens, geen wegpiraten, geen bioscoopgangers die onder de film gingen zitten bellen, geen tofoekalkoenen.

Uiteindelijk zouden de plussen en minnen elkaar opheffen, maar in deze tijd waren de meesten van mijn vrienden nog niet geboren.

Snel ging ik weer naar binnen. Ik trok de deur achter me dicht om het verleden buiten te sluiten waarin ik noch mijn ouders al waren verwekt.

Ik liep naar de andere deur en deed die open. Erachter lag een keldergang, maar toen ik me omdraaide en door de ramen naar buiten keek, zag ik nog steeds het landschap waarin Roseland nog niet was aangelegd.

De bouwkeet stond boven de grond, de kelder was ondergronds. De ene wereld bestond toen, de andere wereld bestond nu. En toch stonden ze op de een of andere manier met elkaar in verbinding, in ruimte en tijd. Zoals een luchtsluis van een ruimteschip diende als overgang tussen de atmosfeer binnen en het vacuüm in het heelal, zo vormde dit vertrek de schakel tussen het heden en een tijd die misschien zo'n negentig jaar in het verleden lag.

Ik deed de deur naar de kelder dicht, liep naar een van de bureaus en ging in de antieke bureaustoel zitten om tot bedaren te komen en na te denken.

Zoals Sherlock Holmes zich beter kon concentreren op het

oplossen van problemen als hij zijn pijp en zijn viool bij de hand had, zo kon ik over het algemeen beter over een ingewikkeld probleem nadenken als ik als snelbuffetkok aan het werk was. Maar ik had geen bakplaat bij de hand, noch een bakspaan of iets wat ik klaar kon maken.

Na een tijdje besloot ik in de bureauladen te kijken, maar daar bleek alleen maar uit dat degene die hier had gewerkt buitengewoon ordentelijk en netjes was geweest. De laden van het tweede bureau leverden geen nieuwe inzichten op.

Toen ik weer naar de blauwdrukken liep die op de hoge tafel lagen, zag ik iets op het bovenste vel papier wat me eerder ontgaan was: de stempel van de architect, met zijn naam – James Lee Brock – en zijn adres in Los Angeles. Onder de naam van de architect stonden een woord en een andere naam: MACHINES: NIKOLA TESLA.

Het enige wat ik van Nikola Tesla wist, was dat hij 'het genie die de wereld het licht schonk' werd genoemd, en dat hij rond 1900 een even grote rol voor de elektrificatie van de wereld en voor de daarmee gepaard gaande industriële revolutie had gespeeld als Thomas Edison.

En al op mijn eerste dag op Roseland, toen ik een gesprekje aanknoopte met Henry Lolam in het wachthuisje, kwam ik erachter dat Constantine Cloyce geïnteresseerd was geweest in de nieuwste wetenschappelijke inzichten en in het bovennatuurlijke, en dat hij een breed spectrum aan vrienden om zich heen had verzameld, als ene uiterste de helderziende Madame Helena Petrovna Blavatsky, en als andere uiterste de beroemde natuurkundige en uitvinder Tesla.

Het zou raar zijn geweest als ik de beroemde naam van Madame Blavatsky op de blauwdrukken had aangetroffen. Ik wist niet wat er precies gaande was op Roseland, maar ik was er inmiddels van overtuigd geraakt dat het niets met het bovennatuurlijke maar alles met de wetenschap van doen had. Met een rare vorm van wetenschap, maar desalniettemin wetenschap.

In de brede, ondiepe laden van de kaartenkast vond ik veel machineontwerpen, alle gesigneerd door Nikola Tesla, onder andere tekeningen van – inclusief specificaties – de bollen, de vliegwielen die op de klokvormige machines stonden, de ingewikkelde machines die ik in de onderste kelder van het mausoleum had aangetroffen, en nog veel meer.

Ik was er nu van overtuigd dat ik de identiteit van de lange, magere, besnorde man kende die me tot drie keer toe had aangesproken. De heer Nikola Tesla. Gezien het feit dat hij al decennia geleden was overleden maar niet tot de ronddolende geesten behoorde die ik tot nu toe was tegengekomen, wist ik wel wíé hij was, maar niet wát hij was.

zijn dat de kust veilig was, durfde ik de kast uit te komen. Snel liep ik naar de voordeur en tuurde door een van de zijraampjes naar buiten, om te zien of Sempiterno ergens te zien was. Dat bleek niet het geval.

Terwijl ik overwoog weer de diensttrap te nemen, waarvan de deur openstond, hoorde ik voetstappen naar beneden komen, en mevrouw Tameed riep: 'Carlo! Carlo! Snel!' uit volle borst en met paniek in haar stem.

Een boogvormige doorgang met zuilen aan weerszijden gaf toegang tot de salon, en uit dat grote vertrek klonk de stem van Sempiterno: 'Hier! Hier! Ik kom eraan!'

*Carlo?*

In een Britse klucht zouden we met z'n allen tegelijkertijd de hal binnenstormen en zou er een hilarische situatie ontstaan. Maar de angst die in hun stemmen lag, deed vermoeden dat er iets ernstigs aan de hand was, iets wat meer over Roseland zou openbaren dan ik tot nu toe te weten was gekomen, meer dan ik zou mogen weten.

Ik besloot de verdere ontwikkelingen van dit toneelstuk niet af te wachten, liep naar buiten en deed de voordeur achter me dicht.

In de zuilengang voor het huis stond het elektrische wagentje met de ballonbanden, waarmee Paulie Sempiterno het terrein had doorkruist.

Ik ging naar het voertuig toe, niet met de bedoeling om er-mee weg te rijden, maar om net te doen alsof ik er vol bewondering naar stond te kijken voor het geval Sempiterno naar buiten kwam. Mijn bedoeling was om hem het idee te geven dat ik niet binnen was geweest en dat ik niet had gehoord wat hij tegen mevrouw Tameed had gezegd.

Er hing een lichte maar onmiskenbare ozongeur, niet sterk genoeg om een schrijnend gevoel in de neus te veroorzaken. Maar ik wist maar al te goed wat die lucht bij voorgaande gelegenheden had betekend.

Hoewel de duisternis niet voortijdig intrad, liet ik mijn turende blik over het landschap gaan en zag ik een troep van de varkensachtige wezens lopen die mevrouw Tameed met de term 'gedrochten' had aangeduid. Ze waren nog ver weg – er lagen grote velden tussen ons – maar ze kwamen vanuit het noorden in de richting van het huis, duidelijk doelgericht, en in de gebruikelijke kwalijke stemming.

Toen ik me naar het huis omdraaide, schoven er vanuit de kalkstenen kozijnen stalen platen voor de ramen. Ook de voordeur werd door een grote stalen plaat gebarricadeerd, waardoor de deuropening zo hermetisch werd afgesloten dat er zelfs geen briefje meer onderdoor naar binnen geschoven kon worden.

Nu wist ik wat er voor de tralies in de plaats was gekomen toen het huis was gerenoveerd, zoals meneer Shilshom had gezegd. Mmmmm? Inderdaad. Kijk eens aan.

Omdat de monsterlijke troep enigszins werd opgehouden door de misvormde types die ertussen liepen, kon ik misschien een voorsprong opbouwen. In het begin, althans. Hoewel ze rechtop liepen, deden ze me aan wilde zwijnen denken, en wilde zwijnen zijn geduchte tegenstanders. En hoewel ik niet wil opscheppen, was ik er tamelijk zeker van dat ze me buitengewoon eetlustopwekkend vonden ruiken.

Ik rende naar het wagentje, waar geen dak op zat, maar een rolstang. Ook zaten er geen portieren in waarmee je je tegen de zon kon beschermen, of tegen een troep gedrochten. De sleutels zaten in het contact. Ik ging achter het stuur zitten.

De elektrische motor kwam zo zachtjes tot leven dat ik het gegrom en gepiep van de varkensachtige apen goed kon horen, ondanks het feit dat ze zo'n honderd meter van me vandaan waren.

Een elektrisch voertuig is minder geschikt om mee te racen dan een auto met een verbrandingsmotor. Probeer je Steve McQueen in *Bullit* eens bij een achtervolging door de straten van San Francisco voor te stellen in een Chevrolet Volt. Precies.

Omdat ik geen achtervolging door de glooiende velden van

Roseland durfde uit te lokken, reed ik de zuilengalerij af en ging in westelijke richting over het pad, naar het wachthuisje. Daar zaten tralies voor de ramen. Henry Lolam had een handvuurwapen, een shotgun en een geweer. Samen konden we het daar wel een tijdje uithouden en elkaar gedichten voorlezen terwijl de monsters woedend op de met ijzer verstevigde eikenhouten deur beukten.

De ballonbanden produceerden een flubberend geluid op het pad, *boedeboedeboede*. Ik hoorde de monsters niet meer.

Toen ik achteromkeek, zag ik dat ze tot stilstand waren gekomen. Ze stonden op het gazon aan de noordkant van het gebouw, met opgeheven hoofden – uitgezonderd degenen die gebocheld en anderszins misvormd waren – en keken beurtelings naar mij en naar het huis, alsof ze geen keus konden maken.

Ze leken wezens uit een apocalyptische openbaring. Niet alleen waren ze qua uiterlijk weerzinwekkend, maar ze vormden ook de belichaming van alle kwaadaardige, meedogenloze krachten die sinds mensenheugenis op aarde rondwaren. Met hun bleke koppen en hun dierlijke kracht leken ze rechtstreeks uit de hel te komen, van een plek die Dante over het hoofd had gezien. Verschillenden leken lompen te dragen, al zou het goed kunnen dat ik hun ruige vacht voor kleren aanzag.

Doordat ze zo lang bleven staan, kon ik een aanzienlijke voorsprong opbouwen, en zonder problemen kwam ik bij het wachthuisje aan. Ik parkeerde bij het afdakje, liet voor de zekerheid de motor draaien en sprong uit het wagentje.

Henry zat niet onder het afdakje poëzie te lezen. Hij stond binnen, achter het betraliede raam, en keek naar me.

Ik liep naar de deur. Op slot. Ik klopte aan. 'Henry, laat me erin.'

Henry bleef bij het raam links van de deur staan en zei met een stem die door het glas gedempt en vervormd werd: 'Ga weg.'

Het was griezelig om te zien dat er totaal geen uitdrukking op zijn jongensachtige gezicht lag, hoewel hij net zo angstig uit zijn groene ogen keek als altijd.

'Gedrochten, Henry. Die ken je toch wel? Doe de deur open.'

Ik dacht dat hij zei: 'Je bent niet een van ons.'

Ik tuurde in oostelijke richting en zag dat de monsters een beslissing hadden genomen. Ze kwamen stommelend deze kant op.

'Henry, het spijt me dat ik je heb zitten stangen over aliens en darmonderzoeken. Ik zal in het vervolg wat meer voor dat soort dingen openstaan. Laat me erin. Dan beloof ik dat ik in marsmannetjes zal geloven.'

Door het dichte raam ving ik een paar van zijn woorden op: 'Er... geen marsmannetjes... wou... wel waar was.'

'Het heelal is groot, Henry. Er is van alles mogelijk.'

'Aliens... kunnen me niet bevrijden... Roseland.'

'Misschien kunnen ze je wel bevrijden, Henry. Laat me erin. Dan kunnen we praten.'

Zijn gezicht vertrok in een haatvolle uitdrukking die ik niet van hem kende. Ik dacht dat hij zei: 'Jij... niks anders dan... zielige gokker.'

Ik moest denken aan Victoria Mors, die me ook een stomme gokker had genoemd toen ik probeerde haar te knevelen.

De troep had nog meer dan vijftig meter te gaan, maar kwam snel dichterbij. De meesten hadden inderdaad vieze lompen aan, duidelijk niet vanwege het fatsoen en ook niet ter bescherming tegen de kou of voor de sier. Hier een doek om het hoofd, daar een stuk stof om een arm gewikkeld. Hier een met verschillende sjaaltjes om, daar een met dassen en pluimpjes om zijn middel.

Het rook naar ozon, en de lucht trilde als op een hete zomermiddag, wanneer de zinderende hitte van het wegdek slaat. Maar het was hier in Californië nu februari, het was niet warm en zelfs aan de frisse kant.

Hoewel ze er ruig genoeg uitzagen om iemand met hun blote handen en hun slagtanden te kunnen vermoorden, droegen sommigen een wapen. Favoriet was een buis van een meter lang, die ze met een koord om hun pols hadden gebonden, maar ook zag ik een zeis. Een pikhouweel. Een kapmes. Een bijl.

Lange gespierde lijven, bedekt met plukken dun haar, wit en grijs, de koppen naar voren gestoken. Ze gromden nu allemaal, leken plotseling meer georganiseerd dan eerst, en kwamen over de oprijlaan aangemarcheerd als een leger uit een nachtmerrie, als orks uit Mordor, en er was geen tovenaar die me ertegen kon beschermen. De meesten hadden varkensachtige koppen en grijnsden als een wolf. Anderen hadden asymmetrische koppen, ogen op verschillende hoogtes, schedels die misvormd waren door een onregelmatige botstructuur, en hun armen en benen, waarvan de gewrichten niet goed leken te functioneren, waren onevenredig lang. Het leek of in deze gedrochten alle ideologieën over geweld waren samengebald en lijfelijk gestalte hadden gekregen, en niet enkel dierlijk, want ze hadden een genadeloze, agressieve uitstraling die verontrustend menselijk was.

De lucht tussen hen en mij, ook rondom me, trilde alsof het bloedheet was, en ik dacht dat de monsters misschien als een luchtspiegeling zouden verdwijnen. Maar de thermiek – of wat het ook maar mocht wezen – trok zich terug in de aarde, de lucht trilde niet meer, en de monsters waren zo dichtbij dat ik ze kon ruiken.

Ik sprong in het karretje, deed de handrem eraf en vluchtte.

# 31

De elektrische motor was net iets vlotter dan een reumatische bejaarde die uit zijn favoriete leunstoel overeind moet komen. Ik ging naar links, tussen het wachthuisje en de poort door. Nadat ik vijftig meter in zuidelijke richting over het gras had gereden, keek ik achterom. Ze kwamen nog steeds mijn kant op, maar de afstand werd niet kleiner. Toen ik na nog eens vijftig meter weer achteromkeek, zag ik dat ik de voorsprong vergroot had.

Het gemillimeterde gazon ging over in natuurterrein. Ik reed zo'n tweehonderd meter door, een licht glooiende helling op. Insecten sprongen en vlogen uit het hoge gras voor me, als verschrikte voetgangers die voor een dronken automobilist aan de kant doken.

Toen ik boven op de heuvel was aangekomen en mijn koers naar het oosten verlegde omdat ik liever niet dwars door een eikenbos wilde maar verkoos eromheen te gaan, keek ik achterom en zag ik dat de gedrochten me niet tot in de weide achterna waren gekomen. Ze dropen af naar het hoofdgebouw.

Ik remde niet af om een vreugdedansje om het wagentje te maken, maar reed in oostzuidoostelijke richting verder. Ik wilde om het gecultiveerde deel van het landgoed heen rijden, naar de toren toe, om te kijken of Annamaria misschien belegerd werd.

Op dat golvende terrein kreeg ik door de grote banden en de blijkbaar aangepaste vering de indruk dat ik op een woeste zee zat, op een boot die langs een grote golf omhoogkroop, daarna over de kam de diepte in schoot om vervolgens de volgende muur van water te slechten.

Slingerend reed ik langs de voet van de volgende heuvel, op zoek naar een plek om naar boven te komen, want de helling was op sommige plekken met dicht struikgewas begroeid en op andere plekken rotsachtig. Ineens begon het landschap om me heen in verticale banen te rimpelen, alsof de grond zo heet was dat de lucht erboven begon te trillen. Het bleef evenwel tamelijk koel.

Paulie Sempiterno en mevrouw Tameed hadden het over draaikolken en hoogwater gehad. Dat was geen verwijzing naar de zee geweest, maar naar dit fenomeen.

Terwijl ik in de verte tuurde en tegen een opkomend gevoel van misselijkheid vocht, veranderde het licht, al gebeurde dat niet zo drastisch als op die ochtend, toen het binnen een minuut zo donker als de nacht was geworden. Het vale, goudgele gras werd donkerder van kleur, en de zilverkleurige planten verloren hun glans. Heen en weer vliedende schaduwen verdiepten zich, verbleekten, en verdiepten zich weer.

Ik remde af, kwam tot stilstand en keek weifelend omhoog.

Even boezemde de gele lucht me meer angst in dan de varkensachtige mensapen dat hadden gedaan. Dit was niet langer een aardse lucht die in de greep van armageddon dreigde te raken. Een apocalyps is een openbaring, en dit was een apocalyptische lucht, in de zin dat hij openbaarde wat de mensheid door zijn arrogantie en ongefundeerde zelfverzekerdheid te wachten stond.

De luchttrillingen die gelijktijdig met de dreigende lucht waren verschenen, verdwenen nu. De lucht werd weer blauw, en net als eerder die ochtend hingen er in het noorden onweerswolken in de lucht, alsof ze daar voor anker waren gegaan.

Ik had me die onheilspellende gele lucht niet verbeeld, net zo-min als ik had gedroomd dat ik naar buiten was gegaan en in een tijd terecht was gekomen waarin Roseland nog helemaal niet was aangelegd. Beide gebeurtenissen hadden werkelijk plaatsgevonden, ze waren net zo echt als het warme speeksel waarmee Victoria me had bespuugd.

In het dalletje tussen twee heuvels bleef ik in het wagentje zitten tot mijn hart tot bedaren zou komen. Meestal kan ik allerlei theorieën bedenken terwijl ik door het een of ander bekogeld word, maar nu had ik even wat rust nodig om te voorkomen dat ik iets over het hoofd zag.

De dikke muur waarmee Roseland omgeven was, en waarin misschien allerlei fantastische machines waren verborgen, net als in de kelders onder het mausoleum, vormde niet alleen een materiële grens, maar bakende het landgoed ook op andere manieren af. Dit terrein was een eiland van het irrationele dat omspoeld werd door een zee van alledaagse realiteit.

Ik wist niet met welk doel Roseland was aangelegd, maar de sinistere gebeurtenissen van dit moment leken me bijwerkingen die niemand had voorzien. Achteraf hadden ze stappen ondernomen om die bijwerkingen het hoofd te bieden: de tralies voor de ramen, de stalen platen, de grote hoeveelheid wapens en munitie.

Misschien vormden de gedrochten slechts een dreiging die zich af en toe voordeed. Maar om met dit op de loer liggende gevaar te kunnen leven, moesten de bewoners van Roseland wel heel sterk geloven dat het de moeite waard was om op het landgoed te blijven, ondanks de nachtelijke dreiging en de heftige aanvallen van wezens die niet uit een andere tijd of een ander oord afkomstig waren maar hier thuishoorden.

Ik dacht dat ik wist waarom ze het desondanks de moeite waard vonden, waarom ze niet gewoon de hoofdschakelaar omzetten en de levensgevaarlijke gedrochten uit de weg ruimden.

En ook vermoedde ik dat die reden tegelijkertijd een vloek

was. Het leidde ertoe dat ze zich superieur waanden ten opzichte van iedereen die niet op Roseland woonde. Niet alleen superieur. Ze beschouwden zichzelf als goden, en de rest van de mensheid als dieren.

Mannen en vrouwen die goden willen worden, moeten eerst hun menselijkheid zien kwijt te raken.

De moorden die Noah Wolflaw had gepleegd en de medeplichtigheid van de anderen hierbij zagen ze niet als een teken van krankzinnigheid of van crimineel gedrag, net zomin als ik het gestoord of misdadig van mezelf zou vinden als ik een vis ving, die prepareerde, klaarmaakte en opat. Die vis stilde een zekere honger. Wolflaw zou waarschijnlijk aanvoeren dat hij niets anders deed dan een enigszins exotische trek stillen. In zijn ogen stond mijn vis net zo laag onder me in de rangorde van levensvormen dan zijn slachtoffers onder hem.

Wolflaw was niet alleen zijn menselijkheid kwijtgeraakt, maar had die met alle kracht die in hem zat van zich afgeworpen.

Nadat ik had gekeken of Annamaria geen gevaar liep, wilde ik zien uit te vinden wie de bewoners van Roseland echt waren. Ze waren niet degenen die ze beweerden te zijn, óf niet *alleen maar*.

Ik ben niet alleen een mooie jongen en een zielige, stomme gokker, maar ook nog eens megawantrouwend.

Mijn korte pauze had me goedgedaan. Ik reed verder tussen twee heuvels door, op zoek naar een plek waar ik de heuvel op kon.

Plotseling zag ik hem staan, zo'n tien meter voor me. Ik zou net zo makkelijk dwars door hem heen gereden kunnen zijn, maar remde en kwam tot stilstand.

Hij stond in het hoge gras en droeg een driedelig pak en een stropdas. Ik was hem tot op anderhalve meter genaderd, en hij keek me aan met dat stalen gezicht waar hij ooit befaamd om was geweest.

Hij had een stevig postuur, een rond gezicht, volle wangen en een onderkin, maar hij was niet zo kolossaal als meneer Shilshom. In tegenstelling tot de omvang van de kok was die van hem niet te wijten aan onmatigheid maar aan zijn genen; als klein kind was hij al stevig. Hij had een vooruitstekende onderlip, alsof hij in dubio stond wat hij het best kon doen om van een lastige persoon af te komen zonder hem te beledigen.

'Dit is geen goed moment,' zei ik tegen hem. 'Ik heb al te veel op mijn bordje. Mijn glas stroomt al over. Het spijt me. Meestal bezig ik niet zulke platgetreden clichés. En het waren geen verwijzingen naar uw lichaamsgewicht. Ik heb gewoon te veel aan mijn kop. Nog meer verwikkelingen kan ik er niet bij hebben.'

Sommigen van de ronddolende geesten die hulp van me nodig hadden, waren tijdens hun leven beroemd. In tegenstelling tot wat je misschien zou denken als je op tv en internet het nieuws uit de amusementswereld volgt, hebben beroemdheden wel degelijk een ziel.

In de eerste drie delen van mijn memoires heb ik het gehad over mijn tamelijk langdurige band met de geest van Elvis Presley. Hij verscheen aan me toen ik nog op de middelbare school zat, en we hebben heel wat jaren met elkaar opgetrokken. De King van de rock-'n-roll had zo zijn redenen om de overstap naar gene zijde niet te maken, redenen die hij me pas na lange tijd wist duidelijk te maken, hoewel hij op zich best wilde. Het probleem was niet iets simpels, dat hij bijvoorbeeld bang was dat er in het hiernamaals geen tosti's met pindakaas en banaan zouden zijn. Uiteindelijk heb ik hem geholpen de oversteek te maken.

En toen kwam Frank Sinatra. Zijn geest heeft me maar een paar weken gezelschap gehouden. Het was een memorabele tijd. Net als toen hij nog leefde, kon meneer Sinatra ook als poltergeist een flinke dreun uitdelen als je in het nauw was gedreven.

De volgende beroemdheid die zich aandiende om de oversteek naar gene zijde te maken, zou voor mijn gevoel weer een bekende zanger zijn. Ik weet niet waarom ik daar op voorhand van uitging.

De man in het pak liep naar de passagierskant van het karretje. Hij straalde iets autoritairs uit, niet streng of uit de hoogte maar juist alsof we zielsverwanten waren.

'Meneer, ik ben zeer vereerd, werkelijk waar, dat u mij hebt uitgekozen om u te helpen. Ik bewonder u namelijk zeer. Als ik dit overleef, zal ik mijn uiterste best voor u doen. Maar u moet begrijpen dat er op dit moment zoveel op Roseland gaande is dat mijn kop uit elkaar knalt als ik nog meer aan mijn hoofd krijg.'

Hij bracht zijn handen naar zijn hoofd en gooide ze vervolgens van zich af, met gestrekte vingers, alsof hij een uiteenspattende schedel wilde verbeelden.

'Ja, precies. Sorry, hoor. Een geest in nood mag men nooit afwijzen. Dat is mijn motto. Of eigenlijk niet mijn motto, maar een van mijn principes. Een motto heb ik niet. Of het moest al zijn: "Als je het kunt eten, kun je het ook frituren." Ik sta hier een beetje uit mijn nek te kletsen, hè? Dat komt doordat ik u zo bewonder. Echt waar. Maar dat zult u wel van iedereen horen. Of in elk geval vroeger, toen u nog leefde. Tegenwoordig zult u het wel niet meer zo vaak horen, aangezien u nu dood bent.'

Dat ik van de zenuwen een eind weg kletste, kwam niet door de penibele situatie op Roseland. En ook kwam het niet door het feit dat ik zijn werk bewonderde, al was dat wel waar. Waar ik vooral van onder de indruk was geraakt, was zijn stalen gezicht, want daarmee gaf hij aan dat hij bereid was net zo lang te wachten tot mijn geduld op was, en ook omdat het een zekere intelligentie en sluwheid uitstraalde. Elvis? Een eitje. Sinatra? Makkelijk zat. Maar tegen deze man kon ik niet op, omdat hij waarschijnlijk tien keer zo slim was als ik.

'U bent al een hele tijd aan deze zijde gebleven,' zei ik. 'Zo'n dertig jaar. Geef me nog één dag. Dan kunnen we praten. Of eigenlijk voer ik het woord dan wel, omdat u niet kunt praten. Maar op dit moment stikt het hier van de schurken, weet u. En van de lijken. En dan is er nog de vrouw op het paard. De jongen die gevangengehouden wordt. En een tikkende klok. Ik hoef u niets over tikkende klokken te vertellen. Wie weet er nou meer van tikkende klokken af dan u? En dan lopen hier ook nog van die varkens rond. Grote, gemene varkens die rechtop lopen, meneer. U hebt vast nooit iets met varkensachtige mensapen te maken gehad. Op dit moment zou u niks aan me hebben.'

Hij knikte glimlachend en gebaarde dat ik verder kon gaan.

Toen hij zich omdraaide, zei ik, voordat hij in het niets oploste: 'Wacht. Meneer Hitchcock.'

Hij draaide zich weer naar me om.

'U was toch niet... u hebt toch niet... u bent toch niet hier gestorven, wel?'

Grijnzend schudde hij zijn hoofd. *Nee.*

'Bent u ooit op Roseland geweest toen u nog leefde?'

Weer schudde hij zijn hoofd.

'Hebt u vroeger ooit zaken gedaan met de filmstudio van Constantine Cloyce?'

Hij knikte, en hij keek me nu met een opvallend felle blik aan.

'Dan zal de samenwerking wel geen onverdeeld genoegen zijn geweest.'

Alfred Hitchcock stak een vinger in zijn mond, alsof hij zichzelf ertoe wilde zetten te gaan kotsen.

'Maar het is niet om hem dat u hier bent.'

*Nee.*

'U bent hier alleen om mij.'

*Ja.*

'Ik voel me vereerd.'

Hij haalde zijn schouders op.

'Eerst moet ik die jongen daar weg krijgen, dan kunnen we daarna wel een afspraak in het script opnemen. Dat was een Hollywoodgrap. Niet zo'n beste.'

Hij schonk me een grootvaderlijke glimlach. Ik kreeg het idee dat ik wel met hem op zou kunnen schieten, aangenomen dat ik lang genoeg leefde om hem beter te leren kennen.

Weer gebaarde hij dat ik door kon rijden.

Nadat ik dertig meter verder een geschikte plek had gevonden om de helling op te rijden en nog een keer achteromkeek, was meneer Hitchcock niet meer te zien.

Ik reed omhoog, ging aan de andere kant naar beneden – en remde abrupt toen ik vier monsters achter elkaar langs de helling van de volgende heuvel zag lopen, op een richel.

Hoewel het nieuwe van hun verschijning er nu wel af was, zagen ze er toch nog heel vreemd uit, wezens die zo leken te zijn weggestapt uit een delirium dat veroorzaakt werd door een tropische ziekte, schepsels die iemand voor zich zag die in een malaria-aanval lag te ijlen, meer passend bij een wereld met een gele lucht dan bij deze wereld, ook al was dit Roseland en leek het landgoed zelf zo nu en dan onderdeel van een koortsdroom uit te maken.

Omdat het elektrische karretje geen geluid maakte en de varkensachtige wezens druk doende waren zich voort te bewegen naar het doel dat ze in gedachten hadden, hoopte ik dat ze me niet gezien hadden. Maar ze hadden me wel gezien. Ze bleven staan en priemden hun blikken in mijn richting.

Ik draaide het stuur naar rechts, wilde rechtsomkeert maken en er in volle vaart vandoor gaan. Maar het karretje kwam geen centimeter in beweging. De accu was leeg.

# 32

De gedrochten zagen me, maar dat betekende nog niet dat ze hun huidige missie hoefden te onderbreken om mijn kop van mijn romp te trekken. Zoveel stelt mijn hoofd in feite niet voor, behalve voor mij dan, natuurlijk. Ik heb geen tatoeages of neuspiercings of gouden tanden waardoor mijn hoofd een waardevolle trofee zou kunnen zijn.

In deze groep zaten geen grotesk vervormde monsters met afzichtelijke ledematen. Het waren stuk voor stuk potige exemplaren die voldeden aan de hoogste standaards van hun monsterlijke ras en ze zouden stuk voor stuk kunnen meedingen naar de hoofdprijs in de monsterverkiezingen op het eiland van dr. Moreau.

Ze leken beter georganiseerd en doelgerichter dan de groepen die ik hiervoor aanschouwd had. Ze hadden zich niet strompelend verplaatst, maar hadden een looppas aangehouden, gedisciplineerd achter elkaar aan. Bovendien beschikten ze elk over hetzelfde wapen – een bijl die zowel een hakblad als een hamer bevatte. Deze eenvormige wapenuitrusting en het feit dat ze allemaal een rode doek aan hun linkeroor hadden hangen deden vermoeden dat ik hier te maken had met een kleinere stam binnen het grote geheel.

Ze waren op verkenningsmissie of hadden een specifiek doel in gedachten, en ze hadden kennelijk een tijdschema waar ze zich aan te houden hadden. Of misschien was het in Zwijnstein tijd voor de lunch en lag het eten al in de troggen klaar, zodat de stoere jonge beesten daar zo snel mogelijk naartoe wilden om te voorkomen dat de andere varkens al het lekkers naar binnen schrokten.

Ik bleef in het karretje zitten en probeerde mijn optimisme op te blazen tot het groter was dan de ballonbanden. Maar het koude zweet op mijn voorhoofd en in mijn handen leek mijn zelfverzekerde grijns teniet te doen.

Ik tuurde naar de vier gedrochten aan de overkant van de kleine vallei en probeerde geen angst te tonen. Ze keken naar me, en waarschijnlijk voelden ze zich beledigd omdat ik totaal geen angst toonde.

Als je ziet hoe moeilijk het al is voor twee personen van dezelfde nationaliteit, dezelfde woonplaats, dezelfde etnische achtergrond en hetzelfde geloof om elkaar te begrijpen en in harmonie met elkaar te leven, snap je waarom ik zo mijn twijfels had of deze ontmoeting zou uitmonden in knuffels en betuigingen van eeuwige vriendschap.

De vier kwamen gelijktijdig in beweging, langs de helling naar beneden, mijn kant op. Ze renden niet maar naderden me in een traag tempo, niet achter elkaar maar naast elkaar.

Dat ze behoedzaam reageerden, heel anders dan met de woede en de waanzin die ik bij eerdere gelegenheden had waargenomen, betekende dat ze in tegenstelling tot anderen van hun soort niet door haat werden gedreven en dat ze niet gewelddadig te werk gingen om het geweld alleen, dat ze zich wat terughoudender opstelden en openstonden voor dialoog en compromis.

Ik kwam achter het stuur vandaan en ging naast het wagentje staan.

Toen de vier halverwege de helling waren, begonnen ze met

hun bijlen te zwaaien, allemaal gelijktijdig, naar voren, naar achteren, naar voren, naar achteren, naar voren en in een cirkelbeweging terug; naar voren, naar achteren, naar voren, naar achteren, naar voren en in een cirkelbeweging terug.

Dat we wel tot overeenstemming zouden komen, was me nu een stuk minder duidelijk, en ik trok mijn pistool. Hoewel ik geen liefhebber van vuurwapens ben, vond ik het jammer dat ik geen groter kaliber tot mijn beschikking had dan deze 9 mm.

De Beretta had me meer dan voldoende geleken, tot het wagentje ermee ophield, op open terrein, er vier varkensachtige mensapen op me afkwamen en ik nu de kans kreeg ze eens beter te aanschouwen. Ze waren meer dan 1,80 meter lang en wogen naar schatting honderdveertig kilo. De manier waarop ze hun knieën, heupen en rug gebruikten was bijna menselijk te noemen, wat betekende dat er totaal niets grappigs in hun voorkomen te bespeuren was, en ze leken geen van allen op Porky Pig. Ze hadden grote voeten en handen met vingers, geen gespleten hoeven, al leek het erop dat de nagels van hun tenen en vingers uit donkerbruin hoornachtig materiaal bestonden en uitliepen in klauwen waarmee hun prooi kon worden verscheurd.

Ik zou er liever als een haas vandoor zijn gegaan, maar ik wist niet of ik sneller was dan zij. Ik was weliswaar lichter en soepeler, waardoor ik sneller zou kunnen lopen, maar wilde zwijnen kunnen een snelheid van vijftig kilometer per uur halen. Ik wist niet of deze wezens genoeg zwijnengenen hadden om zo snel te kunnen lopen, maar als dat wel het geval was, was zeker dat ik te weinig zwijnengenen had om aan hen te ontsnappen.

Toen ze de grazige voet van de heuvel hadden bereikt, schoot ik een keer in de lucht. Achteraf gezien was het vuren van een waarschuwingsschot in een dergelijke situatie net zo belachelijk als het afkeurend heffen van een wijsvinger als er een grizzlybeer aankomt.

Ik hoopte ze af te schrikken, en het was niet mijn plan om ze te vermoorden, ook al keken ze er misschien naar uit om me –

de of ik genoeg tijd zou hebben om een nieuw magazijn in mijn Beretta te stoppen als ze op me afstormden.

Shakespeare laat Falstaff zeggen dat het beste deel van moed behoedzaamheid is, en op die helling koos ik voor behoedzaamheid. Ik rende naar de top van de heuvel en vervolgens langs de andere kant naar beneden.

Ik ben me ervan bewust dat Falstaff een krijger maar ook een lafaard was, een dief maar ook een charmeur. Hij wordt opgevoerd als een rolmodel voor degenen die geloven dat eigendunk de hoogste van alle waarden is. De toneelschrijver had hem bedoeld als komische figuur, niet als figuur die onze bewondering verdient, want hij wist dat zulke types buitengewoon gevaarlijk kunnen zijn als ze hun komische noot kwijtraken. Ze vormden de Charles Mansons en Pol Pots van onze tijd, mensen die tot de meest gruwelijke misdaden in staat zijn.

Op een gegeven moment in ons leven maken we ons allemaal schuldig aan lafheid. Toen ik daar op die heuvel het hazenpad koos, troostte ik me met de gedachte dat ik geen bondgenoten in de steek liet. Alleen mijn eigen hachje stond op het spel, zodat ik mezelf kon voorhouden dat ik uit behoedzaamheid handelde, niet uit lafheid. Dat maakte ik mezelf in elk geval wijs toen ik halsoverkop vluchtte en terugrende naar de voet van de heuvel, waar ik het karretje had neergezet. Ik piepte als een doodsbang kind, moest mijn best doen niet in mijn broek te plassen en rende naar het noorden, in de hoop op tijd de toren te bereiken. Door onszelf voor de gek te houden, overleven we – en tegelijkertijd zetten we op die manier het meest wezenlijke van onszelf op het spel.

# 33

De topografie van dat deel van Roseland was tamelijk ingewikkeld, de heuvels en dalen vormden zo'n complex geheel dat ze me deden denken aan de groeven en windingen van de hersenen. Ik was als een gedachte die door de groeven glipte, en die gedachte was: *Rennen, rennen, overleven, overleven!*

Ik probeerde zo veel mogelijk in de lagergelegen gebieden te blijven, die soms in de schaduw lagen van hoge heuvels, of van baniaanbomen die op de hellingen groeiden, of van lagergelegen laurierbomen, op plekken waar de grond vochtig was. Ik slalomde tussen de bomen door, dook onder laaghangende takken door, rende over het gras, en verliet me geheel op mijn intuïtie om te bepalen welke kant ik op moest als ik een obstakel tegenkwam en het pad zich splitste.

In opperste concentratie probeerde ik zo snel mogelijk vooruit te komen. Ik durfde niet achterom te kijken uit angst dan te struikelen. Als de gedrochten op me inliepen, zou ik daar liever pas achter komen als ze met hun klauwen mijn sportjasje te pakken kregen en me onderuithaalden, of als mijn schedel door een bijl werd gekliefd en ik op slag dood was, zodat me de gruwelen bespaard zouden blijven die me ten deel zouden vallen als ze me levend te pakken kregen.

Het was nog maar een paar uur geleden dat ik gezellig in de keuken van het hoofdgebouw zat en quiche en cheesecake at. Mijn grootste zorg was toen hoe ik zou kunnen doordringen tot de gepantserde raadselen van Roseland, en hoe ik de verhalen die ik hier hoorde kon ontcijferen, want iedereen leek zich in een mantel der ondoorgrondelijkheid te hullen als ze me te woord stonden.

De varkensachtige wezens waren in elk geval niet ondoorgrondelijk. Ze speelden geen taalspelletjes met me, ze deden niet alsof ze er met hun gedachten niet bij waren, en probeerden me niets op de mouw te spelden. Het was buitengewoon helder welk doel ze voor ogen hadden: ze wilden me doodknuppelen, me in stukken hakken, me opeten en dan nagenieten van de smaak van mijn vlees. Ze waren net zo open over hun bedoelingen als belastinginspecteurs.

De paden vertakten zich zo vaak dat ik op den duur niet meer wist of ik nu in de richting van de toren rende, of er juist vandaan. En het zou me ook niets verbazen als ik op een gegeven moment bij het achtergelaten karretje met de ballonwielen zou uitkomen, terwijl de drie monsters daar aan het kaarten waren en hadden gewacht tot ik in een kringetje had rondgerend en weer bij hen uitkwam.

Een paar keer begon de koele lucht te trillen, ogenschijnlijk door vlagen opstijgende warme lucht, en vanuit mijn ooghoek zag ik dingen die er niet waren toen ik mijn hoofd ernaartoe draaide. Misschien waren het enkel schaduwen geweest die vanuit mijn ooghoek concreet en dreigend hadden geleken. Maar andere beelden waren veel specifieker: een grote stapel menselijke doodshoofden, coyotes die zich aan verschillende dode gedrochten te goed deden, een naakte vrouw die aan een staak was vastgebonden terwijl figuren in kloostergewaden brandende fakkels bij het hout hielden dat aan haar voeten lag...

Eén visioen verdween niet toen ik er rechtstreeks naar keek. Toen ik uit een laurierbos kwam en het pad zich vijf meter voor me bij een rotspartij splitste, stond daar een boom met zwarte takken zonder bladeren, die was gebruikt als frame voor een mobiel van gebleekte beenderen. Aan de takken hingen de onvolgroeide skeletten van kinderen, waarvan de jongste misschien drie was geweest, en de oudste tien. Ze waren vermoord, van hun kleren ontdaan en gearrangeerd in een krankzinnige uiting van wreedheid.

Het leek op een bewegwijzeringsbord dat aangaf dat de dichtstbijzijnde plaats ongekend gewelddadig was.

Voor het eerst sinds mijn wilde vlucht struikelde ik toen het visioen niet verdween. Maar ik wist mijn evenwicht te bewaren en rende verder. Ik nam het pad naar rechts.

Ik kon alleen maar bedenken dat er gelijktijdig twee Roselands bestonden: het landgoed waar ik een paar dagen geleden met Annamaria naartoe was gegaan, en een Roseland in een andere werkelijkheid die parallel liep aan de onze.

De afslag die ik bij de boom met witte skeletten had genomen, bleek niet lang door te lopen. De heuvels kwamen steeds dichter naar elkaar toe, de hellingen werden steiler en het pad werd smaller. Al snel liep het dood op een punt waar drie hellingen bij elkaar kwamen. Links en rechts van me was de grond overwoekerd met onkruid en doornige bramenstruiken, en recht voor me lag een steile helling van modder en rotsen.

De bramen boden geen doorgang; ik zou aan de doornen blijven haken en erin vast komen te zitten. Ik klauterde de helling op. Sommige keien schoven weg toen ik erop ging staan, en al snel werd ik gedwongen mijn pistool op te bergen en bijna in kruiphouding verder te gaan, wanhopig zoekend naar plekken die houvast boden om te voorkomen dat ik naar beneden zou storten als ik mijn voet op een rots zette die stevig leek maar ineens losschoot.

Naar adem happend, terwijl mijn hart wild tekeerging, hoorde ik de gedrochten achter me – maar ik rook ze niet. Hoewel het klonk of ze me op de hielen zaten, kwam dat waarschijnlijk doordat de geluiden in dit landschap tamelijk ver droegen, want als ze echt dichtbij waren, zou ik hun afzichtelijke geur moeten kunnen ruiken.

Halverwege de helling kregen ze me te pakken. Een van hen greep de linkerpijp van mijn spijkerbroek. Terwijl ik me met mijn handen aan de wand vasthield, schopte ik wild naar beneden, raakte iets, misschien de kop van het beest. Maar mijn belager liet niet los en trok zelfs hard aan mijn been om me ten val te brengen.

Een kei schoot los uit het steenslag, gleed uit mijn rechterhand en viel kletterend naar beneden. Ik hield me nu alleen nog links vast, draaide me op mijn zij en greep met mijn rechterhand voorlangs naar mijn holster om de Beretta tevoorschijn te halen.

Een van de gedrochten boog zich over me heen, een tweede verscheen links van me, en een derde rechts. Ze stonden op het punt zich op me te werpen. Het wit van hun ogen was roze van het bloed, en hun irissen waren net zo geel als de vreemde lucht die ik eerder had gezien.

Hun vraatzuchtige bekken, hun slagtanden, hun lange roze zwartgevlekte tongen waren niet geschapen om woorden van genade te prevelen maar om hun prooi, die misschien nog leefde en uit doodsangst gilde, bruut en efficiënt te verscheuren en met huid en haar op te eten.

Drie bijlen werden geheven, twee met het blad naar me toe, een met de hamerkop naar voren. Terwijl ik mijn pistool trok, wist ik dat ik hooguit een van hen kon uitschakelen voordat de andere twee mijn hoofd zouden verbrijzelen en het als een schelp zouden openbreken. Ik bereidde me voor op de dood, al was het alleen maar om verlost te zijn van de ondraaglijke stank van deze zwijnen. Aan gene zijde kon het nooit zo erg stinken.

Voordat ik de Beretta kon richten, bracht het wezen dat zich over me heen had gebogen zijn afzichtelijke kop vlak bij mijn gezicht. Ik zag zijn gladde bleke huid, de onregelmatige plukjes borstelig haar – maar hij richtte zich op toen er een gaatje tussen zijn ogen was verschenen. De achterkant van zijn schedel werd weggeslagen. Het beest verdween uit mijn blikveld, zo snel dat het leek alsof er een valluik was opengegaan en het monster erdoor naar beneden was gestort.

Ik had het eerste schot niet gehoord, maar het tweede en derde schot waren keihard en klonken dichtbij. De overgebleven twee monsters leken van me af te zwiepen. Een bijl kletterde naast mijn hoofd tegen de rotsen, en de andere wiekte uit het zicht, als een baton die te enthousiast de lucht in was gegooid door de lelijkste majorette uit de geschiedenis van de mensheid.

De steenslagmassa onder me leek in beweging te komen. Ik was vastbesloten niet op een schuivende massa modder en steen in de diepte te storten en wilde mijn leven niet onder aan de voet van de heuvel eindigen, bij de drie te pletter gevallen monsters.

Naar adem happend en spugend omdat ik het idee had dat er een zweetdruppel van een van de monsters in mijn mond terecht was gekomen, draaide ik me weer op mijn buik en zocht een steviger houvast.

Naast me verschenen twee rood-zwarte leren cowboylaarzen. In mijn blikveld verscheen een grote hand, een gespierde onderarm, en een herculische biceps, rijkelijk versierd met jankende hyena's.

# 34

Ik pakte zijn hand, die twee keer zo groot leek als de mijne, en liet me door de getatoeëerde reus overeind helpen. We klauterden naar de top van de geërodeerde helling.

In het westen lag de zonovergoten zee als een piratenschat te glinsteren. Bijna was de opengesperde bek van een monsterlijk zwijn het laatste geweest wat ik had gezien voordat ik deze wereld verliet.

De littekens in het gezicht van mijn redder waren net zo loodgrijs als altijd, zijn tanden waren net zo scheef en geel, maar zijn koortslip glom nu doordat hij er een beschermend zalfje op had gesmeerd.

'Odd Thomas,' zei hij. 'Ken je me nog?'

'Kenneth Randolph Fitzgerald Mountbatten.'

Hij straalde van oor tot oor en was blij dat ik zijn naam nog wist, alsof hij zo'n onopvallende verschijning was dat bijna iedereen hem alweer was vergeten op het moment dat hij uit het zicht was verdwenen.

Boven ons zweefde een eenzame zeemeeuw, die zich tamelijk ver van de kust had gewaagd. De vogel zwierde omhoog, dook naar beneden en maakte zwaaiende bewegingen met zijn vleugels, alsof hij een muziekstuk dirigeerde dat alleen hij kon horen. Nu ik net aan de dood ontsnapt was, was ik net als de vogel blij dat ik leefde.

'Bedankt dat u mijn leven hebt gered.'

Kenny haalde zijn schouders op en leek zich opgelaten te voelen. 'Nou, dat heb ik niet echt gedaan, hoor.'

'Jawel, hoor, meneer, dat hebt u echt gedaan.'

Kenny hing de riem van zijn geweer over zijn schouder, liet zijn blik over de omringende heuvels gaan en zei: 'Nou, ik kan nou eenmaal goed met wapens omgaan, dat is alles. Doden of gedood worden – de keuze lijkt me niet moeilijk, wat mij betreft. Iedereen heeft een bepaalde gave. Wat is jouw gave, Odd Thomas?'

Ik borg mijn pistool op in mijn holster om te laten zien dat ik bereid was te geloven in het idee van het concept van het vertrouwen op de mogelijkheid dat we eventueel een bestendige vriendschap zouden kunnen opbouwen. 'Ik ben een heel goede snelbuffetkok. Met een bakspaan kan ik wonderen verrichten.'

Zijn hals was bijna zo dik als zijn hoofd. Het was alsof zelfs zijn oren gespierd waren, alsof hij elke ochtend met zijn oorlellen push-ups deed.

'Snelbuffetkok. Dat is een nuttige gave,' zei hij. 'Iedereen moet bovenal eten.'

'Er zijn inderdaad weinig dingen die belangrijker zijn.'

Het rook fris, steeds met een vleugje ozon dat zo nu en dan leek te verdwijnen maar steeds weer terugkwam, al was de geur nooit zo sterk dat het onaangenaam werd.

Kenny klonk verontschuldigend toen hij zei: 'Ik heb bij de toren gekeken. Daar logeerde niemand.'

'Ben ik nu weer de opgeschoten stoethaspel die eigenlijk geen toegang tot het terrein had mogen krijgen?'

Hij draaide hoofdschuddend met zijn ogen. 'Ik bedoelde daar niks mee. Zo doe ik nou eenmaal. Het is mijn manier om dag te zeggen.'

'Ik zeg meestal iets als "aangenaam kennis te maken".'

'Maar goed,' zei hij, 'ik heb nu door hoe het zit. Jij bent hier uitgenodigd, niet daar, en daar heb ik me niet mee te bemoeien, omdat mijn taak daar ligt en niet hier, en omdat ik hier eigenlijk nooit kom en niet snap waarom ik hier überhaupt ben als ik hier ben.'

Ik zei: 'Jullie hebben zeker allemaal op dezelfde school gezeten?'

'Wat voor school?'

'Waar jullie op die manier hebben leren praten.'

'Wat voor manier?'

'Op zo'n verwarrende manier.'

Kenny haalde zijn schouders op. 'Ik zei gewoon maar wat.'

'Meneer, ik wil graag het wagentje terugvinden.'

'Dat elektrische kloteding waar je mee rondreed en dat niets goeds voorspelde?'

'Dat is precies het ding dat ik bedoel.'

'Ik zag je rijden en ik dacht: *In dat belachelijke kloteding scharrelt hij vast een zootje varkenskoppen op*, en ja hoor.'

'Ik dacht dat het gedrochten waren.'

'Hier zijn het misschien gedrochten, maar daar noemen we ze varkenskoppen, hoewel ik ze hier én daar varkenskoppen noem, want mij maakt het niet veel uit.'

'Consequent gedrag is een goede zaak.'

'Dat weet ik nog zo net niet,' zei Kenny. 'Maar ik heb dat wagentje gevonden toen die drie klotevarkens je op die heuvel achternazaten. Ik kan je wel even laten zien waar hij staat.'

'Dat zou heel fijn zijn, meneer. De accu is leeg, maar er ligt iets voorin wat ik dringend nodig heb.'

'Kom maar mee,' zei hij, en liep langs de helling naar het zuiden.

Ik had drie stappen nodig voor elke twee stappen van hem. Terwijl ik hem probeerde bij te houden, had ik het gevoel dat ik een hobbit was die als sidekick voor de Terminator fungeerde.

Nu ik de warme zonnestralen op mijn gezicht voelde en de krekels in het hoge gras hoorde zingen, was ik oprecht dankbaar dat ik niet ronddobberde in het maagzuur van vier gedrochten van varkenskoppen.

Ik zei: 'Dus mijn Roseland is hier en uw Roseland is daar.'

'Kennelijk.'

'Hier is hier,' zei ik. 'Maar waar is daar?'

'Als ik erover na ga denken, krijg ik hoofdpijn, dus dat doe ik liever niet.'

'Hoe kunt u er nu níét over nadenken?'

'Ik ben heel goed in niet nadenken.'

'Nou, ik ben er slecht in,' zei ik.

'Maar het overkomt me niet elk jaar dat ik hier beland, en het duurt ook nooit lang. Maar dat maakt allemaal niks uit, omdat ik uiteindelijk toch altijd weer daar terechtkom.'

'Daar – wáár?'

'Daar, in mijn Roseland.'

'En waar is dat?'

'Probeer je wat te ontspannen, Odd.'

'Ik ben ontspannen genoeg.'

Kenny ontblootte zijn gele tanden en schonk me een brede glimlach. 'Zo nu en dan moet je het een avondje compleet op een zuipen zetten. Dan kun je er weer tegen.'

'Waar is uw Roseland?' vroeg ik nog eens, terwijl we een nieuwe heuvel beklommen.

Hij zuchtte. 'Zie je nou, nu heb ik een gigantische klotekoppijn.'

'Dan kunt u nu net zo goed gaan nadenken.'

'Ik heb je van die varkenskoppen gered. Is dat niet genoeg?'

'Nou, ik heb u verteld wat u aan die koortslip kon doen.'

'Dat heeft nog niet geholpen.'

'Dat komt misschien omdat u er constant met uw tong naartoe gaat en het vet eraf likt.'

'Jij bent soms net zo lastig als een koortslip,' zei Kenny.

'Als u me nou vertelt waar uw Roseland is, hou ik op met dat gezeur.'

'Oké, oké, oké. Goed. Ik heb eens kennis gehad aan een vrouw die ook alsmaar door bleef zeuren, net als jij. Uiteindelijk heb ik een manier gevonden om daar een eind aan te maken.'

Ik vroeg: 'Hoe dan?' Ik vreesde het ergste.

'Door te doen wat die stomme trut wou. Het was de enige manier om haar het zwijgen op te leggen.'

'Waar is dat Roseland van u nou?'

'Misschien ligt het een heel eind in de toekomst.'

'Misschien?'

'Het is een theorietje van me.'

'Dus u hebt er wel degelijk over nagedacht.'

'Maar het maakt me allemaal niks uit.'

'Nou, mij wel.'

'Wat bestaat, bestaat. Het waarom doet er niet toe.'

'U bent niet alleen een denker, maar ook een filosoof.'

Hij gromde ontstemd. 'Ik wou dat er wat van die varkens-koppen opdoken, dan kon ik ze neerknallen.'

'Een heel eind in de toekomst, hè? Bedoelt u te zeggen dat u een tijdmachine hebt, meneer?'

Hij zei dat hij geen grote tijdmachine nodig had. Voor 'gro-te' gebruikte hij een ander woord dat erop rijmt en iets anders betekent. Toen zei hij: 'Het gebeurt gewoon. Maar alleen op Roseland. Nooit ergens anders. Als ik omhoogkijk, is de lucht soms een momentje blauw, of ook wel een paar uur lang, en dan is de wereld niet zo'n bende als hij altijd al geweest is. Ik ben hier, waar de wereld nog niet zo'n bende is, in plaats van daar.'

'U hoeft maar omhoog te kijken en het gebeurt?'

'Of het gebeurt als ik me omdraai. Dan verdwijnt het blauw, de lucht wordt zo geel als een bak diarree, en alles is weer een grote bende. Het is net of ik hiernaartoe getrokken word, maar daarna word ik weer weggeduwd naar waar ik vandaan kwam.

Waarschijnlijk gaat dat ook zo met die varkenskoppen – ze worden hiernaartoe getrokken, maar ook weer weggeduwd.'

'Dat is vast niet waarvoor Tesla die machine bedoeld had.'

'Welke machine?'

'Dat aantrekken en afstoten moet een onbedoelde bijwerking zijn. Als die varkens in uw tijd zijn – zijn ze dan alleen op Roseland te vinden?'

'Verdomme, nee, zeg. Die duiken overal op. Ze zijn nog erger dan kakkerlakken.'

'Waarom is de lucht bij u geel?' vroeg ik.

'Waarom is die bij jou blauw?'

Ik zei: 'Omdat dat zo hoort.'

'In mijn ogen niet.'

Onder het lopen liet hij het geweer van zijn schouder glijden en bracht het wapen in de aanslag.

Ik trok mijn pistool en vroeg: 'Is er iets?'

'Nog niet. Relax.'

Na een tijdje zei ik: 'Als de lucht geel is en het in uw toekomst stikt van de gedrochten van varkenskoppen, is het vast geen fijne plek.'

'Zou je denken?'

'Dan moet er iets gebeurd zijn tussen nu en dan.'

'Wat gebeurt, gebeurt.'

'Maar wat is het wat gebeurd is?'

'Wie zal het zeggen? Misschien de oorlog.'

'Een kernoorlog?'

'Een paar waren kernoorlogen, ja.'

'Een páár?'

'Het waren maar kleintjes, hoor.'

'Hoe kan een kernoorlog nou een kleintje zijn?'

'En een biologische. Misschien was dat wel de ergste.'

'Biologische oorlogsvoering?'

'En wat ze nanozwermen noemden.'

'Wat zijn dat?'

'Ik ben nooit naar de klote-universiteit geweest, ja? En ik ga ook niet om met van die technomietjes. Ik weet niet wat nanozwermen zijn, maar wel dat ze zichzelf uiteindelijk hebben opgegeten.'

'Zichzelf opgegeten?'

'Nou, nadat ze een heleboel andere dingen hadden opgegeten.'

Daar moest ik even over nadenken.

Hij zei: 'En dan had je ook nog die heren professoren.'

'Wat voor heren professoren?'

'Die kloteklappers die experimenten deden.'

'Wat voor experimenten?'

'Met varkens.'

'Kernoorlogen, virussen, nanozwermen, varkens,' zei ik.

'Vampiervleermuizen. Niemand weet waar die ineens vandaan kwamen. Sommigen beweren dat China ze gemaakt had, om als wapen in te kunnen zetten. Of misschien was het die gestoorde miljardair in Nebraska. En toen had je ook nog dat overheidsgedoe met zonne-energie.'

'Wat voor overheidsgedoe met zonne-energie?'

'Dat project dat in de ruimte is ontploft.'

'Als dat in de ruimte is gebeurd, maakte dat toch niks uit?'

'Wel doordat het zo'n groot project was.'

'Hoe groot moet dat dan wel niet geweest zijn?'

'Echt heel groot.'

Nadat we een minuutje zwijgend waren verder gelopen, zei Kenny: 'Vind je het fijn, nu je dit allemaal weet?'

'Nee,' gaf ik toe.

Wanneer hij tevreden was met zichzelf, stak er altijd een tand over zijn onderlip. 'Wat ga je doen, nu je dit allemaal weet?'

'Ik denk dat ik het op een zuipen zet.'

'Dat is het beste wat je kunt doen,' zei Kenny.

We kwamen bij het wagentje met de lege accu. Onder aan de helling zaten zo'n twintig zwarte kraaien bij de neergeschoten varkenskop.

Ik pakte de kussensloop uit het karretje en zei: 'Wat doet u eigenlijk in uw Roseland?'

'Ik zit bij de beveiliging van die bobo. Echt een gestoorde kloteklapper.'

'Gestoord? In welke zin?'

'Hij denkt dat hij op Roseland het eeuwige leven heeft.'

Na enige aarzeling vroeg ik: 'Heet hij Noah Wolflaw?'

'Wolflaw? Nee. Hij heet Constantine Cloyce.'

Kenny's groene ogen schitterden in de zon. Hij keek me recht aan, en ik kreeg niet de indruk dat hij me voor de gek wilde houden.

Plotseling zei hij: 'Gele lucht.'

Ik keek omhoog, maar zag alleen maar blauw.

Toen ik weer naar Kenny keek, was hij verdwenen. Op de plek waar hij had gestaan, trilde de lucht heel even.

# 35

Ik stond bij het onbruikbare karretje, schoof een vol magazijn in de Beretta en vulde het oude magazijn aan met zeven kogels, die ik uit een zak van mijn sportjasje haalde. Ondertussen dacht ik na over de mogelijkheid dat het geheim van Roseland iets met tijd te maken had. Als een plaatselijke hapering in de tijd een bijwerking was van wat hier gaande was, zou de frase 'uit de tijd raken' heel nieuwe dimensies krijgen. De consequenties ervan kon ik nog niet overzien.

Voordat ik de varkenskoppen tegen het lijf was gelopen, was ik op weg geweest naar het gastenverblijf om te kijken of er geen gevaar voor Annamaria dreigde. Nu schoot me iets te binnen wat er een paar dagen geleden in Magic Beach gebeurd was, toen we een troep coyotes waren tegengekomen die ons achtervolgde en ons leek te willen aanvallen. Annamaria had die beesten toegesproken alsof ze haar begrepen – en op die manier wist ze te bewerkstelligen dat de dieren zich terugtrokken. Met die ongelofelijke gave had ze niets van dieren te vrezen, waarschijnlijk zelfs niet van de varkenskoppen. Als ze ooit vermoord werd, zou dat gebeuren door een moordenaar die niet door dierlijke instincten werd gedreven, maar door de laagste van zijn menselijke impulsen. Nu op Roseland het aftellen leek te zijn begonnen, moest ik er maar op vertrouwen dat Annamaria voorlopig voor zichzelf kon zorgen.

Met de kussensloop in de ene en het pistool in de andere hand liep ik van heuveltop naar heuveltop, op mijn hoede voor nog meer baconbrigades. Ik ging naar het standbeeld van Enceladus, de titan, en daarna naar het nabijgelegen eikenbos. Net als eerst lag er tussen de bomen geen enkel blaadje op de grond.

Ik legde de kussensloop neer, koos een takje met drie blaadjes uit, brak dat af en gooide het op de grond.

Alsof ik naar een natuurfilm keek waarin de beelden versneld werden afgespeeld, zag ik dat er op de plek van het takje een nieuw twijgje begon te groeien, dat binnen een minuut tot precies dezelfde vorm en met dezelfde drie blaadjes uitgroeide.

Toen ik naar de grond keek, op de plek waar ik het afgebroken takje had neergegooid, bleek dat te zijn verdwenen.

Eindelijk had ik op mijn tweeëntwintigste mijn spookhuis gevonden, waar ik uitzonderlijk goed op was voorbereid. Het was een landgoed, net als in *The Turn of the Screw*, en het had een geschiedenis vol perversiteiten, net als in *Hell House*, en de bewoners zouden mensen kunnen zijn die allang dood waren maar toch nog leefden, net als in *The Fall of the House of Usher*, en er was sprake van een kind dat gevangenzat en gevaar liep, net als in *Poltergeist*. Maar de enige geest op Roseland was de ruiter op het spookpaard, een vrouw die totaal geen bedreiging vormde en die in wezen niets met het probleem te maken had dat ik als onofficiële exorcist moest zien op te lossen.

Ik werd niet geconfronteerd met wilde poltergeisten en fantomen die uit het graf waren opgestaan – en waarmee ik wel raad had geweten –, maar met een dreiging in de vorm van varkensachtige dingen, kosmische uurwerken, een totaal gestoorde filmmagnaat, en de samenzweerders die Wolflaw om zich heen had verzameld door de macht die hij had, de macht die hem gegeven was, misschien zonder dat dat de bedoeling was, door wijlen de grote Nikola Tesla, die allang dood was en weliswaar geen geest was maar wel als een onstoffelijke flipperbal in en uit beeld stuiterde, de man die had gezegd dat hij me ergens had gezien waar ik nog niet geweest was, en die me aanspoorde de hoofdschakelaar om te zetten, wat dat ook maar te betekenen mocht hebben.

Soms zou ik het liefst gewoon in bed gaan liggen en de dekens over me heen trekken.

Ik brak nog een keer hetzelfde takje af en legde dat op mijn vlakke linkerhandpalm. Binnen een minuut had de boom zichzelf hersteld, en het takje op mijn hand loste in het niets op, ook al klemde ik er op het laatste moment mijn vingers omheen.

Roseland had geen peloton tuinmannen nodig. In het onderhouden gedeelte van het terrein – in tegenstelling tot de vrije natuur – bevonden alle bomen en struiken en bloemen en gras zich in een soort bevroren staat, zonder te groeien of af te sterven. Op de een of andere manier bleven ze precies zoals ze waren in... misschien 1920.

De bewoners van Roseland stonden niet buiten de tijd. Klokken tikten door en uren verstreken. De zon kwam op en de zon ging onder. Het weer was aan verandering onderhevig, net als de seizoenen. Binnen de muren van het landgoed stond de tijd niet stil.

Blijkbaar ging er door elke boomwortel en stam en tak en twijg en grasspriet en door elk bloemblad een of andere exotische energie, waardoor alles bleef zoals het was. Als er door de wind wat blaadjes van de bomen waaiden, groeiden er razendsnel nieuwe aan, nog voordat de oude op de grond waren gevallen en dan in het niets oplosten. Of misschien waren de nieuwe blaadjes eigenlijk de oude en gleed elke incomplete boom of plant – maar niets daaromheen – terug in de tijd tot het moment vlak voordat de blaadjes vielen, waarna de huidige staat weer bereikt was.

Als ik ging graven, vond ik hoogstwaarschijnlijk een metalen netwerk of die koperen kabels die in de fundering van de ge-

bouwen waren gelegd. Ineens snapte ik wat de lange acht te betekenen had. Als je die een kwartslag draaide, kreeg je een lemniscaat, het symbool dat stond voor de eeuwigheid.

Ik werd duizelig, en even vond ik het jammer dat ik niet net
zo goed in het niet-nadenken was als Kenny beweerde te zijn.

Ik ging terug naar het onberispelijke gazon waarop Enceladus
stond en zijn vuist balde om de goden uit te dagen. Vervolgens
liep ik naar de uitgestrekte grasvelden die rond het hoofdgebouw
lagen. Van verre zag ik dat er nog steeds stalen platen voor de
ramen en deuren zaten.

Om een hoek van het gebouw kwam een groep gedrochten,
een zootje ongeregeld. Ze waren laaiend van woede, misschien
omdat ze niet naar binnen konden om daar te gaan lunchen. Ze
gooiden tuinmeubilair omver en beukten op de luiken.

Ik liep terug naar het beeld van Enceladus, dat vanuit het huis
aan het zicht werd onttrokken door de in de tijd verstilde eiken.
Ik ging bij het titanenbeeld staan en probeerde de consequenties
van de theorie te overzien dat Roseland geen tijdmachine was –
nee, zo simpel lag het niet – maar een machine waarmee de tijd
kon worden gereguleerd, teruggedraaid of vertraagd, zodat het
anders zo onafwendbare verval der dingen, de wet van de natuur,
kon worden tegengegaan.

Net als in het gastenverblijf zag alles in het hoofdgebouw er
tiptop uit, smetteloos, alsof er nooit iets kapotging, versleet of
stof produceerde. Houten vloeren en trappen waren in maagde-
lijke staat en kraakvrij, alsof ze vandaag nog waren opgeleverd.
Er zat geen enkel scheurtje in het marmer of het kalksteen.

De keukenapparatuur was nieuw, maar hoogstwaarschijnlijk
waren de oude apparaten niet vervangen omdat ze het niet meer
deden, maar omdat moderne ovens en koelkasten meer mogelijkheden en gebruiksgemak boden dan de spullen van negentig
jaar geleden.

Vanuit het niets, als bij toverslag, kwamen er uit het bos minstens honderd vleermuizen, met een spanwijdte van zeker twee

meter. Ze vlogen op me af, in zo'n strakke formatie dat het één grote massa leek, een vloedgolf die vijftig centimeter boven het gemillimeterde gras op me afkwam, op klaarlichte dag, wat helemaal niet paste bij vleermuizen.

Ik wilde vluchten, maar snapte onmiddellijk dat ik veel langzamer was dan zij. Misschien zagen ze overdag minder goed dan 's nachts. Net als alle roofdieren gingen ze vooral op hun reukzin af om hun prooi te lokaliseren. Maar eventueel speelde hun natuurlijke oriëntatiemethode, echolocatie, daarbij ook een rol, en in dat geval was het misschien raadzaam om me niet te verroeren. Ik stond in de schaduw van het grote loden standbeeld, en het zou kunnen dat ik daardoor aan hun waarneming ontsnapte.

Misschien, zou kunnen, eventueel: zulke termen kwamen voort uit mijn onzekerheid, en als verlamd bleef ik staan waar ik stond, in de hoop dat ik niet met huid en haar zou worden verslonden.

Hun vleugels klapwiekten zo vaak, en zo gelijkmatig, dat het bijna als gezoem klonk, en de synchrone manier waarop ze zich verplaatsten was niet alleen overdonderend maar ook beangstigend. Ze hadden een kop zo groot als een grapefruit, en kwamen met open bek aanvliegen, de gebogen hoektanden ontbloot, met de platte neus snuivend, op zoek naar de geur van bloed, zweet, de minuscule schilfers van huid of vacht of veren, en de feromonen van de angst.

Ik kreeg bijna geen lucht toen ze langskwamen, en ze vlogen zo laag dat ik boven op hun vliezige vleugels keek en hun donzige bruine vacht kon zien. Terwijl ze voorbijvlogen, verdwenen ze toen de lucht plotseling begon te trillen, alsof ze achter een gordijn waren gevlogen dat tussen mijn tijdsgewricht en dat van hen hing.

Doodmoe maar opgelucht klom ik op de granieten sokkel van de reusachtige titan. Ik leunde met mijn rug tegen zijn linkerkuit, trok mijn knieën op, met mijn schoenen tegen zijn rech-

tervoet. Ik wist niet of het lood waarvan hij was gemaakt me enige bescherming had geboden, maar ik ging er met mijn kenmerkende optimisme toch maar zitten.

Terwijl mijn hartslag enigszins bedaarde, dacht ik weer na over
Roseland. Over de tijd in het verleden, in het heden en in de
toekomst...

De statische toestand waarin het terrein verkeerde, en het huis
plus het meubilair, gold blijkbaar niet voor zaken die niet op één
plaats bleven staan, zoals beddengoed en bakblikken en bestek.
Eiken konden afgevallen takken opnieuw laten aangroeien, maar
bedlinnen en kleren wasten zichzelf niet, en vuile kopjes en bor-
den werden niet teruggezet naar de tijd toen ze nog schoon waren. De energie die zich op het landgoed openbaarde – noem het
de Methusalem-energie – stroomde ook door dingen die in huis
op de grond stonden of aan de muur hingen, maar had geen invloed op dingen die kleiner en minder plaatsgebonden waren.

En hoe stond het met de mensen die hier woonden en werkten?

In de grimmige en chaotische toekomst waar Kenny het over
had gehad, heette de eigenaar van Roseland Constantine Cloyce,
misschien omdat hij zijn ware identiteit in die bewogen tijden
niet langer met valse namen hoefde af te schermen. Misschien
waren mensen in die toekomst zo druk bezig hun gezin en zichzelf te beschermen en te voeden dat ze voor het verleden geen
belangstelling hadden. Als er onder die beangstigende gele hemel geen internet, tv of radio bestond, en als openbare archie-
ven lagen weg te rotten in gebouwen die tot ruïnes waren ver-
vallen, hoefde hij niet om de zoveel tijd een andere naam en een
enigszins gewijzigd uiterlijk aan te nemen. Hij hoefde zich niet
voor te doen als Noah Wolflaw of een Zuid-Amerikaanse erfgenaam van een mijnbouwimperium. Dan kon hij gewoon zijn
eigen naam aanhouden: Constantine Cloyce.

Omdat de bewoners van Roseland nog minder plaatsgebonden waren dan tafelgerei en kleren, was het niet logisch dat ze

ook onsterfelijk waren, ondanks het feit dat ze op het landgoed woonden. Waarschijnlijk verouderden ze net als iedereen. Misschien dat ze om de zoveel decennia een kuur moesten volgen of een bepaald proces moesten doorlopen om weer jong te worden.

Als ze van de ene op de andere dag dertig of veertig jaar jonger werden, geen grijs haar en rimpels en overgewicht meer hadden en hun gezichten niet meer de sporen van de jarenlange zwaartekracht droegen, zouden ze eruitzien als compleet andere mensen, praktisch onherkenbaar in vergelijking met wie ze daarvoor waren geweest. Eigenlijk hoefden ze dan alleen maar hun namen te veranderen en andere kapsels te nemen om door te gaan voor compleet nieuwe bewoners van Roseland, vooral doordat ze een teruggetrokken bestaan leidden en weinig contact met de plaatselijke bevolking hadden.

Victoria Mors had gezegd dat ze nooit iets deed wat gevaarlijk was, en nu begreep ik waarom. Misschien waren ze wel in staat verouderingsverschijnselen en ziektes ongedaan te maken, maar ze waren niet onkwetsbaar. Ze konden worden neergeschoten of door een ongeluk om het leven komen.

Dat was de reden waarom Henry Lolam maar drie van zijn acht vrije weken op vakantie was geweest en daarna weer naar Roseland was gegaan. Binnen de muren van het landgoed voelde hij zich veiliger. Door de onsterfelijkheid was hij een gevangene van Roseland geworden; hij was zijn eigen cipier.

Hoewel er nog tientallen vragen door mijn hoofd spookten, waren het er minder dan een uur geleden. De vragen met de hoogste prioriteit hadden betrekking op de naamloze jongen.

Als Noah Wolflaw inderdaad Constantine Cloyce was, moest de spookruiter op het paard Madra Cloyce zijn, de vrouw met wie hij rond 1920 getrouwd was. In die tijd moest ze zijn doodgeschoten, toen er nog paarden op het landgoed werden gehouden.

Ik wist nog goed hoezeer ze had geaarzeld en gefrustreerd had geleken toen ik haar onder het mausoleum tussen de lijken had gevraagd of ze de vrouw van Noah Wolflaw was. Omdat ze alleen maar kon knikken of haar hoofd schudden, lukte het haar niet me duidelijk te maken dat Wolflaw en Cloyce een en dezelfde persoon waren, en dat ze dus de vrouw van beiden was.

De naamloze jongen had nu een naam gekregen. Hij was de zoon van Madra en Constantine, die eigenlijk niet meer in leven zou behoren te zijn, omdat hij al op jonge leeftijd was overleden. Zijn naam – Timothy – stond op een plakkaat onder de grafnis in het mausoleum waar zijn as zogenaamd lag, maar het was me nu duidelijk dat hij helemaal niet dood was.

Waar had Noah Wolflaw – Cloyce – hem vandaan gehaald, en waarom wilde de jongen het liefst zo snel mogelijk weer terug? Als hij inderdaad de negenjarige Timothy was, waarom was hij na al die decennia dan *nog steeds* negen? Waarom lieten ze hem niet ouder worden, zodat hij voor zichzelf kon zorgen, net als de anderen? *Hielden ze hem al negentig jaar lang letterlijk klein?*

De antwoorden op die vragen waren niet onder het beeld van Enceladus te vinden. Daarvoor moest ik naar het hoofdgebouw toe.

Vanuit het noordwesten kwamen donkere wolken als artilleriewagens op geluidloze wielen naderbij. Ik vermoedde dat hun gebulder nog voor het eind van de dag te horen zou zijn. De naderende storm had een derde van het zwerk veroverd, kwam sneller dichterbij dan eerst, en zou de lucht uiteindelijk volledig in bezit nemen.

Op de een of andere manier moest ik hierdoor aan Victor Frankenstein denken, die boven in de oude molen aan het werk was. In de film – niet in het boek – deed die ruimte dienst als zijn laboratorium en Frankenstein probeerde zijn schepping met behulp van de bliksem tot leven te wekken, het op het kerkhof bijeengeraapte allegaartje van organen, met een genadeloos hart en de hersenen van een misdadiger.

De enige route waarlangs ik in het gebarricadeerde huis kon komen, was via de muurschildering van een engel met kind, een reproductie van Franchi's werk die in het mausoleum te vinden was.

Beducht voor het geluid van vleermuisvleugels, en door mijn herinneringen aan die gekromde hoektanden gemotiveerd om zo snel mogelijk voort te maken, sprintte ik over het gazon, ik rende door het statische eikenbos, door velden, over heuvels, waar nog steeds planten groeiden en vergingen zoals het in de natuur betaamde.

Onderweg moest ik herhaaldelijk denken aan de oude molen van Frankenstein. Eerst snapte ik niet waarom ik dat beeld steeds weer voor ogen kreeg.

Toen ik het mausoleum vanuit het zuiden naderde, kreeg ik een ingeving. De oude molen, die door de bliksem geteisterd werd, veranderde in de toren van het gastenverblijf, in het eucalyptusbos. De bronzen koepel boven op dat stenen bouwwerk bevatte een opvallende pinakel, die leek op een reusachtige uitvoering van de stift, kroon en beugel van een oud zakhorloge. En het geheim van Roseland had iets te maken met tijd...

Mijn appartement en dat van Annamaria namen de onderste zes meter van die twintig meter hoge toren in beslag. De wenteltrap die naar de eerste verdieping leidde, liep door naar de tweede en hoogste verdieping. De sleutels die we hadden gekregen, pasten niet op de deur boven aan de trap.

Omdat ik altijd al een nieuwsgierig aagje ben geweest, had ik geprobeerd uit te vissen wat zich boven in de toren bevond, maar mijn pogingen hadden geen succes gehad. Ik ben niet iemand die ieders privacy met voeten treedt, zo'n type dat Big Brother tegenwoordig met tienduizenden tegelijk inhuurt. Maar wanneer mijn gave me naar een plek stuurt waar ik hulp kan bieden, nemen mijn overlevingskansen aanzienlijk toe als ik de omgeving bij aankomst eerst verken op valluiken, klemmen en verborgen vangnetten.

Nu bleef ik op het zuidelijke gazon van het mausoleum staan, waar ik vanuit het hoofdgebouw niet te zien was. Ik twijfelde of ik niet alsnog naar de toren terug moest gaan. Op weg ernaartoe kon ik dan bij het huis van Jam Diu uit de grote hoeveelheid gereedschappen een bijl kiezen. Door alle gebeurtenissen had ik zin om iets in mootjes te gaan hakken, al was het alleen maar een deur.

Na enige aarzeling voelde ik er toch meer voor om naar het hoofdgebouw te gaan in plaats van naar de toren. Op beide plekken was er iets mis met de tijd, maar als de wijzers van de apocalyptische klok bijna een catastrofe aangaven, moest ik zo snel mogelijk bij de jongen zien te komen.

# 36

In het mausoleum stond het mozaïek van het Franchi-schilderij nog steeds achteruitgeschoven in de wand aan de noordkant, waardoor de twee trappen bereikbaar waren die naar de eerste kelder voerden.

Ik had verwacht dat de toegang tot de geheime wereld onder het mausoleum op een gegeven moment weer in zijn oorspronkelijke stand zou terugkeren. Ik stond aan een kant van het mozaïek en drukte met een vinger op het punt van het schild waarmee ik de deur had geactiveerd, maar er gebeurde niets. De teruggeschoven muur kwam niet in beweging om de opening in de muur op te vullen.

Boven aan de ene trap en daarna boven aan de andere trap zocht ik naar een schakelaar, maar ik vond niets. Intuïtief voelde ik aan dat ik hier verder geen tijd meer moest verspillen. De gebeurtenissen in Roseland stonden op het punt te gaan kantelen.

Ik ging naar de eerste kelder, waar zeven gouden bollen geluidloos aan zeven stangen ronddraaiden. Ook de talloze vliegwielen tolden in het rond zonder geluid voort te brengen, en gouden lichtklodders zweefden als druppels naar het netwerk van koperen draden aan het plafond, waar ze werden opgenomen en getransporteerd langs de ingewikkelde patronen tot hun licht verflauwde en ze verdwenen.

Nu ik onlangs achter het doel van deze machinerie was gekomen – het reguleren van de tijd –, hoopte ik te begrijpen, ook al was het maar in lichte mate, hoe deze verschillende apparaten zo'n opmerkelijke prestatie konden leveren. Maar ik snapte er nog steeds bar weinig van.

Je kunt je bekwamen in het frituurgebeuren, je kunt paranormaal begaafd zijn, maar dat betekent nog niet dat je geniaal bent. Ik kende collega's die geen van allen ooit de Nobelprijs voor de Natuurkunde zouden winnen. En als je ronddolende geesten kunt zien en zo nu en dan een voorspellende droom hebt, heb je al zoveel aan je hoofd dat je daarnaast niet ook nog eens een internationaal schaakgrootmeester kunt worden of een Apple-imperium kunt oprichten.

Ik liep naar de hoek en ging een verdieping lager. In die onderste kelder draaiden gouden machines in zes rijen voort, over zilveren rails, onophoudelijk en geluidloos, en de dode vrouwen zaten net als eerst met hun rug tegen de muur te wachten, hun met spelden opengehouden ogen starend in de eeuwigheid.

Misschien was de versteende toestand hier sterker dan elders, zo dicht bij de machine – of cruciaal onderdeel van de machinerie – die dit bewerkstelligde. De weerzinwekkende trofeeën oogden alsof ze nog maar net door de heer van Roseland vermoord waren.

Ook lijken in versteende toestand zijn gewoon lijken. Maar ik vroeg me af of hun moordenaar ooit last kreeg van een koortsachtig schuldgevoel of diepe wanhoop, en of hij die vrouwen dan in gedachten voor zich zag, hun bloederige wonden als stigmata tonend, hun beschuldigende stemmen rauw en half verstikt door de stropdas waarmee ze gewurgd waren.

Alles wat ik hem kon aandoen, was veel minder dan hij verdiende.

Misschien kwam het door het feit dat de tijdloze kadavers niet door ongedierte waren aangevreten dat ik besefte dat er in het huis waarschijnlijk geen insecten en knaagdieren aanwezig waren toen Tesla's machine voor het eerst in werking werd gesteld. Ik had geen onsterfelijke spinnen gezien die oneindig grote webben hadden geweven, geen bromvliegen met een ouwelijke kop, geen ratten die wijs waren geworden doordat ze vijftig rattenlevens achter de rug hadden.

Als er achter de lambrisering zulke ratten zaten, was er geen enkele aanleiding om aan te nemen dat het om wijze ratten ging. Er zijn heel wat mensen die na een bepaalde leeftijd geen spat wijzer meer worden, of tijdens hun leven überhaupt niet.

Constantine Cloyce – nu Noah Wolflaw – was zeventig geweest toen hij in 1948 kennelijk zijn dood in scène had gezet. Nu hij 134 was, leek hij zich bescheidenheid noch een zekere morele wijsheid eigen te hebben gemaakt. En dat hij me herhaaldelijk had verteld dat ik mijn kop moest houden, was eigenlijk niet de gecultiveerde en geamuseerde manier van praten die je van een man van zijn leeftijd en ontwikkeling zou mogen verwachten.

Ik liep door de kelder naar de deur die toegang gaf tot de met koper beklede tunnel die naar het hoofdgebouw leidde. Door de glazen buizen die in de muur verzonken waren, leken gouden lichtklodders gelijktijdig in beide richtingen te stromen, en ik probeerde er niet naar te kijken, om te voorkomen dat ik net zoals de vorige keer misselijk werd en gedesoriënteerd raakte.

In de wijnkelder aangekomen ging ik niet naar de keldergang, zoals ik eerst had gedaan. In plaats daarvan nam ik de smalle diensttrap naar de begane grond.

Ik stapte de keuken binnen, behoedzaam, voor het geval meneer Shilshom bezig was een banket te prepareren dat prins Prospero uit het verhaal van Edgar Allan Poe niet onwelgevallig zou zijn. In een apocalyptische tijd, waarin de wereld door de Rode Dood werd geteisterd, organiseerde de prins een groot feest, bedoeld om de dood te tarten. Dat had niet goed uitgepakt. Ik vermoedde dat het de verschillende bewoners van Roseland niet veel beter zou vergaan als Prospero.

Het enige licht kwam van twee lampen boven het aanrecht. Voor de ramen zaten stalen platen.

Op dit moment beukten er geen monsters op de luiken. Het was doodstil in huis. Misschien waren de monsters door Tesla's machine weer naar hun eigen tijd verplaatst, maar dat betwijfelde ik. Ik vond de stilte iets dreigends hebben.

Aangrenzend aan de keuken lag een vertrek dat diende als het kantoor van de kok. Ik ging ernaartoe en deed de deur zachtjes achter me dicht.

Hier plande meneer Shilshom zijn menu's, hier stelde hij boodschappenlijsten op, en brak hij ongetwijfeld zijn hoofd over wat hij de heer van het huis moest voorzetten als de volgende jonge vrouw die op wijlen mevrouw Cloyce leek naar Roseland was gehaald om daar gemarteld en vermoord te worden. Maaltijden voor speciale gelegenheden zijn altijd een flinke klus om te plannen.

Misschien was Constantine Cloyce de enige op Roseland die gewone stervelingen bij wijze van sport vermoordde, daartoe aangezet door zijn potentiële onsterfelijkheid, waardoor hij zich superieur aan de rest van de mensheid achtte. Toch waren de anderen die hier woonden en werkten net zo geschift. Hun krankzinnigheid bleek uit het feit dat ze hem hielpen, ofwel om zelf voor altijd te mogen blijven leven, ofwel omdat ze er hun hand niet voor omdraaiden stervelingen te vermoorden die per slot van rekening op een gegeven moment toch uit zichzelf zouden zijn doodgegaan.

Geen van hen leefde al zo lang dat ze door hun hoge leeftijd krankzinnig konden zijn geworden. Als je een paar honderd jaar geleefd had, raakte je misschien uitgekeken op het menselijk bestaan en vond je het zo langzamerhand doodvervelend worden om steeds maar door te moeten leven. Ik kon me voorstellen dat je dan chronisch depressief werd, of zo verlangend naar nieuwe, heftige sensaties dat martelen en moorden een soort valium werden waarmee je je innerlijke onrust kon bestrijden. Maar Cloyce was nog maar 134, en de anderen waarschijnlijk jonger. Het moest aan iets anders dan hun hoge leeftijd liggen dat ze een of andere gekte omarmd hadden.

In het kantoor van meneer Shilshom stond een reusachtige stoel die speciaal voor hem gemaakt leek om zijn omvangrijke lijf te kunnen ondersteunen. Ik paste er wel twee keer in, en de wielen die eronder zaten, waren zo groot als een honkbal. Toen ik erin ging zitten, voelde ik me net Sjaak in het kasteel boven aan de bonenstaak.

De computer die op het bureau stond, was de enige die ik hier was tegengekomen, al waren er vast nog wel meer te vinden in de vleugel waar de slaapvertrekken van de bedienden lagen. Ik zette hem aan, ging het internet op en zocht op de naam Nikola Tesla.

Tesla bleek van Servische afkomst te zijn. Hij werd op 10 juli 1856 in Smiljan geboren, wat blijkbaar in Kroatië lag, of in het toenmalige Oostenrijks-Hongaarse Rijk, of in de provincie Lika, of in alle drie. Het kwam me allemaal tamelijk buitenaards voor, maar dat kwam hoogstwaarschijnlijk door het gebrek aan coherentie dat kenmerkend is voor biografieën op het web.

Hij overleed op 7 januari 1943, in een tweekamersuite in hotel The New Yorker, dat in elk geval in New York en nergens anders lag. Op zijn begrafenis in de kathedraal van de Heilige Johannes kwamen tweeduizend mensen af. Tesla werd gecremeerd, en zijn as werd bewaard in een gouden bol in het Teslamuseum in Belgrado.

Op meer dan één site las ik dat de gouden bol de favoriete vorm van Tesla was.

Hmmmm. Interessant.

In 1882 loste Tesla het probleem van het roterende magnetische veld op en bouwde hij de eerste inductiemotor. Niet dat ik ook maar enig idee heb wat dat betekent. Maar met de uitvinding van de inductiemotor begon rond 1900 een nieuwe industriële revolutie, en sindsdien werd die motor gebruikt in zowel de zware industrie als in eenvoudige huishoudelijke apparaten.

Achter me hoorde ik iets krabben aan het stalen luik dat voor het raam was neergelaten. Gekrab, getik, en weer gekrab.

Het klonk heel beheerst in vergelijking met het kabaal dat de gedrochten eerst hadden gemaakt, maar ik was er tamelijk zeker van dat het wezen dat ik bij het raam bezig hoorde niet gewoon een nieuwsgierig wasbeertje was.

Het gedrocht leek erachter te willen komen in welk vertrek hij zijn lunch kon vinden. Ik richtte me weer op het computerscherm.

Nadat Tesla naar Amerika was gegaan, werkte hij samen met Thomas Edison, maar die samenwerking liep spaak omdat Tesla van mening was dat Edisons gelijkstroomsysteem niet efficiënt was. Hij verkondigde dat energie altijd cyclisch was en dat er generatoren konden worden gebouwd die stroom eerst in de ene richting en daarna in de andere richting doorgaven, in samengestelde golven volgens het veelfasig principe.

Gezien het feit dat er varkensachtige mensapen op Roseland rondzwierven en de boel bestierd werd door een moordzuchtige psychopaat, nam ik niet de tijd om me nader te verdiepen in de term 'veelfasig principe'.

Tesla ging in zee met George Westinghouse. Wisselstroom, die ongeveer zestig keer per seconde van richting verandert en stroomtransport op lange afstand mogelijk maakt met een minimum aan energieverlies, werd al snel de wereldwijde standaard.

In 1895 ontwierp Tesla de eerste waterkrachtcentrale, bij de Niagara-watervallen.

Marconi geldt nog steeds als de uitvinder van de radio, maar Tesla nam al in 1892 een patent op het basissysteem van de radio, jaren voordat Marconi dat deed. Uiteindelijk werd het patent van Marconi afgekeurd.

Weer hoorde ik geluiden bij het stalen luik achter me: *Tik, tik, tik... tik, tik, tik... tik, tik, tik.*

Het getik was griezelig discreet. Alsof er een stille geliefde voor een rendez-vous was verschenen.

Ik besloot het getik niet te beantwoorden, want ik zag al voor me dat het een vrouwtjesmonster was dat Romeo en Julia met mij wilde spelen.

Weer richtte ik me op de tekst op het scherm en kwam erachter dat Tesla ook tl-buizen en laserstralen had uitgevonden. Draadloze communicatie. Draadloze overdracht van elektriciteit. Afstandsbediening. Hij nam de eerste röntgenfoto's van mensen, nog voor Röntgen dat deed en er zijn naam aan verleende.

Dit was een megabriljante man.

In 1889 begon hij in Colorado een toepassing te ontwikkelen voor wat hij omschreef als 'staande aardgolven', waardoor hij in staat was tot op een afstand van veertig kilometer tweehonderd lampen te laten branden, draadloos, door elektriciteit door de lucht te verplaatsen.

En hier nog zo'n cool voorbeeld dat hiermee verband houdt. Hij bouwde een zendmast op Long Island, tussen 1901 en 1905, die bijna zestig meter hoog was, met bovenop een koperen koepel die een doorsnee van twintig meter had, met een fundering die dertig meter de grond in ging. De bedoeling was om de elektriciteit van de aarde zelf te versterken en die met behulp van een zender naar alle uithoeken van de wereld te sturen, in een onbeperkte hoeveelheid.

Toen J.P. Morgan, die het project financierde, besefte dat de afnemers van de elektriciteit nooit gefactureerd konden worden omdat het onmogelijk was te controleren wie van die stroom gebruik zou maken, trok hij zich uit het project terug.

Albert Einstein was een grote bewonderaar van Nikola Tesla. Einsteins relativiteitstheorie gaat onder meer uit van het concept dat ruimte en tijd geen absolute maar relatieve begrippen zijn.

Hmmmm.

Tesla was zo briljant dat hij uit zijn hoofd buitengewoon complexe wiskundige problemen kon oplossen, zonder dat hij daar pen en papier bij nodig had.

En nog verbazingwekkender was het dat hij ingewikkelde uitvindingen zoals de inductiemotor tot in detail kon visualiseren en ze dan razendsnel in een diagram kon schetsen.

Gekrab. Getik.

'We kopen niet aan de deur,' mompelde ik.

Ik las verder en ontdekte dat Tesla goed bevriend was met Mark Twain. Behalve *Huckleberry Finn* schreef Twain ook *A Connecticut Yankee in King Arthur's Court*, dat wordt gepresenteerd als een droom die het gevolg is van een klap op het hoofd, maar in alle opzichten een verhaal is over tijdreizen.

Hmmmm.

In 1997 prijkte Nikola Tesla op een lijst in *Life magazine* van de honderd beroemdste mensen van de laatste duizend jaar die bepalend waren voor het gezicht van de wereld.

Dit speelde natuurlijk in een tijd voordat er reality-tv was en er getwitterd en gechat werd, waardoor het gemiddelde concentratievermogen van het grootste deel van de wereldbevolking werd terugbracht tot twee minuten, en ons langetermijngeheugen tot veertien maanden. Ook zijn we er nu van overtuigd geraakt dat onze bewondering niet in de eerste plaats dient uit te gaan naar mensen als George Washington, Albert Einstein, Marie Curie, Jonas Salk, Moeder Theresa en Nikola Tesla, maar in plaats daarvan naar de eerste de beste beroemdheid die de laatste editie van *Dancing with the Stars* heeft gewonnen, en de eerste de beste dansende kat waarvan de video op YouTube net tien miljoen hits heeft gescoord.

Getik. Gekrab. Klop-klop.

'Wie is daar?' vroeg ik zachtjes. 'Doedie,' antwoordde ik met een beheerste, authentieke varkensstem. 'Doedie wie?' vroeg ik, oprecht onwetend. En ik antwoordde: 'Doedie deur nou open, dan vreet ik je op.'

Ook kwam ik te weten dat Tesla zo zijn vreemde kanten had. Ergens in 1899 of 1900, toen hij in zijn laboratorium in Colorado Springs zat, kreeg hij het idee dat hij signalen van een andere planeet had opgevangen. Zijn bewijzen werden door serieuze lieden onderzocht, en die trokken dezelfde conclusie als hij. Ook had hij eens gezegd dat hij met behulp van elektriciteit de aarde in tweeën kon splitsen. Gelukkig stond er in zijn nagelaten aantekeningen niet hoe hij dit precies had willen doen, want anders zouden die figuren van *Jackass* het allang geprobeerd hebben.

Kortom, hij dacht niet alleen *outside the box*, zoals dat heet, maar hij kon ook buiten de grotere doos denken waarin de eerste doos verpakt was. Misschien dat zo'n man in staat was de tijd te reguleren en die naar eigen inzicht te gebruiken.

Voordat de verleiding te groot werd om op YouTube naar de dansende kat te kijken, sloot ik de internetverbinding af en zette ik de computer uit.

Toen er weer bij het luik werd getikt en gekrabd, hoorde ik meneer Shilshom in de keuken. Hij vloekte heftig, alsof hij dacht dat hij Victoria Mors was. Zo te horen kwam hij deze kant op.

Snel liet ik me van de Jabba-de-Hutt-stoel afglijden, pakte de kussensloop, en dook de inloopkast in, van waaruit je ook in de keuken kon komen.

Ik liet de deur naar het kantoor een centimetertje openstaan en wachtte tot de quichekoning zou verschijnen.

De kok kwam pompeus het kantoor binnenstormen, niet zozeer geagiteerd als wel in paniek, alsof hij net kapitein Ahab had gezien die op zijn ene goede been en op dat van glanzend walvisbot naar hem toe was gekomen. Hij leek niet in de stemming om iets lekkers te gaan bakken.

Uit een kast waarin hij een exclusieve verzameling kruiden zou kunnen hebben bewaard, of een fraaie collectie antieke eierdopjes, haalde hij wat er zo op het eerste gezicht uitzag als een halfautomatisch jachtgeweer, kaliber 12.

# 37

Een kok van honderdtachtig kilo die bang en boos is, over beperkte sociale vaardigheden beschikt en een jachtgeweer in zijn hand heeft, voorspelt meestal weinig goeds.

Ik kroop weg bij de deur naar het kantoor, zocht mijn weg op de tast, vond de andere deur doordat er een dun streepje licht onderdoor kierde, betrad de keuken, en verliet die. Ik sloop een gang door en hield er rekening mee dat een van de Roselanders ineens uit een van de vertrekken voor mijn neus zou staan, en dan zou ik een stevige uitbrander krijgen vanwege het feit dat ik me buiten de toren had gewaagd. Of misschien zou ik dan gewoon worden doodgeschoten.

Toen ik bij een nis kwam, waarin de personeelsingang naar de officiële salon zich bevond, glipte ik snel dat grote vertrek binnen. Ik kreeg het gevoel in een statig vertrek verzeild te zijn geraakt op zo'n buitengewoon deftig lijnschip uit vervlogen tijden, zo'n schip dat in films altijd bevolkt wordt door superknappe vrouwen in oogverblindende avondjurken, mannen in smokings en obers in witte jasjes die met zilveren dienbladen vol drankjes rondlopen. Op een keur van Perzische tapijten stond uitgekiend meubilair, fauteuils en banken en chaises longues, voldoende om een kwart van de vierhonderd meest prominente leden van de high society een zitplaats te bieden.

Ook hier zaten stalen platen voor de ramen. Geen van de tiffany-lampen brandde. Van de vijf kroonluchters was alleen die in het midden van het vertrek aan.

Recht onder die schittering van kristallen en kaarsvormige lampen stond een ronde bank met in het midden een meer dan levensgroot standbeeld van de Griekse god Pan. Pan had het hoofd en de borst en armen van een man, de oren en hoorns en poten van een bok. Zo te zien had hij dringend behoefte aan een vijgenblad.

Aan de randen van de kamer was het schemerig, en in de hoeken was het donker.

Ik had als plan om langs de muren van het vertrek te kruipen, ver bij de wellustige Pan vandaan, tot ik bij een tweede deur kwam, weggewerkt in de lambrisering, schuin tegenover de deur waardoor ik binnen was gekomen. Dan zou ik in een halletje komen waar zich ook de deur naar de leeskamer bevond, en daar hoopte ik langs de bronzen wenteltrap naar boven te kunnen.

Ik was nog zo'n twee hectare van mijn bestemming verwijderd toen ik voetstappen op de marmeren vloer hoorde. In de met twee zuilen verfraaide boogvormige doorgang die naar de beter verlichte foyer liep, zag ik Noah Wolflaw – alias Cloyce – en Paulie Sempiterno, beiden met een geweer in de hand. Ze kwamen mijn kant op.

Omdat ik allergisch ben voor hagelschoten, kroop ik snel op handen en knieën achter een bank weg.

Op het moment dat de krankzinnige heer van Roseland en diens rechterhand de salon betraden, ging er verderop in de kamer een deur open, mogelijk de deur waardoor ik binnen was gekomen. Anderen voegden zich bij Cloyce en Sempiterno, in het midden van de zaal, onder de kroonluchter, bij de schaamteloze Pan.

Toen ik voorzichtig om het hoekje van de bank tuurde, langs een oerwoud van meubilair, ontdekte ik dat het Jam Diu en mevrouw Tameed waren die zich bij de andere twee hadden gevoegd. De tuinman had een geweer bij zich. Mevrouw Tameed, die bijna een kop groter was dan meneer Diu, droeg een riem met op beide heupen een holster, en in haar rechterhand hield ze een groot pistool, de loop naar het plafond gericht.

De revolverheldin oogde als iemand die een leeuw met gemak een ram voor zijn kop kon geven om het beest als een bang poesje te laten miauwen. Jam Diu zag eruit als een doorgedraaide Boeddha.

De zaal had een uitstekende akoestiek, zodat ik alles kon horen wat er besproken werd. Victoria werd vermist. Ze was niet op haar kamer, en reageerde niet op oproepen met de Talkabout, wat duidelijk een walkietalkie was die ze allemaal bij zich droegen om elkaar in het immens grote huis te kunnen bereiken. Ze wisten zeker dat ze niet naar buiten was gegaan toen de luiken voor de ramen en deuren zakten.

Paulie Sempiterno schroomde niet om datgene te verwoorden wat iedereen al wist, en zei: 'Er klopt iets niet.'

Dat 'iets' was ik.

Mevrouw Tameed zei: 'Waar is die stomme [verwensing weggelaten] lelijke [verwensing weggelaten] etter?'

Ook dat was een verwijzing naar mij.

'Henry belde vanuit het wachthuisje,' zei Cloyce, 'nadat de luiken waren dichtgegaan. Thomas stond daar op de deur te bonzen om binnengelaten te worden. De gedrochten zaten achter hem aan.'

'Dan leeft hij nu niet meer,' zei Jam Diu.

Mevrouw Tameed zei: 'Dat lijkt me inderdaad het meest voor de hand liggen. Maar we mogen die [verwensing weggelaten], [verwensing weggelaten], [schuingedrukte verwensing weggelaten] engerd niet onderschatten.'

Gezien het feit dat mevrouw Tameed veel ouder was dan ze eruitzag, vroeg ik me af of ze misschien onder een andere naam voor Nixon had gewerkt toen die nog in het Witte Huis zat.

'Als hij buiten was toen de luiken dichtgingen,' zei Jam Diu, 'kan hij niet meer naar binnen zijn gegaan. Laten we onze tijd niet met hem verdoen. Hij is gewoon een stomme klokker, meer niet.'

Klokker. Niet gokker.

'Ook klokkers kunnen soms geluk hebben,' zei Paulie Sempiterno.

'Waar ik meer over inzit, is dat er misschien een luik kapot is gegaan,' zei Jam Diu.

'Er is geen luik kapotgegaan,' verzekerde Cloyce hem. 'Ik weet niet wat er met Victoria gebeurd is, maar in elk geval is ze niet door een van de gedrochten te grazen genomen.'

Ze besloten het huis uit te kammen, in teams van twee, waarbij ze verdieping voor verdieping zouden afwerken, te beginnen bij boven.

'Ze is niet in mijn suite,' zei Cloyce. 'Maar dat laat nog tal van mogelijkheden open. We moeten in elke kast en elk hoekje gaan kijken. Kom mee.'

Ze verlieten de zaal via de boogvormige doorgang, en in de foyer namen ze de trap naar boven.

Ik rolde me achter de bank op mijn zij en ging op mijn rug liggen. Speren en dolken en pijlen van licht, die door de kristallen van de kroonluchter werden verspreid, stonden in heldere wilde patronen midden op het gepleisterde plafond, maar de duisternis sijpelde naar de wanden toe.

Klokker. Ik was een klokker omdat ik onherroepelijk oud zou worden en dan zou sterven, overgeleverd aan de genade van de klok. Zij konden soms op de een of andere manier hun jeugdige voorkomen en gezondheid terughalen, en waren wat Victoria had genoemd 'Outsiders, zonder beperkingen, zonder regels, zonder wat voor angst dan ook'.

Ze draaiden zichzelf een rad voor ogen. De werkelijkheid legt ons beperkingen op, of we ons daar nu bij neer willen leggen of niet. Deze zogenaamde Outsiders zagen zichzelf misschien als een stralend licht, zoals de prismatische weerspiegelingen die de geslepen kristallen op het plafond wierpen, maar desondanks waren ze omgeven door duisternis, net als die speerpuntpatronen van licht.

Misschien leefden deze mensen zonder enige regels, althans in de zin dat ze geen natuurlijke regels erkenden, maar ik had zelf gemerkt hoezeer ze hun levens door angst lieten bepalen. Victoria durfde geen enkel risico te lopen, omdat ze bang was anders een ongeluk te krijgen en dood te gaan. Henry Lolam kon het niet aan lang buiten de muren van het landgoed te vertoeven, omdat hij dicht bij Tesla's machines en de Methusalem-energie wilde blijven om zo lang mogelijk te kunnen blijven leven.

Ik snapte nu waarom Henry zo graag fantaseerde over buitenaardse wezens die hem onsterfelijk maakten. Hij wilde eeuwig blijven leven, maar dan zonder de ketens waarmee hij aan Roseland vastzat. Stuk voor stuk waren de Roselanders in meer of mindere mate gevangenen van dit landgoed, psychologisch dan wel fysiek.

Hoe langer ze leefden, hoe langer ze *wilden* blijven leven. En hoe langer ze leefden, hoe kleiner hun wereld werd. De reikwijdte van hun ervaringen werd elk jaar iets kleiner. Hun psychopathische arrogantie, hun gevoel van goddelijke macht, en hun minachting voor klokkers werden hoe langer hoe meer ingedikt tot een giftig brouwsel.

Ik vroeg me af wie deze mensen waren met wie Constantine Cloyce hier op Roseland een gestoorde gemeenschap vormde. Stamden ze allen uit de jaren twintig van de vorige eeuw, en waren ze toen ook al zijn bedienden? Hoe hadden ze oorspronkelijk geheten?

Als ze allemaal uit die tijd kwamen, vermoedde ik dat ze nog gestoorder waren dan ik eerst dacht. Op het pad dat ik moest gaan om de jongen te bevrijden zou ik meer en scherpere speren tegenkomen dan het arsenaal aan prismatische weerspiegelingen op het plafond.

Onwillekeurig moest ik aan Stormy Llewellyn denken, die zo

jong gestorven was. Noodgedwongen had ik me daarbij neer moeten leggen, om te leven met een zekere leegte, maar niet met een constante angst. Nu werd ik door een melancholieke pijn terneergedrukt, waardoor ik langer bleef liggen dan de bedoeling was. Als Nikola Tesla de dood had kunnen verslaan door een fantastische machine uit te vinden, had ik de dood moeten kunnen verslaan door slimmer en sneller te zijn dan ik was op die zwarte dag in Pico Mundo, toen ik de eeuwige geliefde van een vrouw werd die ik nooit meer zou kunnen kussen.

De vier die het huis doorzochten, had ik nu voldoende tijd gegeven om naar boven te gaan en vanuit de suite van Cloyce de kamers te inspecteren. Ik kwam overeind, trok het pistool, pakte de kussensloop, en gleed als een schaduw langs de donkere muren van de salon.

*Such there be that shadows kiss/ Such have but a shadow's bliss.*

Met deze woorden wordt prins Arragon in *De koopman van Venetië* beschreven als hij een verkeerde keuze maakt en daardoor de kans verspeelt om Portia te huwen.

Mijn vriend Ozzie Boone, detectiveschrijver, nam het me vroeger altijd kwalijk dat ik op school nooit goed had opgelet, en met name dat ik niets van Shakespeare kende. Na mijn vertrek uit Pico Mundo heb ik mezelf bij tijd en wijle verdiept in de werken van de Engelse bard. Eerst las ik de toneelstukken en sonnetten alleen maar om Ozzie versteld te doen staan als ik ooit weer in mijn geboorteplaats zou terugkeren. Maar al snel maakte ik daardoor kennis met een wereld die in Shakespeares tijd nog helemaal klopte maar waarmee het in onze tijd bergafwaarts is gegaan.

Zijn woorden, die meer dan vierhonderd jaar geleden werden geschreven, bieden me vaak troost en zijn goed voor mijn moraal. Maar soms komen er dichtregels boven die duisterder van toon zijn en me daar raken waar ik liever niet geraakt word.

*Such there be that shadows kiss/ Such have but a shadow's bliss.*

# 38

De suite van de heer van Roseland lag in de westelijke vleugel. Als er geen stalen luiken voor de ramen zaten, zou ik hebben kunnen zien hoe het glooiende land over een afstand van anderhalve kilometer naar de kust liep.

Cloyce had alle lampen in zijn suite aan gelaten, alsof hij bij terugkeer geen moment naar het lichtknopje wilde hoeven te zoeken.

Hij had beweerd dat hij al negen jaar geen oog meer had dichtgedaan, maar ik was ervan overtuigd dat die bewering sterk overdreven was, of zelfs klinkklare onzin. Misschien had hij negen jaar lang niet goed geslapen, mogelijk doordat hij de hele nacht het licht liet branden, omdat hij niet in een kamer wilde zijn die zo duister was als zijn geest.

Het vertrek was net zo luxueus ingericht als de rest van het huis. De tiffany-lampen, de antieke bronzen beelden en de schilderijen vertegenwoordigden naar alle waarschijnlijkheid een waarde van miljoenen dollars.

Ik vond niets bijzonders, tot ik bij een ruim vertrek kwam waarvan ik dacht dat hij het misschien beschouwde als zijn trofeeënkamer. Aan de muur hingen koppen van een leeuw, een tijger, een gazelle met prachtig geringde hoorns, en andere dieren die hij waarschijnlijk had geschoten en vanuit Afrika naar Roseland had laten verschepen.

Aan de muur hing ook een grote collectie ingelijste zwart-witfoto's van twintig bij vijfentwintig centimeter, waaronder verschillende die op safari waren genomen. Ik herkende een jonge Constantine Cloyce, zeker niet ouder dan dertig. Hij droeg een kapsel zoals voor die tijd gebruikelijk, en een weelderige snor. Hij poseerde bij verscheidene dieren die hij had geschoten, een geweer in de hand, altijd met een trotse blik in de ogen, soms ernstig, soms grijnzend.

Als hij zoveel tijd en geld had gehad om al zo jong zulke avonturen te ondernemen, moest hij het fortuin van het krantenimperium wel hebben geërfd, het kapitaal waarmee hij later een filmstudio kon beginnen. Als hij op die foto's dertig was, moest die safari in 1908 hebben plaatsgevonden, veertien jaar voordat hij Roseland liet bouwen.

Op sommige foto's was nóg een jongeman te zien. Waarschijnlijk was het een vriend van Cloyce, want op twee foto's stonden ze bij de dieren die ze hadden geschoten. Ze hadden hun geweren aan de kant gelegd en poseerden met een arm om elkaars schouders. Henry Lolam zag er toen net zo uit als nu, al had hij destijds waarschijnlijk een andere naam.

Behalve de safarifoto's hingen er ook foto's van Roseland tijdens de aanleg. Op sommige ervan poseerde Cloyce met anderen.

De eerste die ik herkende, was Nikola Tesla. Hij stond op vier foto's, steeds met een pak en een stropdas, terwijl de anderen informeler gekleed waren. Op twee ervan had hij zo'n intense blik in de ogen dat de anderen op de foto net zo eendimensionaal leken als kartonnen afbeeldingen van beroemdheden waarmee je jezelf op boulevards en in pretparken kon laten fotograferen. Op de andere twee foto's leken zijn metgezellen veel levensechter – hoewel Tesla er wat ongemakkelijk bij stond, alsof hij vond dat hij er niet bij hoorde.

Mevrouw Tameed poseerde samen met Cloyce. Ze zag er nu

uit als een vrouw van veertig, maar op de foto leek ze begin twintig. Als het leeftijdsverschil nog groter was geweest, had ik haar misschien niet herkend, of het moest al zijn vanwege haar lengte. Ze had kort haar, droeg een clochehoed, een voor die tijd zeer moderne mouwloze jurk die tot op de knie hing, met een v-hals met decolleté, kleding waar de ouders van die vrijgevochten generatie schande van spraken.

Ik kon me maar moeilijk voorstellen dat mevrouw Tameed ooit zo frivool en vrolijk was geweest als op die foto. Ik had de indruk gekregen dat ze vanaf het moment dat ze kon lopen kaplaarzen had willen dragen, en dat ze het als een ernstig onrecht ervaarde dat er geen haar op haar bovenlip groeide, omdat ze graag een hitlersnorretje gehad zou hebben.

Ze stond ook nog met Cloyce op een andere foto. Deze keer werd hij aan de andere kant geflankeerd door Victoria Mors. Beide vrouwen droegen dezelfde soort mouwloze jurk en hingen aan zijn arm. Blijkbaar waren ze alle drie lichtelijk aangeschoten, en ze vormden een liederlijk trio.

Op die foto zag Victoria er net zo jong uit als nu, tenger en elfachtig en levendig. Ik vroeg me af of ze meer moeite deed om er jeugdig uit te zien dan de anderen. En als dat inderdaad het geval was – waarom deed ze dat dan?

Ook hing er een foto van Cloyce met vier mannen, die mogelijk voor 1920 was genomen. Ik kende maar twee van de andere vier. Paulie Sempiterno stond een beetje aan de kant, iets jonger dan nu, en keek dreigend in de camera, alsof hij de fotograaf niet vertrouwde, noch het hele idee van fotografie. Jam Diu zag er tien jaar ouder uit dan nu. Hij droeg witte schoenen, een wit kostuum en een witte panamahoed, en hij had een Chinese hangsnor die zeker vijf centimeter onder zijn kin uit kwam.

Iedereen die tegenwoordig op Roseland woonde, had ik nu op de foto's herkend, behalve meneer Shilshom, de kok. Maar als hij destijds nog een normaal postuur had gehad, zou ik hem niet hebben herkend.

De dierenkoppen die aan de muur hingen, verleenden het vertrek niet de sfeer van de herensociëteit die Cloyce misschien beoogd had. In plaats daarvan, vond ik, was elke kop de dood in vermomming en lag de schedelkop van Magere Hein achter elk van de dierenmaskers verscholen, als in het klooster van prins Prospero, waar hij op het gemaskerd bal was geweest. De opgezette dierenkoppen maakten me onrustig. Ik had steeds het idee dat ze me met hun glazen ogen volgden terwijl ik door de kamer liep.

Voordat ik verder ging, keek ik wat er in een glanzende mahoniehouten kast met ingelegde geometrische patronen van ivoor en ebbenhout zat. Er bleken twee rijen met dvd's in te staan.

Een man die er genoegen in schiep vrouwen te vermoorden, kon best een collectie films hebben, maar ik betwijfelde of er een Muppet-film bij was. Op de dunne ruggen van de hoezen stonden geen titels. Ik verwachtte dat de dvd's porno of extreem gewelddadige films bevatten en pakte er een van de bovenste plank. Voorop was een foto geplakt van een van de naakte vrouwen die ik in de kelder van het mausoleum had gezien, in dezelfde pose waarin hij haar in die *andere* trofeekamer had neergezet.

Ik pakte er nog een paar van dezelfde plank. Ook hier prijkten foto's van de vermoorde slachtoffers voorop, elke foto met een naam en een datum. Maar er stonden veel meer dvd's dan er lijken in het mausoleum te vinden waren.

Toen ik de dvd's op de onderste plank bekeek, kwam ik erachter dat ze, net als bij de bovenste plank, van links naar rechts op datum gerangschikt waren. De vroegste dateerde uit 1962.

Waarschijnlijk had hij zijn eerste slachtoffers met een 8mm-camera gefilmd en had hij later een videocamera gebruikt. Met behulp van de voortschrijdende technologie had hij zijn archief op video gezet, en later op dvd. Door zijn ervaring in de filmindustrie en zijn rijkdom wist hij hoe hij de gefilmde rapportages van zijn wandaden op nieuwe media kon overzetten. Waarschijnlijk bevond zich ergens in huis een goed geoutilleerde studio waar hij zijn films kon monteren en ze steeds op de nieuw-ste media kon vastleggen.

Ik kon het niet opbrengen de dvd's te gaan tellen, maar ik weet zeker dat het er meer dan honderdvijftig waren.

Ik vroeg me af waar de andere lijken waren gebleven. Ik hoop-te niet dat ik ze ooit zou ontdekken.

Het liefst zou ik de kast in brand hebben gestoken. Ik dacht dat ik wel kon raden wat er op die schijfjes stond: elke vrouw le-vend en doodsbang, vervolgens wat hij met haar deed om aan zijn gerief te komen, en uiteindelijk hoe hij haar vermoordde, terwijl Victoria toekeek, iets wat ze naar haar zeggen soms mocht doen. Ik vond dat niemand zou mogen zien hoe die doodsban-ge vrouwen werden vernederd en onteerd. Ook niet mensen van de politie of het openbaar ministerie, of van jury's.

Ze leefden niet meer, en misschien maakte het niet uit, maar mij leek het niet juist. Deze perverse opnames bevatten beelden waarin de vrouwen niet meer zichzelf waren, waarin ze gebro-ken werden, zowel emotioneel als mentaal, want Cloyce had zo-veel ervaring met de tactieken en technieken van de verschrik-king dat hij elke vrouw net zo lang in leven zou hebben gehouden tot ze totaal kapot was. Hij had alle tijd van de wereld om zijn slachtoffers te ontdoen van hun essentie, alles wat van waarde was, tot het punt dat de dood een verlossing was. Alle tijd van de wereld.

Ik kon de dvd's niet vernietigen, omdat ik niet wist of ze nog in een rechtszaak als bewijsmateriaal konden dienen.

Toen ik dat onder ogen zag, wist ik wat dat inhield: om te voorkomen dat de filmbeelden vertoond werden, zou ik ervoor moeten zorgen dat niemand op Roseland zijn of haar gerechte straf ontliep. Dat gold zowel voor de mannen als voor de vrou-wen. Zeven doodvonnissen moesten worden voltrokken.

In mijn onderbewustzijn moet ik hebben geweten wat er van me gevraagd werd op het moment dat ik de lijken onder het mau-soleum zag. Ik was ervan doordrongen dat mijn rol hier die van beul was en dat ik niet kon volstaan met het bevrijden van de jongen om vervolgens met hem weg te gaan. Ik moest meer doen dan alleen handelen uit zelfverdediging, meer dan alleen het beschermen van de jongen.

Alle kracht stroomde uit mijn benen. Ik moest in een stoel gaan zitten om niet om te vallen.

Zoals zo vaak was het doodstil in huis. Door geen enkel geluid werd ik in mijn duistere gedachten onderbroken.

Om de slachtoffers van Cloyce verdere schande te besparen, moest ik de rol van beul op me nemen. Om te voorkomen dat anderen misschien werden geïnspireerd door de weerzinwekkende daden van Cloyce, moest ik de rol van beul op me nemen. Om te voorkomen dat de digitale opnames in handen van autoriteiten zouden vallen die – voor zover ze al niet corrupt waren – daardoor geperverteerd werden, moest ik de rol van beul op me nemen.

Beulen zijn nooit helden.

Ik had mezelf nooit als een held beschouwd, maar ook had ik nooit kunnen denken dat ik *deze* rol zou moeten vervullen.

Beulen handelen vanuit een autoriteit die ze niet bezitten. Ik ging ervan uit dat ik het recht had te voorkomen dat de nagedachtenis aan de dode vrouwen bezoedeld zou worden, en ook ging ik ervan uit dat ik de autoriteit bezat te beslissen dat de digitale bestanden onvermijdelijk voor verkeerde doeleinden gebruikt zouden worden als ik ze niet zou vernietigen en degenen zou elimineren die ervanaf wisten.

Beulen gaan tegen de sociale en geheiligde orde in. Prins Hamlet was niet de held van *Hamlet*. Het was zijn missie om de waarheid te dienen, en misschien om als beul op te treden. Maar hij stond niet volledig achter de eerste helft van die missie, terwijl hij de rol van beul uiteindelijk met hart en ziel omarmde.

Ook beulen ontkomen nooit aan de gerechtigheid.

Hamlet overleefde *Hamlet* niet. Mozes, die drieduizend mensen liet vermoorden, stierf voordat hij het beloofde land had bereikt.

Iemand als Cloyce was een moordenaar, die weliswaar om de verkeerde redenen moordde, maar die niet anders kon.

Een beul begaf zich op duisterder terrein. Een beul werd niet gedwongen anderen te vermoorden, was niet geestelijk uit balans of emotioneel in verwarring, handelde niet uit onbedwingbare verlangens. Een beul maakte een zorgvuldige afweging om te moorden, waarbij hij zelfs meer slachtoffers maakte dan strikt noodzakelijk was om zichzelf of anderen te beschermen. Ook als hij uit goede motieven handelde, ging hij tegen de sociale orde en de heersende autoriteit in.

Wie de rol van beul op zich neemt, ontkomt er niet aan zelf berecht te worden. Doordat ik deze duistere rol op me nam, zou ik mijn eigen doodvonnis tekenen.

Toch wist ik dat ik niet op mijn besluit zou terugkomen.

Ik zou liever zijn blijven zitten daar onder die opgezette dierenkoppen met hun glazen ogen.

Toch kwam ik overeind en ging ik verder met mijn zoektocht in de privévertrekken van Constantine Cloyce. Uiteindelijk kwam ik bij de slaapkamer met aangrenzende badkamer.

# 39

Hoewel de slaapkamer heel gewoon leek, zou het goed kunnen dat Cloyce zijn slachtoffers hier steeds had gemarteld en vermoord. Dat zou ik pas zeker weten als ik een paar dvd's had bekeken, maar dat zou er nooit van komen.

Het bed was afgehaald. Ik nam aan dat de lakens in de was waren gedaan, de was die Victoria Mors had willen doen maar waarbij ze door mij was onderbroken.

Tegenover het bed hing een groot plasmatelevisiescherm aan de muur, wat contrasteerde met het antieke meubilair. Ik kon me goed voorstellen waarnaar hij keek als hij niet kon slapen.

Ineens bedacht ik me iets. Voordat hij iets met een nieuw buitgemaakte vrouw uitspookte, liet hij haar misschien zien wat haar te wachten stond door samen met haar een paar van zijn favoriete dvd's te kijken.

De dag waarop Stormy me ontviel, zal altijd de zwartste dag van mijn leven blijven, hoewel ik daarna op steeds duisterdere plekken lijk te zijn verzeild geraakt.

Ik begon te rillen en kon niet meer ophouden.

In de ruime badkamer stonden verschillende antieke apothekerspotten met glazen stoppen, die zo vakkundig gemaakt waren dat ze de inhoud net zo goed afsloten als rubberen doppen. In de potten zaten witte poeders die qua substantie lichtelijk van elkaar verschilden.

Ik heb nooit geprobeerd de last te verlichten die mijn gave met zich meebrengt door drugs te nemen. Ik zie al genoeg vreemde dingen om het zonder hallucinerende middelen te kunnen stellen. En ik heb vaak bij anderen gezien dat hun verslaving aan chemisch opgewekte euforie onderhevig is aan iets wat op de wet van de zwaartekracht lijkt: wat omhooggaat, stort op een gegeven moment onvermijdelijk naar beneden.

Hoewel ik op grond van de geur of de smaak niet zou kunnen zeggen welk van de poeders cocaïne of heroïne of wat dan ook was, stond het voor mij als een paal boven water dat het hier om drugs ging, al was het alleen al vanwege een zilveren dienblad dat naast de potten lag, met daarop een kort zilveren buisje, het soort dat door de meer trendy gebruikers van coke gebruikt werd. Ook zag ik op het dienblad een diepe lepel, een half opgebrande kaars, en injectienaalden in wegwerpverpakkingen.

Cloyce was een imposante verschijning, iemand die zich altijd voordeed en gedroeg als een aristocraat die graag gezien en bewonderd wilde worden, breedgeschouderd en gespierd, met een doordringende, alerte blik in de ogen, en daardoor was het nooit bij me opgekomen dat hij misschien wel eens zwaar aan de drugs kon zijn. Maar als hij op eenvoudige wijze Tesla's machine kon gebruiken om de jaren terug te draaien en weer net zo jong te zijn als hij wilde, kon hij misschien ook de ondermijnende effecten op de langere termijn terugdraaien die heroïne en dergelijke op hem hadden.

Als ze bij tijd en wijle de gevolgen van destructief drugsgebruik teniet konden doen, waren ze misschien alle zeven wel verslaafd. Door eigen toedoen zaten ze gevangen op Roseland, vastbesloten om de dood te slim af te zijn, maar daardoor steeds minder belevend. Ze hadden alle reden om pillen te slikken, coke te snuiven, of heroïne of wat dan ook in hun aderen te spuiten.

Er was in elk geval geen enkele reden om dat niet te doen. Doordat ze steeds minder van de wereld zagen, tripten ze op verdovende, stimulerende of hallucinerende middelen.

In het medicijnkastje stonden heel wat potjes die uit de apotheek waren gehaald. Geen ervan leek bedoeld te zijn om een ziekte of een kwaal te verhelpen of te verlichten. Ze werden puur voor recreatieve doeleinden gebruikt.

Ik bleef maar rillen en werd steeds kouder, tot ik het gevoel had dat er ijs in mijn bloedbaan terecht was gekomen.

Deze mensen hadden totaal geen scrupules, verwachtten nog eeuwen te kunnen leven, hadden zich ontdaan van alles wat menselijk was, geloofden dat ze van alles konden doen zonder daarvan de consequenties te hoeven dragen, waren in hun wreedheid het menselijke ontstegen en leken meer op de harteloze goden die waren geschapen door de primitieve mens in de oertijden. Ze waren onuitsprekelijk kwaadaardig en kenden geen genade in de verwezenlijking van hun zwartste verlangens.

Voeg hierbij nog het effect dat drugs op hen hadden, en genadeloze en moordzuchtige vampiers zouden met hen vergeleken zachtaardige wezens lijken. De bewoners van Roseland waren ontegenzeglijk grotere monsters dan de gedrochten die Kenny varkenskoppen noemde.

Wat er in mijn fantasie op de dvd's stond, zou lang niet zo afschuwelijk zijn als de werkelijke beelden die ze bevatten.

En plotseling drong het tot me door dat Victoria me had voorgelogen toen ze zei dat anderen Cloyce hadden geassisteerd in het opsporen van vrouwen met wie hij zijn wrange spelletjes kon spelen. In tegenstelling tot hem waren die anderen niet geïnteresseerd in martelen en moorden. Als ze niet meededen aan de bloederige feestjes van Cloyce, kwam dat doordat ze eigen weerzinwekkende verlangens hadden die ze wilden vervullen.

Ik had gedacht dat ik de geheimen van Roseland nu uiteindelijk kende, maar het bleek dat er nog meer en ergere overbleven om ontdekt te worden. Ik zou er niet naar op zoek gaan. Ik hoefde ze niet te weten. Ik zou er niet tegen kunnen. Als ik te lang en te intensief getuige was van demonische zaken, zou ik me de waanzin en nog erger toe-eigenen.

Ik stapte uit de badkamer in de veronderstelling dat ik het hier wel gezien had, maar toen viel mijn oog op een bureau in de hoek van de kamer, waar een computer stond. Intuïtie gooide een lijntje uit, kreeg me aan de haak en haalde me in, zodat ik naar de stapel papier werd getrokken die op het bureaublad lag.

Ze lagen met de tekst naar beneden, en toen ik de vellen omdraaide, zag ik dat het uitgeprinte verhalen waren die Cloyce van internet had geplukt. Geen recente berichten. Ze gingen over een jonge snelbuffetkok die had afgerekend met moordenaars die verantwoordelijk waren voor een bloedbad in het winkelcentrum van Pico Mundo, Californië, meer dan anderhalf jaar geleden. Daarbij waren eenenveertig gewonden gevallen en negentien mensen om het leven gekomen. Als de jonge snelbuffetkok niet in actie was gekomen, zo verklaarde de politie, zouden er honderden slachtoffers zijn gevallen. De zogenaamde held zag zichzelf niet als een held en weigerde de media te woord te staan. De enige foto die van hem in de kranten verscheen, was een foto uit het jaarboek van zijn middelbare school, waarop hij tamelijk belachelijk en onbenullig overkwam.

Cloyce had meer over me te weten willen komen.

Nu hij wist wie ik was, wist hij waarschijnlijk dat ik verantwoordelijk was voor de verdwijning van Victoria.

Nu ze niet alleen op zoek waren naar Victoria maar ook naar mij, zou het praktisch onmogelijk worden om de jongen te bevrijden en levend uit Roseland weg te komen.

Ik voelde dat iemand een hand op mijn schouder legde, en even dacht ik dat mijn haar op slag wit zou worden. Maar het was Cloyce niet, maar meneer Hitchcock. Hij stak een duim naar me op, alsof hij me wilde verzekeren dat alles goed zou komen.

Ik zei: 'Nou, dat hoop ik.'

Hij stak twee duimen omhoog en loste op in het niets.

# 40

Ik stond op de hoek van de westvleugel te luisteren naar de vier die op zoek waren naar Victoria. Ze hadden de kamers in de lange zuidvleugel doorzocht en gingen in tweetallen te werk, waarbij ze zorgden elkaar niet al te ver uit het oog te verliezen.

Als ze al niet bang waren, maakten ze zich in elk geval flink veel zorgen. Ze hielden er rekening mee dat Victoria niet meer in leven was. Als ze vermoord was, zou haar garantiebewijs voor fysieke onsterfelijkheid niets meer waard zijn gebleken. En als Victoria binnen de veilige muren van Roseland om het leven was gebracht, zou de rest datzelfde lot kunnen treffen.

Ze stonden bij elkaar aan het eind van de zuidvleugel, en ik hoorde dat ze via de diensttrap naar de benedenverdieping wilden gaan om dan vanuit de keuken hun zoektocht voort te zetten. Toen de dreunende voetstappen op de trap waren weggeëbd, betrad ik de zuidvleugel en liep ik snel naar de kamer waar de jongen gevangengehouden werd.

Het huis was enorm groot, en doordat ze alle vertrekken zo grondig doorzochten, schoten ze niet snel op. Op een gegeven moment echter zouden ze bij het ketelhok komen, en daar zouden ze Victoria vinden, vastgebonden en gekneveld. En dan zouden ze weten dat ik hier in huis was, ook al leek alles daarmee in tegenspraak. Victoria en de kok zouden dan ook gaan meezoeken. Henry Lolam, die gedwongen was in het wachthuisje bij de poort te blijven zitten zolang de gedrochten over het terrein zwierven, zou de enige zijn die niet het genoegen zou mogen smaken een kogel in me te pompen.

Zonder te kloppen ging ik de kamer van de jongen binnen.

Als hij al in trance was geweest, met naar achteren gedraaide ogen, hadden zijn vader en de anderen hem daarin gestoord toen ze de kamer doorzochten. Hij zat in zijn fauteuil, omringd door de boeken met behulp waarvan hij probeerde een leven te leiden.

Hij zag er nietig en ellendig uit. Blijkbaar had hij niet gedacht dat ik zou terugkomen.

Ik ging tegenover hem op de poef zitten en zei: 'Timothy. Zo heet je. Timothy Cloyce.'

'Ze zijn naar u op zoek,' zei hij.

'Nog niet. Eerst zijn ze op zoek naar Victoria, maar als ze haar eenmaal gevonden hebben, zullen ze achter mij aan komen.'

'Sondra,' zei hij.

'Wat?'

'Destijds heette ze nog Sondra. Haar achternaam weet ik niet meer. Volgens mij heb ik die ook nooit gehoord.'

'Kende je haar?'

'Zij en Glenda – die tegenwoordig Valerie Tameed heet. Ze waren zijn maîtresses. Ze deden triootjes – u weet wel, dat ze met z'n drieën het bed deelden.'

Ik moest erg wennen aan het feit dat hij op de hoogte was van seksuele zaken, al wist ik dat hij ouder was dan de negen jaar die hij leek te zijn. Volgens het bordje in het mausoleum was hij in september 1916 geboren, dus hij was nu vijfennegentig. Hij had de kennis van een belezen man van die leeftijd, maar hij had geen enkele ervaring op dat gebied.

Ook nu weer vielen me zijn lichtbruine ogen op, die een intense, aan wanhoop grenzende eenzaamheid uitstraalden. Ik kreeg de indruk dat hij somber was en zich ellendig voelde, al was hij misschien niet radeloos. Nooit eerder had ik het meegemaakt dat iemand me alleen al door zijn blik intens verdrietig stemde.

Hij leefde al zo lang op deze manier dat het een wonder was dat hij niet was doorgedraaid. Misschien was hij diep vanbinnen in bepaalde opzichten een kind gebleven, verwonderd en vol koppige hoop, waardoor hij de moed nog niet had opgegeven.

Ik pakte de handdoek uit de kussensloop, haalde de ijzerzaag tevoorschijn en moest enige schroom overwinnen om Madra ter sprake te brengen. Ik hield mezelf voor dat Timothy geen kwetsbaar kind was – of in elk geval niet alleen maar een kind.

'Je vader heeft je moeder doodgeschoten. Waarom?'

'Ze werd geacht bij mij in Malibu te blijven, waar hij de helft van de tijd was. Als hij daar niet was, zat hij hier. Roseland was zijn toevluchtsoord, het exclusieve domein van hem en zijn vrienden. Mijn moeder was een lieve vrouw... en veel te onderdanig. Misschien had ze zo'n vermoeden dat hij er andere vrouwen op na hield, maar toch protesteerde ze niet als hij hiernaartoe ging. Ze kwam hier nooit... tot hij zijn favoriete paard van Malibu naar Roseland liet overbrengen.'

Ik zei: 'Een grote zwarte hengst. Een Fries raspaard.'

'Hij heette Black Magic, maar ze noemden hem altijd alleen Magic. Magic had hij voor haar gekocht. Toen het haar favoriete paard werd, besloot hij dat het ook zijn favoriete paard was. Dat deed hij constant: haar dingen geven en ze vervolgens afpakken.'

Ik pakte Timothy's rechterhand en stroopte de mouw van zijn trui op, zodat het zendertje bloot kwam te liggen.

'Ze is hier op een gegeven moment onaangekondigd naartoe gegaan, om haar paard op te halen. Mij had ze meegenomen, omdat ze dacht dat hij haar nog wel de toegang zou kunnen weigeren, maar niet ons allebei.'

Ik legde zijn arm op de stoelleuning en vertelde dat hij zich stevig aan de stoel vast moest houden, om te voorkomen dat de armband onder het zagen weg zou glijden.

'Het was voor die tijd een flinke reis, vier uur lang in een T-Ford, een ontstellend avontuur, vooral voor een vrouw alleen met een zoontje bij zich. Ik weet nog goed hoe spannend ik het vond.'

De armband zat zo strak om zijn pols dat ik er met moeite een hoekje van de handdoek onder kon schuiven. Als de ijzerzaag door het laatste stukje van het staal schoot, zou het zaagblad worden opgevangen en niet meteen in zijn huid snijden.

Hij zei: 'Ze keek er helemaal niet van op toen ze Paulie Sempiterno bij de poort tegenkwam. Hij werkte al tijden als bodyguard van mijn vader. Paulie belde mijn vader op voordat hij ons doorliet.'

Ik ging er zonder meer van uit dat ik vijftien of zelfs twintig minuten had voordat Cloyce en zijn teamgenoten Victoria – voorheen Sondra – zouden vinden.

'Moeder keek haar ogen uit op Roseland. Ze wist dat hij er een exclusieve boel van wilde maken, maar ze had geen idee dat hij zoiets spectaculairs voor ogen had gehad. Hij had haar nooit bij de plannen betrokken. Hij was erg dominant. En zoals ik al zei, stelde ze zich altijd onderdanig op… tot op zekere hoogte.'

Nadat ik de ijzerzaag had gecontroleerd, stelde ik de spanning bij door de vleugelmoer aan te draaien.

'Sondra en Glenda verbleven in de gastenvleugel. Mijn vader maakte mijn moeder wijs dat daar de bedienden sliepen, en ze deden voor die korte tijd dat ze op Roseland zou zijn net alsof ze van het personeel waren. Natuurlijk was het helemaal niet de gastenvleugel of de personeelsvleugel, maar de hoerenvleugel.'

Waarschijnlijk zou ik er nooit aan wennen een ogenschijnlijk negenjarige jongen zulke taal te horen bezigen. Ik stond op en boog me over hem heen om hem van de armband te bevrijden.

'Mijn moeder zag dat er elke dag mensen van buiten kwamen om de paarden te verzorgen, maar ze vroeg zich af hoe het kon dat er op zo'n groot landgoed maar twee dienstmeisjes, een kok en een paar bewakers nodig waren. Waar waren bijvoorbeeld de tuinmannen om het gras en de bloemen bij te houden?'

De armband bestond uit drie evenwijdig aan elkaar lopende rijen schakels, als bij een horlogebandje. Als de drie rijen onderling verbonden waren, zou ik het zwakste punt hebben kunnen doorzagen, maar dat was niet het geval. Ik moest door meer dan vijf millimeter staal heen zagen.

'Mijn vader maakte haar wijs dat de tuinmannen die dag altijd vrij hadden, allemaal op dezelfde dag, een dinsdag. Hij zei dat er drie dagen per week een grote ploeg huishoudsters langskwam, maar dat Sondra en Glenda de enigen van het personeel waren die fulltime in dienst waren.'

Eerst moesten de tanden van het zaagblad greep krijgen op het metaal. Om te voorkomen dat het zaagje knapte, maakte ik lange halen zonder al te veel druk te zetten.

'Ik weet niet wat hij allemaal tegen mijn moeder heeft gezegd, maar volgens mij wist ze wel dat hij haar maar wat op de mouw speldde.'

Eerst zaagde ik alleen maar één kant op, tot er een lichte inkeping was ontstaan en het blad meer greep had. Daarna zaagde ik heen en weer.

'Die middag liet hij zich vermurwen en vond hij het goed dat ze Magic zou meenemen. Maar omdat ze per se bij het transport wilde zijn als het paard naar Malibu werd overgebracht, en het te laat was om het vervoer te regelen, bleven we eten en slapen.'

Omdat ik steeds op hetzelfde punt moest blijven zagen, moest ik me goed concentreren, zodat ik niet naar Timothy keek, maar aan de hand van wat hij vertelde, kwamen er beelden in mijn hoofd en kon ik me zijn verhaal levendig voor de geest halen.

Die noodlottige avond kreeg hij dekens en een kussen, zodat hij zich kon installeren op de bank in de salon van zijn vaders suite. Zijn ouders sliepen in dezelfde suite in de aangrenzende slaapkamer.

Timothy was moe maar ook opgewonden doordat hij in een vreemde omgeving vertoefde, en hij was gespannen, al wist hij niet goed waarom. Hij sliep onrustig en werd 's nachts wakker toen zijn vader, in een badjas en op sloffen, door de salon naar de deur ging en de gang op liep.

De jongen was dol op radiohoorspelen, vermoedde dat er een spannend avontuur gaande was en besloot de rol van detective op zich te nemen. Hij kwam van de bank af, liep snel naar de deur, deed die zachtjes open en glipte de gang op.

Ondanks alle opwinding was hij op zijn hoede. Hij volgde zijn vader op diens tocht door het huis, hield steeds zoveel afstand dat hij zijn doelwit twee keer bijna kwijtraakte, en uiteindelijk raakte hij hem daadwerkelijk kwijt. Timothy doolde door de gangen van het landhuis, voornamelijk bij het spookachtige licht van de volle maan dat door de grote ramen viel.

Na een tijdje was hij zonder het te weten in de gastenvleugel op de begane grond terechtgekomen, waar licht op de gang brandde. Hij hoorde stemmen in een van de kamers, het zachte gelach van een vrouw, en het gekerm van een andere vrouw.

Hij luisterde aan de deur, ving zo nu en dan tussen de opgewonden kreten en het gekreun een gedempt woord op, en hoorde zowel mannen- als vrouwenstemmen. De jonge Timothy wist niet of het uitingen van plezier of van pijn waren, maar hij raakte ervan overtuigd dat er iets ontzettend raars en belangrijks gaande was.

De helden van de hoorspelen waarnaar hij graag luisterde, waren slim, moedig en onverschrokken. Ze vreesden nooit voor hun eigen leven en deinsden nergens voor terug. En omdat ze altijd op het juiste moment toesloegen, boekten ze de ene na de andere overwinning.

Hij schraapte zijn moed bijeen en deed de deur voorzichtig open.

Hij zag een schemerige zitkamer, en het enige licht kwam uit de openstaande deur naar de aangrenzende slaapkamer.

Als door een magneet aangetrokken liep de jongen door de duistere kamer in de richting van het perzikkleurige schijnsel, dat van twee bedlampjes met geplisseerde kap afkomstig bleek.

Vlak voor de drempel bleef hij staan toen hij zijn vader zag, op het bed, samen met Sondra en Glenda. Hij was te jong, in die nog onschuldige periode van zijn leven, om precies te weten wat hij zag, maar hij zou het kunnen hebben begrepen als hij niet in verwarring werd gebracht door het bondagespelletje dat ze speelden. Sondra had een hondenriem om en was met zwarte zijden touwen aan de bedspijlen vastgebonden.

Minstens zo raadselachtig was de aanwezigheid van Chiang Pu-yi, die tegenwoordig Jam Diu heette. Timothy had hem in voorgaande jaren regelmatig in het gezelschap van Cloyce gezien.

Later zou hij erachter komen dat Chiang Pu-yi steenrijk was en zakelijke belangen in Hongkong en Engeland had. Chiang en Constantine hadden elkaar in Londen ontmoet, waar ze allebei een paar dagen te gast waren bij Aleister Crowley, die aan magie deed, een sekte oprichtte en zichzelf 'het apocalyptische beest' noemde. De drie mannen vonden elkaar in hun onstuitbare machtswellust.

Die nacht in 1925 zat Chiang Pu-yi op een stoel naar het triotje te kijken. Hij was vreemd gekleed. Timothy wist niet meer wat voor kleren Chiang aanhad, omdat hij nogal overdonderd was door het feit dat de man, die veel ouder dan Constantine was, nu veel jonger leek dan de laatste keer dat de jongen hem had gezien.

Totaal in verwarring gebracht stond Timothy in de schemering bij de deuropening, niet langer dan een minuut, afwisselend vol afkeer en vol interesse. Hij werd steeds banger, al wist hij niet precies waar hij bang voor was.

Ineens kreeg Timothy door dat Chiang niet meer naar de mensen op het bed keek, maar naar hem. Toen Chiang grijnsde en de jongen daardoor wist dat de man hem zag, ging hij ervandoor.

Tegen de tijd dat hij weer naar boven was gerend, naar zijn slapende moeder, was hij door de bevreemdende scène in de gastenvleugel doodsbang geworden. Hoewel Sondra niet bang leek te zijn geweest, dacht de jongen dat ze haar misschien hadden willen doodmaken.

Het kostte hem moeite zijn moeder wakker te maken. Later begreep hij dat zijn vader haar na het eten stiekem een slaapmiddel had toegediend. Drie uur later was het effect ervan nog niet geheel uitgewerkt. Toch slaagde hij erin haar wakker te maken en haar op zijn kinderlijke manier duidelijk te maken wat hij had gezien.

Toen Madra doorkreeg dat ze gedrogeerd moest zijn geweest, wilde ze zo snel mogelijk met haar zoontje vertrekken. Als haar man haar dit kon aandoen – en had deelgenomen aan wat de jongen had gezien – zou hij tot de meest vreselijke dingen in staat kunnen zijn. Tijdens hun huwelijk had ze gemerkt dat hij soms onwaarschijnlijk fel kon reageren, iets wat hij steeds geprobeerd had te verbergen. Zonder een moment te verliezen, pakte ze de jas van Timothy en rende ze met haar zoontje naar beneden.

Ze verlieten het huis via de voordeur. Toen de T-Ford niet meer voor het huis bleek te staan, wist Madra niet waar ze de auto kon vinden, omdat ze geen garage had gezien. En ook al vonden ze de auto, zo besefte ze, dan zou het sleuteltje er misschien niet meer in zitten.

Wel wist ze waar de stallen waren, en waar ze haar geliefde Friese raspaard Magic kon vinden. Voor de hengst had ze gelukkig geen sleuteltje nodig.

Hoewel de jonge Timothy ondertussen trilde van angst en zijn moeder nauwelijks helder kon nadenken, waren ze zich er wel van bewust dat Constantine tegen die tijd naar hen op zoek zou zijn. Later zou de jongen erachter komen dat Chiang Pu-yi stoned was geweest en de jonge knul weliswaar had gezien maar er niet bij had stilgestaan wat voor implicaties dat had; in plaats daarvan was hij opgegaan in een perverse fantasie over wat voor rol de negenjarige jongen in dit verdorven spel zou kunnen spelen.

Moeder en zoon waren op blote voeten naar buiten gehold. Madra kon zo goed paardrijden dat ze niet de tijd nam om het paard te zadelen. Ze pakte een krukje, ging schrijlings op het paard zitten, trok de jongen omhoog, zette hem voor zich op de rug van het dier, en zei dat hij zich goed aan de manen moest vasthouden. Zelf hield ze zich daar met haar rechterhand aan vast, sloeg haar linkerhand om haar zoon, waarna ze in de richting van de poort reden, zo veel mogelijk uit het zicht van het huis, in korte galop, om te voorkomen dat de jongen van het paard zou glijden.

's Nachts was er niemand in het wachthuisje, omdat er dan geen bezoekers of personeel aan de poort kwamen. Madra was van plan de poort zelf open te doen en dan door te rijden naar de stad, waar ze misschien naar iemand toe kon gaan die ze kende en vertrouwde – of anders naar de politie – om te vertellen dat haar man haar had gedrogeerd en dat hij betrokken was bij weerzinwekkende praktijken waarvan hun jonge zoon getuige was geweest.

Toen het zaagje brak, werden de beelden onderbroken die de jongen met zijn woorden had geschetst.

Terwijl ik een reservezaagje uit het setje haalde dat ik had meegenomen, zei Timothy: 'Hij stond spiernaakt op de oprit, in het maanlicht, zo wit als een spook. Net een moment te laat zagen we dat hij een geweer bij zich had. Ik heb die keer nooit gezien dat hij mijn moeder vermoordde, omdat hij mij eerst doodschoot.'

# 41

Ik heb het al gehad over mijn foto uit het jaarboek van de middelbare school, waarop ik er tamelijk belachelijk en onbenullig uitzag. Nu Timothy had verteld hoe hij aan zijn eind was gekomen, merkte ik dat mijn gezicht zich in die maar al te bekende stand plooide.

Eerder die dag, toen ik me in de suite van de jongen verstopt had om me voor mevrouw Tameed verborgen te houden, had ze hem eraan herinnerd dat hij anders was dan de anderen, en had ze hem 'dood jongetje' genoemd. Ik had toen gedacht dat dat een dreigement was, zonder te beseffen dat ze dat letterlijk had bedoeld.

'Bij het eerste schot vloog ik van het paard. Ik was op slag dood. Het tweede schot trof Magic, maar hij was niet meteen dood. Er is me verteld dat mijn moeder op het paard bleef zitten toen de benen van het dier dubbelklapten, en dat mijn vader haar met het derde schot heeft vermoord. Daarna is hij naar de hengst toe gelopen om het beest af te maken. Ook gaf hij mijn moeder nog de kogel, twee keer, hoewel ze al niet meer leefde.'

Ik wilde mezelf niet laten afleiden door welke openbaring dan ook, al was die nog zo verbijsterend, en al was dat een tamelijk onmogelijke taak. Het zou niet lang meer duren voor Cloyce en de zijnen in de kelder zouden gaan zoeken, als ze dat inmiddels al niet deden, en dan zou het een kwestie van minuten zijn voordat ze Victoria Mors vonden.

Naar aanleiding van het verhaal over het bondagespel dat ze met Cloyce gespeeld had, bedacht ik dat Victoria er mogelijk stiekem van genoten had toen ik haar sloeg, vastbond en uiteindelijk knevelde.

In elk geval weet ik zeker dat ze er zeer van genoten had om me herhaaldelijk in het gezicht te spugen.

Ik haalde het gesprongen zaagblad uit de zaag en merkte dat mijn handen trilden toen ik zei: 'Dood. Dat snap ik niet. Hoe kun je nou dood zijn? Je bent hier toch?'

Die glasheldere koorknapenstem kreeg weer een ondertoon die te ernstig was voor een kind. 'Bent u naar het mausoleum geweest, zoals ik u gezegd had?'

'Ja. Ook naar de kelder, en nog lager.'

Ondanks het warme schijnsel van de lamp zag hij asgrauw, en alle kleur was van zijn lippen verdwenen. 'Dus u hebt het gezien.'

'Ja.'

'Weet u ook al over Nikola Tesla?'

'Ja. Onder het landgoed en in de muur die om het terrein loopt... een of andere machine waarmee... de tijd kan worden gereguleerd.'

'De gebouwen en het terrein worden permanent in een bepaalde staat gehouden,' zei Timothy. 'Misschien zou je het schijndood kunnen noemen, maar dat is het niet.'

'Een statische toestand?' opperde ik.

'Maar de energie waarmee het landgoed in die staat wordt gehouden, heeft geen invloed op het verouderingsproces van mensen. Als ze ouder worden dan ze willen zijn, moeten ze een andere machine gebruiken, en die staat boven in de...'

'... toren,' vulde ik aan, terwijl ik een nieuw zaagblad in de zaag zette. 'Die machine heb ik niet gezien. Dat was gewoon een gokje van me.'

Door mijn onvaste hand schoot ik minder snel op dan ik zou willen, en ik snapte niet waarom ik zo trilde. Wat Timothy me had verteld, was niet erger dan de dingen die ik al eerder op Roseland had ontdekt.

Hij zei: 'Die machine noemen ze de chronosfeer. Als je het verleden ziet als de diepte van de tijd, en het heden als het oppervlak, beweegt dat ding zich door de tijd zoals een bathysfeer in diepe zeeën. In elk geval één kant op.'

Ik stelde de spanning van het nieuwe zaagblad bij. Mijn handen trilden nu meer dan ooit, alsof ik door de tijdsverwarring op Roseland ineens zo oud was geworden dat ik parkinson had gekregen.

'Als ze met die machine teruggaan in de tijd,' ging de jongen verder, 'vallen de jaren van hen af. Dan krijgen ze weer een jong en sterk lichaam, omdat het lichaam iets materieels is. En hoewel hun hersenen ook verjongd worden, heeft dat geen effect op hun persoonlijkheid en hun kennis en herinneringen, omdat de geest onstoffelijk is.'

'Waarom verouderen ze dan niet meteen als ze weer in het heden terugkomen?'

'Omdat ze niet via de tijd terugkeren, maar buiten de tijd om. De chronosfeer is niet gewoon een machine die eerst teruggaat in de tijd en dan weer de andere kant op, maar hij kan ook zijwaarts gaan, dwars door het membraan dat de tijd scheidt van wat erbuiten ligt. Ik wil niet beweren dat ik het begrijp. Volgens mij begrijpen ze het geen van allen precies. Alleen Tesla wist hoe het zat, en misschien is hij de enige die het überhaupt kón snappen. En Einstein.'

In mijn achterhoofd doemde een vaag en duister idee op, als een schim in een hoek van een kamer. Ik probeerde me ervoor af te sluiten, omdat ik bang was dat dat idee met me op de loop zou gaan en ik dan dingen zou gaan doen die me te gronde zouden richten, plus alles wat belangrijk voor me was. Nu wist ik waarom ik zo trilde.

De leeftijdsloze jongen zei: 'Ze gaan met de machine terug in de tijd en komen vervolgens weer terug. Het is niet verstandig om in een andere tijd uit te stappen.'

'Maar kan dat wel?'

'Je kunt de knoppen dusdanig instellen dat je de chronosfeer ergens in het verleden parkeert. Zo zou je in principe naar elk gewenst punt in het verleden kunnen reizen. Maar dat wordt niet gedaan.'

'Waarom niet?'

'De bijzonderheden van het tijdreizen zijn nog steeds niet goed bekend. Je kunt maar beter geen risico's nemen. Uit wat Nikola Tesla heeft ontdekt, lijkt het duidelijk dat je niets in het verleden kunt veranderen, omdat alles al vastligt. Met wat je in het verleden doet, kun je geen invloed op de toekomst uitoefenen. Wat gebeurd is, zal weer gebeuren. Elke verandering die je dan bewerkstelligt, wordt ongedaan gemaakt door... noem het het lot. Maar we weten te weinig van de risico's die ermee verbonden zijn.'

Toen mijn handen niet meer zo erg trilden, zette ik het zaagblad in de inkeping die ik al had gemaakt. 'Maar je vader heeft die machine juist wél op die manier gebruikt.'

'Het was niet zijn bedoeling om mij te vermoorden, alleen mijn moeder. Toen hij ons had neergeschoten, had hij een kort moment van berouw.'

Terwijl ik verder ging met het doorzagen van de armband, zei ik: 'Dus hij is een stukje in de tijd teruggegaan, naar het moment vlak voordat hij je vermoordde. En daar heeft hij de chronosfeer geparkeerd.'

'Hij is inderdaad terug in de tijd gegaan. Hij stond ons in de stallen op te wachten, had een pistool bij zich en schoot haar toen voor mijn ogen neer.'

Toen de jongen had verteld over het moment dat Cloyce zijn moeder doodschoot toen ze samen met hem op Magic wilde vluchten, had hij gezegd: *Ik heb die keer niet gezien dat hij mijn moeder vermoordde.*

Die keer.

'Hij schoot Magic niet dood, alleen haar. Maar toen hij samen met mij terugging naar het heden, lag de hengst nog steeds dood op het gras bij de poort. En mijn moeder ook. En ik ook.'

Ik haalde de zaag van de armband af.

Steeds wanneer ik in de peilloze ogen van de jongen keek, zag ik een ernstig gewonde ziel die me vanuit de gevangenis van zijn leeftijdloze lichaam aankeek, iets wat me ten zeerste bedrukte. Toch voelde ik me geroepen hem aan te kijken, zodat hij in mijn ogen kon zien dat ik zijn afschuwelijke lot begreep, zonder dat ik erover hoefde te beginnen.

'"Wat gebeurd is, zal weer gebeuren,"' zei ik, iets wat hij zelf had gezegd. '"Noem het het lot."'

Door zijn zoon uit de afgeronde geschiedenis terug te halen, door hem *buiten de tijd* te plaatsen en vervolgens naar het heden terug te brengen, had Constantine Cloyce een paradox geschapen. Ik had in films en boeken talloze paradoxen gezien, maar geen die hieraan kon tippen. Als je er te lang over nadacht, zou je geest in een gordiaanse knoop raken zonder dat die ooit nog ontward kon worden.

Timothy zei: 'Ze hebben mijn moeder naar de onderste kelder van het mausoleum gebracht, zodat hij naar haar kon kijken wanneer hij maar wilde, om redenen die alleen uit zijn verwrongen geest konden ontspruiten. Sempiterno en Lolam – die toen nog Carlo Luca en James Durnan heetten – werkten de hele nacht door, samen met Chiang, om het paard in een van de weides te begraven.'

Ik begon weer te zagen en zei: 'En jouw lijk? Ik bedoel... het lijk van die andere Timothy?'

'De kogel was er dwars doorheen gegaan, zodat niemand kon achterhalen met welk wapen ik... hij was vermoord. Ze hebben het lijk in de auto van mijn moeder gepropt, in de beenruimte van de passagiersstoel. Glenda is toen via de Coast Highway naar het zuiden gereden en heeft de auto op een parkeerplaats neergezet waar bijna geen mens kwam. Sondra was in een andere auto achter haar aan gereden. Ze besmeurden de stoel en de vloer van de T-Ford met het bloed van mijn moeder en lieten de auto daar achter, met de portieren open.'

'Een poging tot ontvoering die scheef is gelopen?'

'Het was de bedoeling dat de politie dat zou denken.'

'De boeven ontvoerden je moeder, maar ze stierf voordat er losgeld kon worden geëist.'

'Zoiets.'

'En de politie trapte erin?'

'Mijn vader genoot veel respect. Bovendien konden bepaalde functionarissen in die tijd met geld worden beïnvloed, zoals dat nu ook nog het geval is. Hij wist wie hij moest hebben, en hoe hij zijn invloed kon uitoefenen.'

'De kranten moeten er vol van hebben gestaan.'

'Dat viel tegen. Vergeet niet dat hij veel kranten bezat. Hij zette zijn redacteurs onder druk. En zijn concurrenten zette hij onder druk door ze met belastende feiten te confronteren. In tegenstelling tot iemand als William Hearst had hij geen politieke vijanden, en toen hij zich op Roseland terugtrok, naar iedereen dacht in diepe rouw, als een depressieve kluizenaar, lieten ze hem met rust.'

'Jouw as... de as van de andere Tim staat in een urn in een nis van het mausoleum.'

'Ja.'

'Wiens as zit er in haar urn?'

'Daar zit geen as in. Officieel is haar stoffelijk overschot nooit gevonden. Haar begrafenis was puur symbolisch. En natuurlijk zit er ook geen as in de urn van mijn vader.'

Uiteindelijk had ik ook het laatste stukje doorgezaagd, waarna de armband met het zendertje van zijn pols gleed.

'Jarenlang hebben ze me letterlijk aan de ketting gelegd, of aan een riem, tot de technologie zover gevorderd was dat ze op deze manier altijd konden zien waar ik was.'

Ik legde de ijzerzaag weg en kwam overeind.

Terwijl Timothy uit zijn stoel opstond, zei hij: 'Ik ben dood. En toch leef ik. Mijn bestaan is die nacht beëindigd, en toch ben ik er nog. Verstandelijk heb ik me ontwikkeld en ben ik volwassen geworden, maar lichamelijk ben ik nooit meer veranderd. Mijn tijd als puber en volwassene heb ik via de boeken beleefd, door te lezen over het leven dat na mijn negende kwam. Ik ben voor altijd een jongetje gebleven, inmiddels langer dan ik kan verdragen.'

# 42

Ik had er schoon genoeg van. Ik had genoeg dood gezien. Genoeg waanzin. Genoeg verrassingen van het soort waarbij een feesthoedje ongepast is. Genoeg rarigheid. Genoeg Roseland. Als ze van het landgoed ooit een bed and breakfast zouden maken, hoefden ze geen bezoek van mij te verwachten.

Op onze hoede liepen Timothy en ik door de zuidgang op de bovenverdieping. Het was zo stil in huis dat ik het idee had kunnen krijgen dat ik doof was geworden, ware het niet dat mijn ingewanden rommelden doordat ik me te goed had gedaan aan de quiche en de cheesecake van meneer Shilshom.

Volgens Timothy kon je met de onwaarschijnlijk stille machine van Nikola Tesla niet alleen de tijd reguleren, maar kon je er ook alle elektriciteit voor het landgoed mee opwekken, door de thermodynamische energie op te slaan die bij de regulatie vrijkwam. Het was dus in wezen een perpetuum mobile, een perfect voorbeeld van groene energie. Jammer was dat het gepaard leek te gaan met de aanwezigheid van mensachtige varkens die iedereen wilden doden die hun pad kruiste.

Timothy vertelde dat er meestal heel wat jaren verstreken voordat de fantastische machinerie om de een of andere reden flarden van de toekomst naar het heden toe haalde, al gebeurde het op sommige tijden vaker dan anders. Ik had gewoon geluk gehad dat ik in het hoogseizoen op Roseland was aangekomen, want daardoor was mijn verblijf veel opwindender geweest dan wanneer ik naar Vermont was gegaan om de bossen in hun herfstpracht te bewonderen.

Doordat de gedrochten uit de weerzinwekkende toekomst van Kenny Mountbatten nog steeds om de haverklap in het heden opdoken, en doordat de stalen luiken nog steeds dichtzaten, kon ik alleen naar buiten via de route die ik had genomen om binnen te komen.

Als Constantine Cloyce en de zijnen Victoria eenmaal in het ketelhok hadden gevonden, zouden ze hevig verontwaardigd vanuit de kelder naar boven stormen, om op zoek te gaan naar een snelbuffetkok die ze om zeep konden helpen. We moesten een plek zien te vinden van waaruit we langs hen konden glippen, zodat we via de tunnel naar het mausoleum konden ontsnappen.

Ik hield niet van de open ruimte op de trap. Ik hield niet van de onbeslotenheid van de bronzen wenteltrap in de leeskamer. Ik hield ook niet van de diensttrappen, want daarlangs zouden waarschijnlijk een ziedende Victoria Mors en haar kinky metgezellen naar boven komen.

Het enige wat me wel wat leek, was opgestraald te worden naar de plek waar we naartoe wilden, zoals in *Star Trek*, maar zo'n handzame manier van reizen was nog niet uitgevonden. Met getrokken pistool leidde ik de jongen naar het eind van de zuidelijke gang, langs de ingang naar de entresol van de leeskamer, en langs de westvleugel naar de diensttrap aan de voorkant van het gebouw.

Ik kan weliswaar niet kauwgom kauwen en basketballen tegelijk, of zelfs basketballen zonder kauwgom in mijn mond, maar wel kan ik snel denken terwijl ik me te voet verplaats. Dat moet ook wel, omdat ik nooit iets van tevoren plan. Het heeft geen zin om van tevoren iets te plannen als op elk moment de raarste dingen kunnen gebeuren. Omdat ik ter plekke wel zie wat me te doen staat, moet ik snel beslissingen kunnen nemen als het erop aankomt.

Timothy had daarentegen al wel een plan. Hij had veel over zichzelf nagedacht. Hij wilde naar de chronosfeer toe, niet om terug te keren naar die nacht waarin zijn moeder aan haar eind kwam, maar om naar 1915 te gaan, toen hij nog niet was verwekt. Door de tijd te betreden waarin hij nog niet bestond, hoopte hij dat hij zou *ophouden* te bestaan.

In de loop der jaren, wanneer het hem allemaal te veel werd, had hij overwogen zelfmoord te plegen, maar uiteindelijk had hij dat toch niet gedaan omdat hij dacht dat zijn vader hem niet zo gemakkelijk zou laten gaan. Misschien had Constantine ooit van zijn zoon gehouden, maar de laatste decennia niet. De op leeftijd zijnde Cloyce was wel gehecht aan zijn rijkdom, zijn bezittingen, zijn *speeltjes*, en hij zou het niet toestaan dat iemand iets van hem afpakte. In Constantines ogen was de jongen zijn bezit, en hij zou zeker proberen de zelfmoord ongedaan te maken door terug te gaan in de tijd, om een Timothy in het heden terug te brengen die zichzelf nog niet om het leven had gebracht. Daarna zouden ze de jongen nog meer restricties opleggen, en zou zijn bestaan nog ondraaglijker worden.

Ik wist zeker dat Timothy daarin gelijk had. Maar ik wist niet of hij wel wist wat er zou gebeuren als hij terugging naar een tijd waarin hij nog niet verwekt was. De paradox die hij nu vormde, was lang niet zo gecompliceerd als de paradox die hij dan zou creëren.

Zelfs als het zijn lotsbestemming was om op zijn negende dood te gaan, in 1925, en zelfs als hij er niet meer tegen kon om er voor altijd als een kind uit te zien, vond ik het moeilijk om hem te helpen zijn plan ten uitvoer te brengen, met behulp van de chronosfeer, want dat zou in het beste geval een passieve vorm van zelfmoord zijn. Ik wilde dat hij nieuwe hoop kreeg, en hoop lag besloten in vrijheid, niet in capitulatie.

Terwijl ik nadacht en we ondertussen langs de diensttrap naar beneden liepen, besloot ik dat we in de toren niet meteen naar boven zouden doorlopen, maar eerst bij Annamaria langs zouden gaan. Annamaria was misschien net zo ondoorgrondelijk als de figuren die Alice aan de andere kant van de spiegel tegenkwam, maar ik wist dat ze met meer wijsheid over Timothy kon oordelen dan ik, gezien het bedroevend lage Wijsheidsniveau van Odd Thomas, dat ze zou moeten overtreffen.

Toen we op de begane grond aankwamen zonder neergeschoten of bespuugd te zijn, koos ik ervoor meteen door te lopen naar de kelder, ondanks het feit dat de anderen daar misschien ook nog waren. Verkennen is ontdekken wat er voor je ligt, en het gevaar daarbij is dat je zélf ontdekt kunt worden door datgene wat voor je ligt, nog voordat je de kans hebt gekregen zelf iets te ontdekken.

Terwijl we langs de trap naar beneden liepen, keek ik een paar keer om, om er zeker van te zijn dat de jongen dicht bij me bleef, wat inderdaad het geval bleek. De tweede keer dat ik dat deed, schonk hij me een glimlach, om me te laten merken dat hij snapte dat ik bezorgd was. Het was voor het eerst dat ik hem zag glimlachen. Hij mocht dan wel vijfennegentig zijn, maar hij was ook nog een jonge, kwetsbare jongen. Hij had een glimlach waarmee hij je hart brak.

Op dat moment wist ik dat ik hem niet zou kunnen helpen.

Met zijn glimlach maakte hij duidelijk dat hij veel vertrouwen in me had, en dat was veelbetekenend, zoals het in politiefilms veelbetekenend is dat de minder belangrijke ster al in de tweede scène tegen de hoofdrolspeler zegt dat hij van plan is de minder belangrijke vrouwelijke ster ten huwelijk te vragen. Nog geen drie scènes later zal hij morsdood worden geschoten, zodat de hoofdrolspeler een kogelregen zal trotseren zonder ook maar één keer geraakt te worden, twintig gangsters om zeep zal helpen en dan tranen in zijn ogen zal krijgen zonder dat iemand het idee krijgt dat hij een mietje is.

In overgrote meerderheid beogen films niet het leven na te bootsen, omdat het leven de clichés vermijdt die de kassa juist doen rinkelen. Maar soms bootst het leven de films na, meestal met vernietigende gevolgen zonder dat er popcorn tegenover staat.

De deur onder aan de trap naar de tunnel stond wagenwijd open. Aarzelend bleef ik op de laagste tree staan luisteren.

Er was verder niemand, alleen wij, twee schijtlijsters. Eigenlijk heb ik dat woord nooit goed begrepen. Niet alleen lijsters maar alle vogels poepen toch?

Er hing nog steeds een lichte ozongeur, net als een paar uur geleden. Ik rook verder niets anders, en ook hoorde ik niets.

Ik gebaarde naar Timothy dat hij even moest blijven wachten. Voorzichtig stapte ik de gang in.

De deuren aan het eind van de gang stonden half of helemaal open, alsof Cloyce en zijn kornuiten zo'n haast hadden gehad dat ze niet de moeite hadden genomen de deuren dicht te doen.

Rechts van me liep de gang naar de wijnkelder. Er was niemand te zien.

Links van me bevond zich de openstaande deur naar de bouwkeet die de schakel vormde tussen het huis uit het heden en het ongerepte land uit 1921. Ik zag de tekentafels, de bureaus en de oude houten archiefkasten.

Als Cloyce en de anderen nog steeds in de kelder aan het zoeken waren, zouden ze zonder enige twijfel te horen zijn geweest. De diepe stilte deed vermoeden dat ze Victoria inmiddels hadden gevonden, haar hadden bevrijd en naar boven waren gegaan om een onbenullige klokker op te sporen en hem zijn plaats in het grote geheel der dingen duidelijk te maken.

Ik keek achterom naar Timothy, die nog steeds in het trapportaal stond, en ik gebaarde dat hij kon komen. Ik wilde hem dicht bij me hebben, zodat ik hem vast kon pakken en we samen snel een kamer binnen konden schieten als er plotseling gevaar dreigde.

Lange gangen zijn gevaarlijk. Als goedbewapende lieden naar je op zoek zijn, sta je in de hele gang zonder enige dekking, en dan is het voor de schutter net een soort schietbaan.

Het beste wat je kunt doen, is om de afstand zo snel mogelijk te overbruggen, al valt het niet mee om je snel te verplaatsen zonder daarbij geluid te maken. De neiging ontstaat dan om je voort te bewegen zoals Sylvester doet als hij Tweety besluipt, overdreven, op je tenen, heel snel, wat een belachelijk gezicht is en bovendien nooit goed afloopt voor Sylvester.

Ik wist Timothy op ingenieuze wijze duidelijk te maken dat hij stil moest zijn, namelijk door een vinger tegen mijn lippen te drukken, en toen liepen we zo snel mogelijk de gang door, naar de wijnkelder. Het washok was de op een na laatste deur rechts, en toen we daar voorbijkwamen, zag ik dat de deur openstond, hoewel ik het hok dicht had gedaan, wat betekende dat Cloyce hier was geweest en ook weer was vertrokken.

Ook de deur naar het ketelhok stond open, maar vlak voordat we daar waren, stapte Jam Diu vanuit dat vertrek de gang op, en hij richtte zijn geweer op mij.

Mijn pistool was omlaag gericht, zodat mijn enige kans om hem uit te schakelen was als mijn kogel zou afketsen tegen de grond, een truc die zelfs voor Annie Oakley te hoog gegrepen zou zijn geweest.

'Laat vallen,' zei Jam Diu toen we waren blijven staan.

Met geen mogelijkheid zou ik mijn Beretta kunnen richten om hem neer te schieten voordat hij de trekker van de kaliber 12 had overgehaald en ons met hagel had volgepompt. Maar als ik het wapen liet vallen, was het sowieso met ons gebeurd. Dan zouden ze Timothy naar zijn gevangenis terugbrengen, en het leukste wat Constantine Cloyce dan met me zou kunnen doen, was me aan flarden snijden, zoals hij ook met de vrouwen had gedaan, om me vervolgens in de onderste kelder van het mausoleum neer te zetten, ook al was ik niet van het geslacht dat zijn voorkeur had.

'Laat vallen, zei ik,' bracht Jam Diu me in herinnering, alsof hij het idee had dat ik het beperktste concentratievermogen ter wereld had.

'Tja,' zei ik.

Fronsend zei hij: 'Is dat mijn Beretta?'

Met elkaar in gesprek gaan leek me beter dan elkaar overhoop knallen. Je weet maar nooit hoe een op zich uiterst onaangename dialoog een positieve wending kan nemen.

'Ja, meneer, dat klopt. Dit is inderdaad uw Beretta.'

'Je hebt mijn Beretta gestolen.'

'Nee, meneer. Ik ben geen dief. Ik heb hem geleend.'

Met een ruige toon van genegenheid zei hij: 'Een heerlijk pistool is dat. Ik ben dol op dat ding.'

'Nou, om eerlijk te zijn hou ik helemaal niet van wapens. Maar gezien de ontwikkelingen dacht ik dat het pistool me mogelijk nog eens van pas zou komen. Zoals nu.'

'Je hebt bij me ingebroken,' zei hij, duidelijk ontstemd doordat ik zijn privacy had geschonden.

'Nee, meneer. Ik heb een sleutel gebruikt om binnen te komen.'

'Constantine is niet goed bij zijn hoofd.'

'Dat vond meneer Sempiterno vandaag ook al.'

'Waarom heeft Constantine jou en die... die vrouw hier uitgenodigd?'

Ik zette een van mijn verklarende theorieën uiteen: 'Onbewust had hij hier misschien helemaal genoeg van en zocht hij iemand die er een eind aan kon maken.'

'Je moet me niet met Freud aan komen zetten, snelbuffetkok. Freud is allemaal flauwekul.'

'Nou, Annamaria kan anders ook behoorlijk overtuigend uit de hoek komen, op het griezelige af.'

'Mij overtuigt die trut totaal niet.'

'Met alle respect, meneer, ik moet opmerken dat u haar zelf niet gesproken hebt. Als u haar een kans zou geven, zou u wel anders piepen.'

'Leg dat pistool heel rustig weg.'

Nu hij had gezien dat ik zijn pistool had, wilde hij kennelijk niet dat ik het ding zomaar liet vallen. Blijkbaar zijn ook buitengewoon kapitaalkrachtige onsterfelijken zeer gehecht aan hun spullen.

'Tja,' zei ik.

Timothy zei: 'Chiang, we willen naar de chronosfeer toe. Laat me toch teruggaan naar de tijd waar ik thuishoor.'

Ik vond dat het zinnetje 'we willen naar de chronosfeer toe' best een oud liedje van David Bowie had kunnen zijn. Zelfs in gevaarlijke situaties maak ik vreemde gedachtesprongen.

De tuinman had zijn zachtmoedige zen-imago laten varen, en ook deed hij niet langer of hij tuinman was. Haat plooide zijn lange gezicht tot een rond gelaat, en de plafondlampen die in zijn ogen weerspiegeld werden, deden me aan slangentongen denken.

'Als ik mocht doen wat ik wilde, knul, zou ik je openrijten en je laten creperen terwijl je probeerde je ingewanden in je buik terug te duwen. En daarna zou ik de tijd tien minuten terugzetten om het allemaal nog eens dunnetjes over te doen.'

'Tja,' zei ik, omdat het ernaar uitzag dat dit niet een van die onaangename gesprekken ging worden die toch nog een positieve wending namen.

Misschien besefte Timothy dat de jaren van zijn gevangenschap misschien alleen maar het voorspel waren voor de gruwelen die een fantasierijke man als Diu met hem zou kunnen uithalen, want hij deed een stap in mijn richting.

'De laatste kans om je pistool neer te leggen, snelbuffetkok. Anders knal ik jullie neer, en misschien draai ik de tijd dan wel voor jullie allebei terug om dat nog eens te doen.'

'Het volstaat om me maar één keer neer te schieten, meneer. Ik wil u niet tot last zijn.'

Omdat ik verder niets anders kon bedenken, zakte ik licht door mijn knieën om de geliefde Beretta op de grond te leggen. Ik deed dat heel rustig, zoals hij bevolen had, zelfs zo rustig dat ik met gemak nog een keer jarig zou worden voordat ik het wapen uiteindelijk losliet.

Ik hoopte dat me een briljante zet te binnen zou schieten waarmee ik hem totaal kon overrompelen, zoals Jackie Chan zijn tegenstanders altijd overrompelde in die knokfilms. Maar ik ben geen Jackie Chan. Het bleek dat de varkenskoppen mijn redding waren.

Vijf meter achter Jam Diu vloog de deur van de wijnkelder open, en een van de gedrochten stormde de gang op. Het was geen gebocheld varken met een misvormde kop en te lange armen, maar een dat je een normaal exemplaar zou kunnen noemen. Een zwijnenkop met een wrede grijns, vervaarlijke tanden, vlezige neusvleugels, een vochtige snuit en gele ogen met de koortsige blik van iets wat door de met mos begroeide duisternis van een moerasdroom kruipt.

Kennelijk had het beest de doorgang in de muur van het mausoleum gevonden, de opening die ik niet meer had kunnen afsluiten. Via de kelders was het beest door de tunnel gegaan, tot dit moment van de waarheid.

Jam Diu draaide zich om toen de deur werd opengegooid, maar het varkensding was sneller dan je zou denken. Het beest kreeg de rechterarm van Diu te pakken en brak die als een dor stokje. Jam Diu, een prins van de tijd en een god te midden van stervelingen, schreeuwde het uit. Een hagelschot belandde doelloos in het plafond.

Terwijl dit allemaal gebeurde, riep ik naar Timothy dat hij het op een rennen moest zetten, maar hij was er al vandoor gegaan. Ik holde achter hem aan en was blij dat ik de Beretta nog had, hoewel een 9mm-pistool in deze krappe ruimte en tegen deze monsters misschien net zo weinig effectief was als wanneer je een Tyrannosaurus rex met een setje speelgoedpijltjes te lijf ging.

Toen we twee derde van de gang hadden afgelegd, op weg naar de diensttrap aan de westkant, waar we in rustiger tijden langs waren gekomen, drie minuten geleden, keek ik achterom en zag ik dat Jam Diu in stukken werd gescheurd, een beeld dat ik liever verdring. Achter het eerste monster kwam een tweede door de deur de gang op, en daarachter een derde.

# 43

Nadat Timothy de diensttrap op was gestoven, dacht hij kennelijk, net als ik, dat het geen goed idee zou zijn om door te rennen naar de bovenverdieping. Op de begane grond aangekomen gooide hij de deur van het trapportaal open en stormde de hal in. In het midden bleef hij staan en keek om zich heen, niet goed wetend wat hij nu verder moest.

Nu er al drie gedrochten het huis waren binnengedrongen, en er ook nog vijf zwaarbewapende leden van zelfontplooiingsclub De Outsiders rondliepen, allemaal op jacht, was de kans klein dat er ergens een rustig hoekje was te vinden waar we ongestoord thee konden drinken en het over literatuur konden hebben. En hoe sneller we naar boven zouden gaan, hoe sneller we nergens meer naartoe zouden kunnen.

De gedrochten waren geen intellectuelen en zouden niet eerst een uitgebreide discussie gaan voeren om het te volgen beleid te bespreken. Ze waren ook niet stom, en ook geen slaaf van hun impulsen, maar ik verwachtte niet dat ze lang in de kelder zouden blijven rondhangen als ze wisten dat er elders in huis veel meer vlees te halen was.

Hoewel ik geen gesnuif en gegrom hoorde, noch hun zware

voetstappen op de trap, nam ik aan dat het niet lang meer zou duren voordat ze naar boven zouden komen. Ik trok Timothy mee naar de grote salon.

Het reusachtige beeld van de wellustige Pan stond nog steeds op de sokkel onder de kroonluchter in het midden van de zaal, en ik kon wel raden welke kant de bosgod zou kiezen als het op een treffen tussen mij en een assertief wild zwijn uitliep. We slopen door het schemerduister langs de muur naar de bank waarachter ik me eerder had verstopt. Op onze hoede. Met gespitste oren. Waarschijnlijk zouden we ze eerder ruiken dan horen.

Nadat Cloyce en zijn team de kelder hadden doorzocht, was Jam Diu daar achtergebleven voor het geval ze mij hadden misgelopen. Maar het leek me sterk dat de gedrochten zo gedisciplineerd waren dat een van hen in de kelder zou blijven terwijl de anderen naar boven gingen om zich lekker uit te leven. Als we het nog een paar minuten konden uithouden, en als alle gedrochten naar boven kwamen, konden wij weer naar de kelder gaan om vervolgens door de tunnel te ontsnappen, al was ik niet dol op het vooruitzicht door de resten van meneer Diu te moeten baggeren.

Plotseling drong het tot me door dat we in de kelder angstwekkend dicht bij de binnenstormende gedrochten hadden gestaan zonder dat we hun stank hadden geroken.

'Ze stonken niet,' fluisterde ik. 'Je kunt altijd merken als ze in de buurt zijn omdat ze zo stinken.'

'Het zijn alleen de mismaakten die zo stinken,' zei Timothy.

Dat was niet eerlijk. Als ze niet stonken, konden ze misschien ook wel heel stil doen als ze wilden. Ik had me niet voorbereid op geurloze, geluidloze monsters die zomaar vanuit het niets konden opduiken.

Elders in huis klonk een geweerschot. De eerste kreet was een mengeling van woede en pijn, onmiskenbaar het geluid van een van de varkensachtige monsters.

Maar de tweede kreet, die niet lang op zich liet wachten, was de meest ellendige schreeuw die ik ooit had gehoord, en die ik nooit meer hoop te hoeven horen. Het geluid hield minstens een halve minuut lang aan, een vreselijke uiting van angst en ontzetting. Het ging me door merg en been en deed me denken aan dat gruwelijke schilderij van Goya, *Saturnus verorbert een van zijn kinderen*, nog bloedstollender dan de titel doet vermoeden.

Hoewel geen van de inwoners van Roseland een vriend van Timothy was, zelfs zijn vader niet, werd hij zo bang door de gepijnigde kreet dat hij zachtjes begon te huilen en over zijn hele lijf trilde.

In elke kreet kun je de stem van het slachtoffer herkennen. Ik was ervan overtuigd dat we zojuist getuige waren geweest van de dood van meneer Shilshom.

De werkelijkheid legt ons allen beperkingen op, en degenen die zonder beperkingen, regels of angst dachten te kunnen leven, waren daar nu blijkbaar ook van doordrongen geraakt.

Ik had geen medelijden met hen, omdat echt medelijden gebaseerd is op een verlangen de ander te helpen. Ik had geen enkele behoefte hen te hulp te schieten en daarbij mezelf en Timothy in gevaar te brengen.

Wel werd ik verrassend genoeg geraakt door de radeloosheid die uit Shilshoms stem klonk nu hij in de onvermijdelijke leegte stortte, iets wat de langgerekte, gekwelde doodskreet een wrange ondertoon verleende. De gehele mensheid, de goeden en de kwaden, komen ooit in dezelfde kille schaduw te staan, en zelfs een verdiende dood kan me tot in het diepst van mijn ziel raken.

Toen de kreet was weggeëbd, trad er een diepe stilte in.

Als we alleen met de Outsiders te stellen hadden, zouden we ons een paar minuten op een buitengewoon uitgekiende plek kunnen verstoppen, tot alle gedrochten het huis waren binnengedrongen, zodat we vervolgens naar de kelder konden gaan. Maar de varkensmonsters zouden ons waarschijnlijk kunnen ruiken, behalve als we ons in de luchtdichte koelcel van de keuken verborgen hielden.

Los van het feit dat we daar dan vast zouden kunnen komen te zitten, wilde ik me niet in een koelcel gaan verstoppen, om dezelfde reden waarom ik me in een dorp van kannibalen niet in de gemeenschappelijke kookpot zou verstoppen.

Ik fluisterde tegen Timothy: 'Nu die gedrochten allemaal binnen zijn, kunnen we net zo goed naar buiten gaan, want dan kunnen we meer kanten op. Waar zitten de schakelaars voor de luiken?'

'D-d-dat w-weet ik niet.'

'Echt geen idee?'

'Nee,' zei hij. 'G-g-geen idee.'

Hij stak zijn arm naar me uit. Ik pakte zijn hand. Het was een kleine, koude, bezwete hand.

In de vijfennegentig jaar dat hij nu op aarde was, had hij duizenden boeken gelezen, die bij elkaar het grootste deel van zijn levenservaring vormden. Ondanks het feit dat hij het leven vooral op indirecte wijze had ervaren, via de duizenden levens in duizenden boeken, en ondanks al die jaren dat hij op de hoogte was van de gruwelen die op Roseland plaatsvonden, was hij niet gek geworden. Bovendien was hij ergens in zijn hoofd en hart een klein jongetje gebleven, dat altijd een deel van zijn onschuld had bewaard. Onder de meest afschuwelijke en deprimerende omstandigheden had hij in bepaalde mate de puurheid weten te behouden waarmee hij geboren was.

Zelf zou ik het hem niet hebben nagedaan, en ik was bang dat ik hem teleur zou stellen, een gevoel dat ik had gehad sinds hij me op de diensttrap zo vol vertrouwen een glimlach had geschonken.

De doodse stilte leek ons er beiden toe aan te zetten verder te gaan zonder overhaast te werk te gaan.

Aan de andere kant van de grote zaal, in de zuidoosthoek, ging de verborgen personeelsdeur open, en mevrouw Tameed kwam binnen als een ervaren agent die zich op vijandelijk terrein begeeft: de knieën gebogen, een pistool in beide handen, het wapen van links naar rechts bewegend.

Hoewel we helemaal aan de andere kant van de zaal stonden, in de schemering, zag ze ons, en het was of ik haar woede al voelde voordat ze een woord had gezegd.

'Smerige klootzak die je bent,' siste ze. Misschien was ze door het dreigende gevaar bij zinnen gekomen en vond ze dat ze haar taal in zekere mate moest kuisen. 'Je hebt ze binnengelaten.'

Zoals ik ook al eerder tegenover Timothy had gedaan, legde ik een vinger op mijn lippen om duidelijk te maken dat me het wenselijk leek zo stil mogelijk te doen, want ondanks het feit dat we misschien niets dan minachting voor elkaar voelden, zou ons door het uitwisselen van verwensingen misschien hetzelfde lot treffen als Jam Diu en Shilshom.

Ze schoot op me.

# 44

Wat Albert Einstein voor de moderne natuurkunde was, was mevrouw Tameed zo'n beetje voor het kwaad, maar dat ze niets van het kwaad onbeproefd wilde laten en totaal ontaard en krankzinnig was, betekende nog niet dat ze zich onder de huidige omstandigheden niet hoefde te gedragen. Als ze een potje ging staan schelden en schieten, zou ze daarmee de aandacht van de gedrochten trekken.

De meeste gestoorde types die dol zijn op het vermoorden van hun medemens zijn niet wijs maar sluw. Ze willen vooral overleven, zoals ze ook een maagd willen vinden die ze kunnen onthoofden, of een kind dat ze kunnen wurgen. Dat mevrouw Tameed zoveel lawaai maakte, was gewoon dom. En dat wilde ik haar best wel onder de neus wrijven.

Ze schoot nog een keer op Timothy en mij. Op een afstand van bijna twintig meter, vooral in een schemerige ruimte vol meubilair, moet je wel heel goed kunnen schieten om doel te raken. Ze miste.

Het zou mij niet lukken om haar vanaf die afstand te raken, vooral omdat ik liever geen wapens gebruik, ook als ik eigenlijk geen andere keuze heb.

Haar derde schot suisde als een wesp langs mijn rechteroor; het scheelde maar een paar centimeter of ik zou zijn gestoken.

Ik draaide mijn rug naar de amazone toe, waarbij ik op de koop toenam dat ze een kogel door mijn ruggengraat kon schieten, en trok Timothy mee naar de andere personeelsingang die in de lambrisering was weggewerkt, de deur die ik eerder al gebruikt had om naar de leeskamer te gaan. Toen we ernaartoe liepen en ik de deur ineens zag opengaan, trok ik de jongen onmiddellijk opzij, achter de openzwaaiende deur, zodat we niet te zien waren door degene die binnenkwam.

Hoewel ik niet meteen zag wie er in de deuropening stond, hoorde ik een donker gegrom, waaruit ik opmaakte dat het een van de geelogige gedrochten was. Toen het beest twee passen de salon in deed, stond hij met zijn grote gespierde rug naar ons toe.

Heel langzaam viel de deur dicht, waardoor de jongen en ik niets meer hadden om ons achter te verschuilen. Omdat het een weggewerkte deur betrof die zo min mogelijk in het interieur mocht opvallen, zat er geen knop of hendel aan die ik kon pakken om te voorkomen dat de deur dichtging. Als je de deur open wilde doen, moest je er van de andere kant tegenaan duwen, zodat hij van het slot ging, en je kon de deur dan opendoen door met een vinger achter een sierstrip te haken.

Het monster hield pas op de plaats en keek naar mevrouw Tameed, die ik nog steeds in het schemerduister kon zien staan. Mompelend in zichzelf zwaaide het beest met zijn bijl.

Mevrouw Tameed vuurde nog twee keer. Ik kreeg de indruk dat ze op mij schoot in plaats van op de varkensachtige verschijning, terwijl die toch haar eerste zorg moest zijn.

De kogels boorden zich in de houten lambrisering. Ik verwachtte dat de schade onmiddellijk door de Methusalem-energie ongedaan zou worden gemaakt.

Het gedrocht produceerde een dreigend geluid, een mengeling van geblaat en gebrul.

Mevrouw Tameed begon te schreeuwen, noemde haar tegenstander een stom varken, onder toevoeging van een k-woord. Ze riep dat het beest achter zich moest kijken, en ze schreeuwde: 'Pak die klootzak, pak hem, scheur hem aan flarden.'

Ik had altijd gedacht dat de gedrochten geen mensentaal verstonden, en eigenlijk dacht ik dat nog steeds, want dit exemplaar stootte een luide kreet uit en hief zijn bijl weer.

Met de aan weerszijden van de langgerekte kop geplaatste ogen bestreek het beest waarschijnlijk een groot gezichtsveld. Als Timothy of ik ook maar even bewogen, zou het wezen ons in de gaten krijgen.

In dat geval zou ik heel wat geluk nodig hebben om hem uit te schakelen als hij zich omdraaide en met de bijl naar me uithaalde. Zijn armen waren zo lang dat hij maar één stap in mijn richting hoefde te doen om me te kunnen pakken.

Langzaam, om te voorkomen dat hij iets in de gaten kreeg, richtte ik de Beretta, in de hoop het beest neer te schieten voordat het te laat was.

De deur die langzaam was dichtgevallen, werd plotseling opengegooid. Een tweede gedrocht kwam binnen, dat half in de deuropening bleef staan, met zijn flank tegen de deur, die daardoor niet dichtviel.

Deze nieuweling stond zo dichtbij dat ik hem had kunnen aanraken zonder mijn arm helemaal te hoeven strekken. Het was onmogelijk om beide gedrochten uit te schakelen zonder dat een van hen ons te pakken kreeg.

Gelukkig waren ze allebei zo opgewonden door de recente slachtpartij dat ze constant geluidjes maakten en diep vanuit hun keel gromden, anders zouden ze zeker hebben gehoord dat ik tevergeefs mijn best deed geen adem te halen.

Mevrouw Tameed schoot nog een keer, en misschien richtte ze deze keer wel op de gedrochten.

Het monster dat vooraan stond, wierp zijn bijl naar haar toe, met zoveel kracht en souplesse dat het ding dwars door de kamer vloog en zich in haar borstkas boorde.

De bewering van mevrouw Tameed dat ze onsterfelijk was en zo onaantastbaar als een godin, bleek ongegrond. De dood overviel haar zo plotseling dat ze niet eens de kans kreeg een kreet van protest te slaken.

Terwijl de vrouw in elkaar zakte, liep haar moordenaar triomfantelijk krijsend naar haar toe. Zijn manier van lopen had iets aapachtigs, want hij bewoog zich als een mens voort, maar was geen mens. Bovendien leken zijn emoties altijd aan de oppervlakte te liggen en onmiddellijk geuit te worden, net als bij mensapen het geval was. En hij had een aapachtige aanleg voor zulk extreem geweld dat vergeleken daarbij de moorden van Constantine Cloyce het werk leken van een keurig nette schurk uit een boek van Agatha Christie.

Toen ik zag dat het monster naar mevrouw Tameed toe waggelde, moest ik denken aan dat afschuwelijke nieuwsbericht van een paar jaar geleden, over een onschuldige vrouw die was aangevallen door de grote ontstemde chimpansee van de buren. Het beest beet haar vingers af, prikte haar ogen uit en maakte een ravage van haar gezicht, dit alles binnen een halve minuut.

Het tweede gedrocht bleef een halve armlengte van ons af staan, met de deur tussen ons in, waardoor het er ten dele achter schuilging. Timothy en ik stonden in het schemerduister, maar vanuit de gang achter het beest viel licht in de kamer, waardoor ik de zijkant van zijn kop zag, een weerzinwekkend profiel. Dit was de kop van iets wat *geschapen* was om de tegenstander angst in te boezemen, *geschapen* om ontzetting te zaaien en te moorden. Doordat het beest zijn slachtoffers toetakelde en onteerde, kregen de overlevenden het idee dat mensen niets dan een samenraapsel van vlees en botten waren, niets anders dan een beest in een wereld waarin geen natuurlijke wetten bestonden, waar het alleen maar om kracht, macht, wreedheid en geweld draaide.

Timothy had zich stevig tegen me aan gedrukt en trilde heftig. Omdat het monster zo dichtbij was, had ik een arm om de jongen heen geslagen, want ik was bang dat de jongen radeloos van angst zou worden en er op een gegeven moment vandoor zou gaan.

Misschien wilde hij echt terug in de tijd om verlost te worden van het feit dat hij het eeuwige jongetje was. Misschien wilde hij echt dat zijn leven was beëindigd toen hij door zijn vader werd neergeschoten. Maar hoe radeloos hij ook was, hij mocht niet ten prooi vallen aan een van de gedrochten. Ik wilde niet dat hij in die gele ogen keek terwijl zijn gezicht door slagtanden werd opengereten en de tanden zich in hem zetten.

Als je op die manier aan je eind kwam, ging je misschien twee keer dood. De eerste keer ging je ziel dood, het unieke en heilige dat de mens kenmerkt, en de tweede keer ging je gewoon fysiek dood.

Het wezen bij de deur keek sissend en knarsetandend toe hoe zijn metgezel zich tussen het meubilair door een weg baande, hier een lamp omstotend, daar een stoel omver duwend.

Aan de andere kant van de salon aangekomen ging het beest triomfantelijk op het levenloze lichaam van mevrouw Tameed zitten. Met uitgelaten gekrijs scheurde het zijn slachtoffer aan flarden, zoals een woedend kind een pop uit elkaar zou kunnen trekken. Omdat het moorden zelf niet voldoende genoegdoening opleverde, moesten er nog meer gewelddadigheden plaatsvinden.

We waren weer in het land van Edgar Allan Poe, deze keer op het terrein van 'The Murders in the Rue Morgue', waarin een aap, met een scheermes in zijn hand, niet voldoende plezier haalt uit het moorden alleen, maar zijn slachtoffers ook nog toetakelt.

Het monster ging zo wild tekeer dat Timothy steeds heftiger begon te trillen. Als hij weer begon te snikken, zoals hij had gedaan bij de langgerekte doodskreet van Shilshom, zou hij onze aanwezigheid verraden, en dan wachtte ons hetzelfde lot als mevrouw Tameed.

Voorzichtig trof ik voorbereidingen om de helft van het magazijn in het gedrocht te pompen dat zo dichtbij stond. Ik wist bijna zeker dat het ding nog lang genoeg zou leven om zich in zijn doodsstrijd op ons te werpen.

Ineens kwam het demonische wezen van zijn plaats. Het liep de salon door, een klauwhamer hoog geheven. Het beest kon zijn haat en minachting niet langer onderdrukken en voegde zich bij zijn kameraad om het stoffelijk overschot van mevrouw Tameed verder te verminken.

Vanuit de hal kwam Paulie Sempiterno binnenstormen, met een geweer in de aanslag. Hij zag Timothy en mij, en heel even hield hij zijn pas in, zodat ik het idee kreeg dat hij net zo lief ons als de gedrochten zou neerknallen. Maar hij wist welke prioriteiten hij moest stellen, en liep langs het beeld van Pan op de twee bloeddronken monsters af.

De jongen en ik glipten snel de salon uit, de smalle gang op. De deur viel achter ons dicht, in het slot.

Ik zou gezworen hebben dat de gang maar één kant op ging, langs een damestoilet en een voorraadkast naar een zijingang van de leeskamer. Maar dat bleek niet het geval te zijn. Voor ons liep de gang een klein stukje door, rechts bevond zich een langere gang.

Ik raakte in verwarring. Weer kreeg ik het gevoel dat Roseland op een unieke manier was geconstrueerd, en dat er meer was dan ik met mijn eigen ogen zag.

Als Tesla's glanzende machinerie de tijd kon beïnvloeden, iets waarvan ik de gevolgen al had ondervonden, waren er misschien ook andere effecten mogelijk, effecten die zo verwarrend waren dat ze bijna als mystieke ervaringen overkwamen waar ik met mijn verstand niet bij kon, ook al zou ik ze aan den lijve ondervinden.

Terwijl Sempiterno het vuur opende en de gewond geraakte gedrochten begonnen te krijsen, zei ik: 'Tim, waar gaat deze gang hier rechts naartoe?'

'Ik ken niet alle plekken in dit huis.'

'Maar je woont hier al jaren.'

'Niemand kent alle plekken in dit huis.'

'Niemand? Je vader toch wel? Die heeft het laten bouwen.'

'Hij heeft de bouw gefinancierd. Hij en Jam Diu.'

'Dan weet hij toch wel hoe het in elkaar zit?'

'Nee. Zelfs op gewone dagen is het soms net alsof... het niet is zoals het zou horen te zijn. Maar bij hoogwater zoals nu wordt het alleen maar erger.'

Hoogwater. De toekomst spoelde in golven dit moment in het verleden binnen.

Liever had ik gehad dat er alleen maar geesten op Roseland rondspookten. Daar had ik wel raad mee geweten.

Eerst was de gang naar de leeskamer goed verlicht geweest door de matglazen lampen die aan het plafond hingen, maar nu was het er schemerig, net als de nu pas opgemerkte zijgang. In die langere gang zag ik twee deuren links, geen rechts, en een aan het eind.

Timothy zei: 'Jam Diu zegt dat *niemand* het helemaal snapt, ook Tesla zelf niet.'

De gedrochten in de salon waren stilgevallen, en ook klonken er geen schoten meer. Als Sempiterno ze had doodgeschoten, zou hij snel herladen en achter ons aan komen.

'Ik ben bang,' zei Timothy.

'Ik ook.'

Het damestoilet, de voorraadkamer in de korte gang, de leeskamer, of een plek waar we vanuit de leeskamer naartoe konden gaan: nergens leken we veilig te zijn.

Ik wilde naar de keuken, om via de diensttrap naar de wijnkelder te gaan.

Ik liet de jongen los, pakte de Beretta met beide handen beet, en zei: 'Kom, deze kant op. Wat hebben we te verliezen?'

# 45

De eerste deur kwam uit in een schacht vol gouden licht. De afmetingen ervan waren lastig in te schatten, omdat de wanden bestonden uit spiegels, waardoor het oog als in een spiegelpaleis de
weg kwijtraakte.

Glimmende spiralen, niet van papier, al deden ze denken aan
de papieren spiraalvormen die mensen soms ophangen op feestjes met een Aziatisch thema, draaiden op verschillende snelhe-
den rond. Als grote draaiende boren bewogen ze door de schacht.
Er was geen plafond zichtbaar; de draaiende boren leken zo'n zes
meter hoger uit een waas tevoorschijn te komen, en verdwenen
ook in een waas, zes meter in de diepte. Het ene moment leken
ze zich in de aarde te boren, het volgende moment leken ze de
andere kant op te draaien.

Net als de andere machines die ik had gezien, brachten ze totaal geen geluid voort. Wat mogelijk de punt van de boor was,
glinsterde als gesmolten goud, en de groeven ervan leken net zo
vloeibaar en zilverkleurig als kwik.

De spiralen werden in de spiegels tot in het oneindige toe
herhaald, en ik werd er duizelig van. Het had iets hypnotise-
rends, en snel deed ik de deur dicht, om te voorkomen dat ik

half in trance naar binnen zou stappen en in de diepte zou storten.

Ik keek achterom naar de plek waar de gangen elkaar kruisten, de plek waar we de salon hadden verlaten. Er kwam nog
niemand achter ons aan.

Ik duwde de jongen naar voren, om hem met mijn lichaam af
te kunnen schermen, voor het geval Sempiterno plotseling achter ons zou opduiken.

De knop van de tweede deur voelde ijskoud aan. Mijn vingers
bleven bijna aan het koper plakken.

Achter de deur was het zo donker dat ik niet de indruk kreeg
dat het een schacht of een kamer was. Voor me lag een leegte,
aardedonker, alsof ik aan de rand van het heelal stond en in het
niets keek.

Er brandde weinig licht op de gang, maar het schijnsel zou in
elk geval een paar centimeter van deze vreemde ruimte hebben
moeten verlichten. De grens tussen licht en inktzwarte duisternis was zo scherp als de rand tussen de drempel en de gang.

Omdat ik dit al eens eerder had gezien, destijds in Pico Mundo, stak ik mijn hand naar voren, in de hoop een concrete massa te voelen, een grens, maar mijn vingers verdwenen in het duister, en vervolgens mijn hand, tot aan mijn pols. Ik kon mijn
vingers niet meer zien, en mijn arm eindigde net zo abrupt als
het stompje van iemand van wie de arm was geamputeerd.

In het eerste deel van mijn memoires heb ik iets dergelijks beschreven: een kamer in het huis van Fungusman, een buitengewoon naar sujet. Dat was eerst een gewone kamer geweest, vervolgens was het vertrek veranderd in iets zoals dit nu, en daarna
was alles weer gewoon geworden.

Ik zal niet herhalen wat ik in die kamer in Pico Mundo aantrof, maar zeker was dat ik hier niet nog eens zoiets wilde meemaken. Ik trok mijn hand terug, deed de deur dicht, en keek de
jongen aan, die het leek te verbazen dat ik mijn hand niet was
kwijtgeraakt.

'Heb je dit al eens eerder gezien?' vroeg ik.

'Nee.'

Sempiterno zou nu zo langzamerhand wel achter ons aan moeten zijn gekomen. Misschien had hij de gedrochten doodgeschoten maar had hij dat met zijn eigen leven moeten bekopen. Als dat het geval was, was ik niet van plan om een krans voor zijn kist te kopen.

Toen ik de deur aan het eind van de gang opendeed, de deur die ons naar de achterkant van het huis had moeten voeren, bleek dat ik in de leeskamer terecht was gekomen, het vertrek dat zich juist aan de voorkant van het gebouw bevond.

Ontdaan betraden de jongen en ik de ruimte, en pas toen zag ik Paulie Sempiterno. Hij stond met zijn rug naar ons toe en liet zijn blik door de met boeken gevulde ruimte gaan, alsof hij hier tien seconden geleden door dezelfde deur naar binnen was gegaan.

Toen hij ons hoorde, draaide hij zich om, en ik zag dat zijn geweer in onze richting meedraaide.

In deze strijd tussen mensen en monsters bestond er geen enkele reden om aan te nemen dat hij de kant van de mensheid zou kiezen. Hij had vrouwen naar Roseland gehaald om Cloyce in de gelegenheid te stellen zijn spelletjes te spelen. Misschien speelde hij zelf ook wel met hen. Misschien was er ergens in een uithoek van het landhuis een vrouwenverzameling van Sempiterno te vinden, zo'n afschuwelijke collectie dat ik zou willen dat ik blind was. De geblakerde boom met al die kinderskeletten eraan, was dat het werk van Sempiterno, iets waar hij zich in de komende jaren mee bezig zou houden?

Ik schoot zo snel als dat met het halfautomatische pistool mogelijk was. De hollowpoints met de koperen mantels brachten hem letterlijk op zijn knieën, en zijn geweer viel kletterend op de grond. Hij viel met een smak op zijn zij, verkrampte in een foetushouding en verliet deze wereld in dezelfde positie als waarin hij maandenlang had gewacht voordat hij hem kon betreden.

Het begaan van een moord levert geen goed gevoel op, ook niet als je tegenstander de dood meer dan verdiend heeft. De helden die zich in boeken en films als moordmachines ontpoppen, die tientallen boeven neermaaien en daarbij achteloos een paar gevatte opmerkingen maken, verschillen in wezen niet van de gedrochten op Roseland, en komen alleen beter over omdat ze een knap voorkomen hebben en door hun scheppers van een zekere charme voorzien worden, waardoor het publiek op vakkundige wijze wordt afgeleid van de werkelijke betekenis van al dat bloed.

Toen Sempiterno zich in de schoot des doods had genesteld, keek ik naar de jongen om te zien of hij niet al te zeer van zijn stuk gebracht was. Onze blikken kruisten elkaar even, en misschien zag hij in mijn ogen veel meer jaren dan mijn gezicht deed vermoeden, zoals ik dat bij hem had.

Ik draaide me om en verliet de leeskamer door dezelfde deur als waardoor we naar binnen waren gekomen. De lange, schemerige gang waardoor we hier waren gekomen, was er niet meer. In plaats daarvan stonden we in de korte gang die rechtstreeks naar de salon leidde, goed verlicht was en niet door andere gangen werd gekruist.

Los van de vraag hoeveel gedrochten op Roseland rondzwierven, moesten we hier zo snel mogelijk vandaan, voordat het huis zelf mogelijk net zo'n grote dreiging werd als de monsters met hun gele ogen.

# 46

Om elke hoek school mogelijk gevaar, elke deuropening betekende mogelijk een nieuwe dreiging, de stilte was onheilspellend. Misschien waren er drie gedrochten dood, misschien slechts
twee. Misschien waren er drie het huis binnengedrongen, of vijf
of tien, of misschien wel vijfentwintig. Jam Diu, mevrouw Tameed en Sempiterno hadden het onderspit gedolven, en waarschijnlijk leefde meneer Shilshom ook niet meer. Henry Lolam
zat vast in het wachthuisje. Dus bleven alleen Victoria en Constantine over, het stel van wie de eeuwige liefde – zoals zij het
had genoemd – zich had ontwikkeld tot een moordliefde.

Als ik afging op mijn intuïtie, die meestal betrouwbaarder was
dan mijn verstand, zou een reis naar het dal van de schaduw des
doods een leuk dagje uit zijn in vergelijking met wat Timothy
en mij nog te wachten stond. Er lagen nog heel wat moorden op
ons pad, al was dat uit zelfverdediging, en ik had niet het idee
dat de gedrochten me de gunst zouden verlenen de drie overgebleven Roselanders uit te schakelen.

We liepen door het huis, van de leeskamer naar de keuken.
We probeerden de belangrijkste vertrekken en gangen aan te
houden en vermeden de personeelspassages, omdat ik er geen

vertrouwen meer in had dat ze ons zouden leiden naar waar ze ons zouden moeten leiden.

Mijn plan was om via de tunnel naar het mausoleum te lopen, om van daaruit naar de toren te gaan. Toen Timothy me over de chronosfeer had verteld, was er een gevaarlijk idee bij me opgekomen, dat ik sindsdien niet meer van me af had kunnen zetten. Eerst lag het als een halfverborgen schim in mijn achterhoofd, maar uiteindelijk had het zich steeds meer afgetekend tot het volledig tot wasdom was gekomen en om een dialoog schreeuwde.

Als ik inderdaad zou doen waar ik toe neigde, zou dat niets goeds opleveren. Ik zou mezelf te gronde richten en voor altijd het enige kwijtraken wat me op de been had gehouden sinds de zwartste dag van mijn leven, in Pico Mundo. Maar een idee kun je niet tegen de muur zetten en executeren, noch kun je het inpakken in het papier van je betere beoordelingsvermogen en het in een doos der vergetelheid wegstoppen. Een idee kan levensgevaarlijk zijn, vooral als het een idee betreft dat je het meest bijzondere en hemelse geluk in het vooruitzicht stelt, iets waar je al tijden naar verlangt.

Tegen de tijd dat Timothy en ik in de keuken kwamen, had ik me er mentaal op voorbereid Shilshom te moeten aanschouwen, geheel kapotgescheurd, zijn ingewanden over de keukenapparatuur gedrapeerd, en zijn hoofd tentoongesteld op de snijplank op het aanrecht. Maar de keuken bleek niet in een abattoir te zijn veranderd. Zijn doodskreet moest van elders in huis hebben geklonken.

Toen ik de deur opendeed die toegang tot de diensttrap gaf, hoorde ik zware voetstappen omhoogkomen, en het gesnuif en gegrom van meer dan één monster. Een trolachtige schaduw viel langs de muur van het bordes, een paar meter voor het wezen uit.

Er was geen tijd om de keuken te ontvluchten. Ik snelde naar een inloopkast, duwde Timothy voor me uit, samen stapten we naar binnen, en ik trok de deur achter me dicht en hield de deurkruk vast.

Toen we de kast in doken, ging Victoria Mors, ongekneveld en wel, daar ook naar binnen, vanuit het kantoor van de kok. Toen ze de deur dichtdeed, was ze net zo verbaasd en geschrokken als wij. Ik richtte mijn Beretta, maar zij pakte de jongen bij zijn trui, trok hem naar zich toe en drukte de loop van haar pistool tegen zijn nek.

Hoewel mijn Beretta op haar hoofd gericht was en ik anderhalve meter van haar af stond, durfde ik niet te schieten, omdat de trekker van haar wapen al half was ingedrukt. Als ik haar doodschoot, zou ze in een reflex de trekker kunnen overhalen en Timothy kunnen vermoorden.

Aan de andere kant zou ze me misschien doodschieten als ik mijn pistool liet zakken, ook al zouden de monsters dan weten waar we waren. Een patstelling.

Timothy keek angstig uit zijn opengesperde ogen en perste zijn bleke lippen op elkaar, alsof hij besloten had zich van zijn dapperste kant te laten zien en dit avontuur te overleven. Zelf was ik bang dat hij tot het inzicht zou komen dat Victoria iets voor hem kon betekenen wat leek op wat hij met de chronosfeer hoopte te bewerkstelligen: met één schot zijn onnatuurlijk lange en deprimerende jeugd beëindigen, waarmee hij het lot – de dood, de rust – zou verzilveren dat hem in 1925 was ontzegd.

Snuivend en wantrouwig grommend, onderzoekende geluiden producerend, als de drie beren die – nadat Goudlokje bij hun huisje naar binnen was gegaan – zagen dat iemand van hun pap had gegeten, betraden de gedrochten de keuken. Minstens twee. Mogelijk drie.

In de hand waarmee Victoria Timothy had vastgepakt, hield ze een sleutel aan een uitgerekt spiralend snoer van roze plastic. 'Hier, pak deze,' fluisterde ze. Ze straalde nog steeds een elfachtige schoonheid uit, en haar lichtblauwe ogen fonkelden, alsof ze de enige was die feeën kon zien en nu niet zomaar een gewone sleutel aanbood, maar een magische talisman waarmee we een geheime schat zouden kunnen vinden en draken zouden kunnen oproepen. '*Het sleutelgat in het stalen paneel.*'

Ze liet Timothy heel even los om me de sleutel toe te werpen en greep de jongen meteen weer vast, voordat hij de kans kreeg te ontsnappen.

Om de sleutel te vangen, moest ik de deurkruk loslaten. Als een van de monsters in de kast wilde kijken, zou ik de deur sowieso niet lang dicht kunnen houden.

'*Een kwartslag naar rechts, dan terug tot hij verticaal staat, en hem er dan weer uit halen,*' fluisterde ze.

De voorraadkast kon niet afgesloten worden. Het sleutelgat waar ze op doelde, zat in een stalen paneeltje naast de deur.

Om te doen wat ze me vroeg, zou ik mijn blik van haar af moeten wenden. Ik vroeg: '*Waarom?*'

In de keuken werden keukenkastjes opengetrokken en dichtgesmeten. Iets viel kletterend op de grond.

Victoria fluisterde fel: '*Verdomme! Schiet nou op, voordat ze ons allemaal doodmaken!*'

Misschien zouden de onverlaten in de keuken de cheesecake vinden, de amandelcroissantjes, een koekjestrommel voor zover die er was, en misschien zou dat ze even zoet houden. Of misschien hielden ze niet van zoetigheid.

Victoria zou me het liefst weer recht in mijn gezicht spugen, maar haar woede kwam voort uit haar angst en mijn aarzeling. Ik zag geen teken van misleiding in haar verwrongen gezicht.

Ik richtte mijn blik op het paneel, stak de sleutel in het slot en deed wat ze had gezegd. Op het moment dat ik de sleutel eruit trok, zette de vloer onder me zich in beweging.

Verschrikt richtte ik de Beretta op haar hoofd.

Na een kort moment van desoriëntatie drong het tot me door dat er een schacht onder de voorraadkast moest liggen. De vloer zakte soepel en geluidloos naar beneden.

Nadat ik de sleutel in mijn zak had opgeborgen, pakte ik het pistool met beide handen beet.

Terwijl de muren langer leken te worden, werd de kast steeds hoger. De planken vol ingeblikte en gedroogde etenswaren gleden naar boven, en de afstand werd steeds groter.

Hoe dieper we kwamen, hoe slechter we elkaar bij het schijnsel van de plafondlamp konden zien. Ik kreeg het irrationele maar misschien begrijpelijke idee, gezien mijn stemming, dat we op een gegeven moment zo diep zouden zijn gedaald dat de lamp boven ons net zo klein was als een ster en we praktisch onzichtbaar voor elkaar waren, omgeven door een diepe duisternis, allebei een pistool in de hand, en een van ons die geen beperkingen en geen regels kende.

Toen we ongeveer zes meter naar beneden waren gegaan, verscheen er een opening in de muur rechts van me, achter Victoria en de jongen. Een ogenblik later kwamen we tot stilstand. De opening, iets meer dan twee meter hoog en iets minder dan twee meter breed, bleek een doorgang te zijn naar een tunnel van koper, net als de tunnel die van het mausoleum naar het hoofdgebouw liep. Het licht was afkomstig van lampen aan het plafond, die op gelijke afstand van elkaar waren geplaatst en de tunnel in verlichte en donkere delen opsplitsten. In de muren waren glazen buizen geplaatst, waarin gouden lichtvlekken gleden die zich naar beide kanten leken te verplaatsen.

Bijna tien meter hoger, boven aan de schacht, ging een deur van de voorraadkast open. Een gedrocht tuurde over de rand naar beneden, krijste naar ons, maar durfde de sprong in de diepte niet te maken.

Victoria trok Timothy met zich mee de tunnel in. Toen ik haar volgde, ging de vloer van de voorraadkast weer omhoog, kennelijk door middel van een hydraulische ram, al hoorde ik niet het gesis en gezoem dat meestal bij dat soort machines te horen was. De vloer steeg tot boven het niveau van de tunnel en verdween in het niets in de schacht. Het gekrijs van het gedrocht hoog boven ons werd gedempt.

# 47

De gedrochten in de keuken wisten nu dat de voorraadkast een soort lift was die naar een ondergronds rijk voerde, maar ze hadden geen sleutel om het ding in werking te zetten. Voorlopig leken we niets van ze te duchten te hebben.

Victoria Mors en ik hadden in de ondergrondse gang wel degelijk iets van elkaar te duchten, en Timothy had iets van haar te duchten.

Ze drukte de loop van haar pistool tegen de nek van de jongen, zo hard dat de korrel in zijn huid sneed, en ze vertelde me dat ze een k-hekel had aan die k-kop van mij, dat ze stippeltje-stippeltje wilde dat ik stippeltjestippeltje dood was, en dat ze mijn k-hersens uit mijn k-kop wilde blazen.

Voor een vrouw die al meer dan een eeuw op aarde rondliep, beschikte ze over een bedroevend beperkt vocabulaire.

Als ik me in een levensgevaarlijke situatie bevind en ik geen gemakkelijke uitweg zie, heb ik de neiging niet zozeer na te denken als wel te gaan praten. Als ik gewoon zeg wat er zoal in me opkomt, zonder voorbedachten rade, alle filters uitgeschakeld, heb ik gemerkt dat zich vanzelf een oplossing aandient, iets wat ik pas doorheb als het moment daar is. Het is dus niet zo dat ik dan welbewust de sluis van een of ander stuwmeer van onderbewuste wijsheid openzet. Geloof me, zo'n stuwmeer is er niet.

Misschien komt het doordat er in den beginne het woord was, en dat woorden de basis vormen van alles wat we met onze zintuigen waarnemen. Niets kan worden bedacht of gevisualiseerd als we er de woorden niet voor hebben. Wanneer ik mezelf dus overgeef aan de woordenstroom die uit me komt zonder dat ik erbij nadenk, sta ik in verbinding met de creatieve oerkracht die de kern van het heelal vormt.

Of misschien klets ik maar wat uit mijn nek.

Toen Victoria me vertelde hoezeer ze me haatte, hield ik de Beretta op haar hoofd gericht, maar ik hoorde mezelf zeggen: 'Ik haat u niet. Misschien heb ik een hekel aan u. Misschien gruw ik van u. Misschien heb ik niets dan minachting voor u, maar ik haat u niet.'

Ze noemde mijn commentaar een k-leugen en zei: 'Haat houdt de wereld draaiende. Afgunst en wellust en haat.'

'Ik ben met haten opgehouden toen ik me realiseerde dat je met haten niets kunt terughalen wat voor altijd verloren is gegaan.'

'Afgunst en wellust en haat,' zei ze nog eens nadrukkelijk. 'Een hang naar seks, macht, controle, wrááák.'

'Nou, ik ben maar een eenvoudige klokker die er een eenvoudige filosofie op na houdt.' Plotseling schoot me te binnen wat ze in het ketelhok gezegd had, toen ze me bespuugd had. '"Jullie gaan gebukt onder de slagen en de spot, maar wij niet, en dat zal ook nooit gebeuren."'

'Dat is waar, tenzij je alles kapotgemaakt hebt,' zei ze. Ze schoof de loop van het pistool heen en weer langs de nek van de jongen, waardoor zijn huid werd opengewerkt.

Timothy piepte uit protest. Een dun straaltje bloed sijpelde langs zijn hals.

'Shakespeare,' zei ik. '"For who would bear the whips and scorns of time." *Hamlet*.'

'Jij weet echt helemaal niks, hè? Shakespeare mijn reet. Constantine. Míjn Constantine.'

Ik wist wat ze nog meer gezegd had: "'Jullie gedachten zijn door een dwaas geknecht, maar die van ons zullen dat nooit zijn." Volgens mij komt dat uit *Henry the Fourth, Deel een*. Het letterlijke citaat is: "But thought's the slave of life, and life time's fool."'

Ze keek me met zoveel minachting aan dat het leek of ze me op die manier wilde verwonden, zoals ze ook de jongen aan zijn hals had verwond. 'Wat probeer je nou te doen, lelijk onderkruipsel? Denk je me met die praatjes in een hoek te kunnen drukken? Een onnozele klokker als jij?'

'U zei dat de vrouwen die Constantine heeft vermoord niets dan dieren waren, "wandelende schimmen, stuntelende figuranten, van nul en generlei waarde".'

'Jij stelt net zo weinig voor. De waarheden die Constantine verkondigt, doen zeer, hè? *Of niet dan?*'

'*Macbeth*,' zei ik. "'Life's but a walking shadow, a poor player, that struts and frets his hour upon the stage, and then is heard no more."'

Constantine, de leider van haar sekte en de poëet van haar duistere hart, was geen poëet maar pleegde gewoon plagiaat en jatte van de besten. De lichtjes in haar vaalblauwe ogen kregen nog meer glans. Als zijn poëzie gejat was, en niet alleen gejat maar ook nog eens verdraaid om zijn woorden een boosaardige lading te geven, was de wijsheid van zijn filosofie, zijn waanzinnige gospel van aardse onsterfelijkheid, misschien ook wel tweedehands en onecht, een idee dat ze op dit late uur in de geschiedenis van Roseland liever verdrong. Door deze openbaring haatte ze me des temeer.

Ik vertelde haar ook hoe het citaat verder ging, beet het haar toe: "It is a tale told by an idiot, full of sound and fury, signifying nothing."'

Om niet alleen mijn vriend Ozzie Boone maar ook mezelf een

plezier te doen, heb ik de toneelstukken van Shakespeare gelezen, vele ervan meer dan eens, en sommige citaten ken ik uit mijn hoofd. Maar ik ben geen toegewijde wetenschapper met een fotografisch geheugen. De citaten kwamen bij me boven omdat ik mezelf had overgegeven aan de vrije woordenstroom, zoals een spiritueel medium met pen en papier lange berichten noteert die niet van haarzelf zijn. Ik was net zo verbaasd als Victoria toen ik mezelf dit soort dingen hoorde zeggen.

'U zei dat mijn nek over nog geen uur door de voet verpletterd zou worden,' zei ik tegen haar. 'U had het over "de zachte en onhoorbare voet". Dat komt uit *All's Well that Ends Well*. "The inaudible and noiseless foot of time."'

Ze zei dat ik die k-mond van me moest houden.

Er kwam nog een citaat van Shakespeare bij me boven, een dat ze me in het ketelhok niet had toevertrouwd: "'And so from hour to hour we ripe and ripe, and then from hour to hour we rot and rot.'"

Naar haar verschrikte blik te oordelen had Constantine Cloyce ook iets dergelijks gedeclameerd als zijnde zijn eigen woorden, de poëtische doctrine van zijn sekte.

Ze zei: 'Nee. Zo gaat het niet. Helemáál niet. Het gaat zo: "And so from hour to hour we ripe and ripe, and then from hour to hour *they* rot and rot." Zíj verrotten, jij verrot, alle onnozele klokkers verrotten en verrotten, wij niet.'

Ik zag dat de tranen in haar ogen stonden, al werd ik er niet door geraakt. Mij leken die zoute druppels net zo gevaarlijk als slangengif.

'Misselijk stuk stront dat je bent. Je hebt alles kapotgemaakt,' zei ze, zo verbitterd dat ik wist dat ik meer kapot had gemaakt dan hun verderfelijke leven op Roseland. Kennelijk had ik minstens een zaadje van twijfel gezaaid in de filosofie en mythes die Constantine Cloyce had bedacht om hun credo van een leven zonder beperkingen, zonder regels, zonder angst te rechtvaardigen. En ik zag dat er nog maar weinig over was van de muziek van 'eeuwige liefde' die er volgens haar zeggen tussen haar en de heer van Roseland bestond.

Het leek alsof ze het erop wilde wagen en eerst de jongen zou doodschieten en dan mij, voordat ik de kans kreeg haar neer te knallen, puur uit kwaadwilligheid.

Dat zou wel in overeenstemming met haar meest verheven principes zijn. Afgunst en wellust en haat. Seks, macht, controle, wraak.

Ik hoorde mezelf zeggen: 'Ik heb niet alles kapotgemaakt. Nog niet. We kunnen alles nog rechtzetten, als u daartoe bereid bent.'

Hoewel ik niet goed wist wat ik met deze opmerking dacht te bereiken, wist ik wel dat ik niet meer naar Timothy durfde te kijken. Victoria zou elke blik van mij naar hem interpreteren als een poging om hem te verzekeren dat ik nog steeds zijn beschermer en haar vijand was.

'Niets kan nog rechtgezet worden,' zei ze. 'Zij zijn dóód. Jij hebt de gedrochten binnengelaten, en die hebben iedereen doodgemaakt.'

'Ik heb ze niet binnengelaten,' zei ik, wat strikt genomen geen leugen was. Het was in elk geval niet mijn bedoeling geweest om ze binnen te laten. 'Niet iedereen is dood. U leeft nog. Henry Lolam zit nog in het huisje bij de poort. En Constantine leeft misschien ook nog. U kunt hier rustig op Roseland blijven zitten... als ik maar krijg wat ik wil.'

'Ik zal je zeggen wat ík wil.' Ze zei dat ze me stippeltjestippeltje dood wilde hebben, dat ze mijn k-kop stippeltjestippeltje van mijn romp zou trekken, en dat ze mijn geslachtsorganen zou afsnijden en die in mijn k-mond zou proppen.

Hoewel ik niet rechtstreeks naar de glazen buizen achter de vrouw keek waarin lichtvonken tegelijkertijd beide kanten op stroomden, brachten ze me meer van mijn stuk dan zij door mij van haar stuk werd gebracht. Ik kreeg het gevoel dat de tunnel een lange wagon was die ondergronds voortraasde en zo nu en dan heen en weer schommelde, zoals dat bij treinen gebruikelijk is. Ze was er waarschijnlijk dusdanig aan gewend dat het haar niets meer deed. Ik werd steeds misselijker. Als het zo erg werd dat ik echt moest overgeven, zou de patstelling in een mum van tijd in het nadeel van Timothy en mij escaleren.

Misschien kwam het door haar overvloed aan stippeltjestippeltjes en k-woorden dat ik ineens de rol van perverseling ging spelen, alsof mijn vorige personage net zo nep was als de naam Victoria Mors. 'Je bent een lekker geil ding, maar je doet wel ontzettend stom. Natuurlijk willen we allebei hetzelfde. We willen toch allemaal hetzelfde? Dat heb je zelf gezegd.'

'Zit me niet te naaien.'

'Ooit zul je me smeken om je te naaien,' zei de perverse Odd. 'Ik zal je nog eens op een bed vastbinden, trut. Schud alle onzin nou maar uit dat mooie koppie van je, zodat ik er wat verstandigs in kan steken. Als we niet samenwerken, gaat *niemand* van ons dit overleven.'

Ze was op haar hoede, maar ik zag dat de perverse Odd meer indruk op haar maakte dan de Odd die ze tot nu toe had gekend.

Ik zei: 'Ik wil even wat weten, Vicky. Hoe lang houdt dit hoogwater aan en zitten we nog met die gedrochten opgescheept?'

Even keek ze me minachtend aan, maar toen zei ze: 'Eén of hooguit twee of drie uur.'

'Hoe vaak is het hier hoogwater?'

'Dat valt niet te voorspellen. Om het jaar, om de drie jaar, vijf jaar. Het begint altijd 's nachts met de draaikolken, een paar dagen van tevoren. De ozon. Dat gekrijs.'

'De fuut,' zei ik.

Ze huiverde. 'Dat is geen fuut.'

'De gedrochten, de varkenskoppen – zijn die nooit eerder het huis binnengedrongen?'

'Nee. En ze hadden tot nu toe ook nooit bijlen bij zich. Alleen knuppels. Ze worden steeds slimmer.'

De lichtjes raceten heen en weer door de buizen, en achter in mijn keel kwam iets zuurs omhoog.

Ik probeerde het weg te slikken, hoopte dat zij er niets van merkte, en zei: 'Waar gaat deze tunnel naartoe?'

Ze pakte haar oude vertrouwde rol weer op en vertelde me dat ze niet van plan was om stippeltjestippeltje mijn gids te zijn. Ze sloeg haar linkerarm om Timothy's hals en drukte de loop van het pistool tegen zijn rechterslaap.

Perverse Odd vond het niet fijn om een grote mond te krijgen. Ik deed een stap in haar richting, zodat de loop van de Beretta ongeveer een halve meter van haar gezicht af was. 'Nou moet je eens goed luisteren, stomme slettenbak, ik knal met alle plezier je kop van je romp. Als jij denkt dat ik iets om die jongen geef, schat je de situatie totaal verkeerd in. De enige die me wat kan schelen, ben ikzelf. Als ik hier als enige levend uit kom, vind ik dat prima. Maar het kan ook anders. *Waar gaat deze tunnel naartoe?*'

Ze keek me een ogenblik peinzend aan en gaf toen op. 'Eerst loopt hij naar het oosten, en daarna buigt hij af naar het noordoosten en het zuiden.'

'Noordoosten? Waar naartoe?'

'Naar de machinekamers onder de stallen.'

'En daarna?'

'Naar de toren.'

'Dat wilde ik even horen. Je beweerde dat die twee andere bewakers op vakantie waren, maar die bestaan helemaal niet, wel?'

'Misschien wel.'

'Ja, en misschien bestaat de Kerstman ook. Ik zal je vertellen hoe het zit, Vicky. Annamaria en ik zijn nu een paar dagen op Roseland. Dit leventje bevalt me wel. Ik vind het helemaal niet vervelend om rijk te zijn. En het idee om eeuwig jong te blijven, staat me ook wel aan. Ik heb Sempiterno neergeknald. Ik neem zijn plaats in, en dan verscherpen we de beveiliging, zodat we tegen de gedrochten op kunnen, over een jaar of over tien jaar.'

'Dat gaat niet gebeuren,' zei ze.

'Dat gaat helemaal wél gebeuren. Als jullie nu maar met z'n

drieën over zijn, hebben jullie versterking nodig voor de volgende keer dat het hoogwater wordt.'

Het was of er in mijn maag een traag kronkelende paling zat. Ik concentreerde me op Victoria's gezicht.

Ze zei: 'Van Constantine mag je hier vast niet blijven.'

'Dan vergeet je dat Constantine ons op Roseland heeft *uitgenodigd*. Bovendien hebben we een cadeautje voor hem dat hij heel graag wil hebben.'

'Wat voor cadeautje?'

'De baby van Annamaria.'

De afschuwelijke implicaties daarvan leken niet tot haar door te dringen. Haar ogen hadden net zo weinig diepte als die van een pop, zo'n pop die in een film tot leven komt en dan een levendige interesse in messen aan de dag legt. 'Dat is niks voor Constantine, dat is meer iets voor Paulie.'

Mijn duistere stemming werd inktzwart toen ik me afvroeg wat er in de machinekamers onder de stallen voor gruwelijks te zien was. Ik was niet van plan daar een kijkje te gaan nemen.

Ik zei: 'Vergeet niet dat Paulie dood is. En wat Constantine betreft... mensen ontwikkelen zich, krijgen een verfijndere smaak. Als dat niet jóúw ding is, kunnen we samen een nieuw spelletje bedenken. Volgens mij valt er met jou veel lol te beleven als je eenmaal los gaat.'

'Je zei dat je een hekel aan me had, dat je van me gruwde, dat je niets dan minachting voor me had.'

'Nee, *misschien* zei ik. Maar snap je het dan niet? Stel je eens voor dat je jezelf zou overgeven aan waar je een hekel aan hebt, waar je van gruwt, waar je niets dan minachting voor hebt. Een grotere kick is toch niet denkbaar? De vrijheid hebben om nergens om te geven.'

Ik begon perverse Odd zo langzamerhand behoorlijk eng te vinden.

Victoria liet haar tong langs haar lippen gaan. 'Als je hier een tijdje zit en niet meer vastzit aan de ketenen van de tijd, doet dat iets met je.'

'Wat dan precies?'

'Het is dan net alsof je koorts in je bloed hebt, geen ziekte, maar een geweldige bevrijding. We noemen dat de onthechtingskoorts.'

'Onthechting waarvan?'

'We raken onthecht van alle onmogelijkheden, van alles wat ooit buiten ons bereik leek te liggen. Elk verlangen kan zonder enig probleem worden verwezenlijkt. En elk verlangen leidt uiteindelijk tot het volgende heerlijk waanzinnige verlangen. De mogelijkheden die voor ons opengaan, zijn oneindig.'

Samen waren we op een punt beland waar eigenliefde en zelfhaat elkaar ontmoetten, de waanzin die tegenwoordig zo sterk in de mode is. Doordat ik te kennen gaf dit concept in de geest en in het hart te herkennen, nam ze aan dat ik er net zo van verrukt was als zij, en dat ik een leven wilde gaan leiden dat in het teken van de dood stond.

Soms leidt het tot niets als je geen risico durft te nemen. Ik nam een zeker risico door mijn Beretta in mijn holster te stoppen.

Ze hield Timothy nog steeds vast, met haar arm om zijn hals, de loop van het pistool tegen zijn slaap gedrukt.

In zijn ogen dacht ik angst en opluchting te bespeuren, en dat laatste stemde me verdrietig.

Victoria liet hem los. Ze liet haar wapen zakken en richtte de loop naar de grond.

'Toen ik op je lippen spoog,' zei ze, terwijl ze me een elfachtige glimlach schonk, 'vond je dat vast wel lekker.'

Ik trok mijn pistool en schoot haar van dichtbij twee keer in de borst, voordat ze de kans kreeg haar pistool te richten.

# 48

Afgezien van de schotwonden en het bloed bezat de in elkaar ge-
zakte Victoria een elfachtige lieflijkheid, nu ontdaan van de geest
die niet aan de schoonheid van haar materiële omhulsel kon tippen.

Ik zei tegen de jongen: 'Niet naar haar kijken.'

'Ik heb wel erger gezien.'

'Maakt niet uit,' zei ik. 'Niet kijken. Ga maar een eindje de
tunnel in. Ik kom er zo aan.'

Hij deed wat ik hem vroeg.

Mijn misselijkheid was weggezakt. Ik was niet misselijk geworden door het pulserende licht in de glazen buizen, maar door
het besef wat ik haar zou aandoen als ik haar zand in de ogen
kon strooien en haar vertrouwen kon winnen.

Ik was deze vrouw niets schuldig geweest. Ze had haar verdiende loon gekregen, en ze zag er weliswaar jong uit, maar haar
dood was niet voortijdig te noemen. Toch blijft iemand die is
doodgegaan altijd iemand die is doodgegaan, ook als er iets anders in het spel is, zoals gerechtigheid.

Ondanks wie ze was geweest en wat ze had gedaan, had ze
ooit haar onschuld nog niet verloren. Uit respect voor het on-

schuldige meisje dat ze ooit was geweest, zou ik haar met een deken willen toedekken, omdat ze nu overgeleverd was aan de onwaardigheid van de dood.

Met mijn sportjasje zou ik alleen haar hoofd en bovenlijf kunnen afdekken, wat op de een of andere manier oneerbiedig zou lijken.

Haar 9mm-pistool lag op de grond. Omdat ik zo snel door mijn munitievoorraad ging, raapte ik het wapen op. Ik haalde het magazijn eruit – en ontdekte dat het leeg was. En in het wapen zelf zat ook geen kogel.

Ze had al haar kogels al gebruikt voordat het tot een treffen tussen ons kwam. In feite was ze voor mij noch voor Timothy een bedreiging geweest.

Ik deed het magazijn terug in haar pistool en legde het naast haar op de grond.

Het zou niet anders kunnen zijn gegaan. Wat er gebeurd was, was het enige wat er gebeurd had kunnen zijn. Toch wist ik dat ik me dit moment niet als een hoogtepunt in mijn leven zou herinneren.

Ik draaide me om en vulde het magazijn van mijn Beretta bij.

Toen ik me bij Timothy voegde, die iets verderop in de gang stond te wachten, vroeg ik: 'Alles oké?'

'Nee. De vorige keer dat alles oké was, leefde mijn moeder nog.'

Ik legde een hand op zijn schouder. 'Je zei dat niemand naar het verleden kan gaan om daar iets te doen wat een verschil maakt voor het heden.'

'Ze zeiden altijd dat Tesla dat gezegd had, en dat is waar gebleken.'

'Je vader heeft je in 1925 een stukje teruggezet in het verleden, een paar minuten voordat hij je per ongeluk doodschoot, maar je zag jezelf nog levenloos op het gras liggen, naast het lijk van je moeder en het dode paard.'

'Ja. Mijn leven kwam ten einde toen hij me doodschoot.'

'Maar toch ben je er nog, paradoxaal genoeg. In leven... zonder dat je ooit verandert.'

'Omdat ik geen leven en geen lotsbestemming heb om naartoe te groeien.'

Ik ging op een knie zitten, zodat ik op dezelfde hoogte als hij was. 'Als we je moeder uit het verleden zouden terughalen, zou ze precies als jij zijn.'

'Precies als ik. Uiterlijk nooit meer veranderen. Constant de druk van de toekomst voelen. En nooit meer van Roseland af komen.' Hij keek naar het lijk van Victoria. 'Behalve als ze weer vermoord zou worden.'

Dit was nieuw voor me. 'Nooit meer van Roseland af komen?'

'Ze zeggen... ze denken dat ik zou ophouden te bestaan als ik me buiten de poort waag. Ik sta buiten de tijd, buiten míjn tijd, hier in een eeuw waar ik niet thuishoor. Misschien word ik alleen maar in leven gehouden door het energieveld, Tesla's energieveld, dat alleen op Roseland bestaat.'

Als dat waar was, had ik hem weliswaar gered, maar met een doodvonnis als het enige vooruitzicht, hoe dan ook.

De gedrochten hadden Jam Diu en mevrouw Tameed en mogelijk ook Constantine Cloyce vermoord, wat mij de moeite scheelde die mensen dood te maken, en misschien hoefde ik op die manier niet zelf de beul te zijn, een rol die ik liever niet op me nam. En als ik het bestaan van het landgoed beëindigde en ook de rest van de Outsiders van het leven beroofde, wat misschien neerkwam op het vermoorden van Henry Lolam, had ik misschien de levens van al die vrouwen en kinderen gered die in de komende decennia aan deze verdorven sekte ten prooi zouden vallen. Dat was een mooi resultaat, zeker voor een werkloze snelbuffetkok.

Maar dit eeuwige kind, dat zijn wijsheid uit boeken had gehaald en door zijn lijden gevormd was, was zo'n survivor dat ik het een bedroevend idee vond dat ik hem alleen maar kon helpen door hem uit zijn lijden te verlossen. Ondanks alles wat hij hier had meegemaakt, ondanks alle afschuwelijke dingen die hij had gezien en gehoord, had hij zijn onschuld weten te bewaren, althans in de zin dat hij hier part noch deel aan had, dat hij argeloos was, niet kwaadwillend, ongeperverteerd. Hij verdiende een beter lot dan een tweede dood.

Als zijn lot in mijn handen had gelegen, zou ik hem leven hebben gegeven, en hoop, en geluk. Een dergelijke goddelijke macht ligt echter buiten mijn bereik. Ik ben tegenwoordig alleen maar een reizende klusjesman die gaat waarheen hij moet gaan, die overal de rottigheid opruimt en daarna zijn weg vervolgt, op naar de volgende giftige vuilnisbelt.

Toen hij me vertelde dat hij waarschijnlijk zou ophouden te bestaan zo gauw hij zich buiten de muren van het landgoed waagde, stond ik met mijn mond vol tanden. Ik kon alleen maar mijn armen om hem heen slaan, hem knuffelen, hem stevig tegen me aan drukken. En dat was misschien precies het juiste om te doen, want hij sloeg zijn armen ook om me heen, en even putten we kracht uit elkaars aanwezigheid, midden in de doolhof van Roseland, terwijl gedrochten door andere gangen liepen, en ook bovengronds, op het zonovergoten terrein, zich te goed doend aan mensenvlees met het enthousiasme van de minotaurus die in het labyrint van Kreta op de loer lag.

Terwijl we de andere gangen probeerden te vinden waar Victoria Mors het over had gehad, zei ik: 'Er is iemand aan wie ik je graag wil voorstellen.'

Hij schudde zijn hoofd. 'Ik wil gewoon terug naar het verleden. Ik wil weer één Timothy zijn, niet twee, en ik wil als die ene in 1925 aan mijn eind komen, zoals mijn lot was.'

'Misschien is dat het beste,' gaf ik toe. 'Maar wat we willen, is vaak níet wat het beste is. In de toren zit een vriendin van me. Ze is echt heel aardig. Ik wil graag horen wat zij te zeggen heeft voordat we een definitieve beslissing nemen.'

'Wie is ze dan?'

'Ik zou er heel wat voor overhebben om die vraag te kunnen beantwoorden, Tim.'

Toen de met koper beklede gang zich splitste, diep onder de gemillimeterde grasvelden van Roseland, gingen we naar rechts, in de richting van de toren.

Ik was zo van slag geweest door wat Timothy zei over de onmogelijkheid om buiten de muren van het landgoed te kunnen overleven dat het nu pas tot me doordrong wat hij nog meer had gezegd. Ik citeerde hem: '"Constant de druk van de toekomst voelen."'

'In het verleden ben ik dood. En omdat ik al ben doodgegaan, hoor ik niet in het heden thuis. Toch ben ik in leven. Met mijn geest sta ik zowel binnen als buiten de tijd. Dus misschien komt het daardoor dat ik... dingen zie die nog moeten gebeuren.'

'De toekomst?'

'Dat denk ik wel, ja.'

'Toen ik je de eerste keer op je kamer zag zitten, in die grote stoel, waren je ogen helemaal naar achteren gedraaid. Was je toen in trance?'

'Ik kan naar die staat toe wanneer ik maar wil. Maar soms overkomt het me gewoon, zonder dat ik het wil.'

'Je had het over huid die van hun schedel smolt, en dat ze zwart als roet werden en door de wind werden meegevoerd... Bedoel je te zeggen dat je iets zag wat ooit zal plaatsvinden?'

'Felle witte lichtflitsen,' zei hij, 'waardoor alles verpulvert tot roet en stof.'

'De schoolmeisjes in uniformen en kniekousen. Hun kleren en hun haar vlogen in brand, vlammen kwamen uit hun monden. Je bedoelt... oorlog.'

'Ik zie diverse dingen op diverse tijdstippen. Ik weet niet wat daarvan zou kunnen plaatsvinden en wat daadwerkelijk plaatsvindt.'

Na enige aarzeling vroeg ik: 'Zie je ook wel eens goede dingen, iets wat mogelijk zou kunnen gebeuren, een wereld waarin we zouden willen leven?'

'Niet vaak.'

'Als de toekomst niet vastligt... wat komen die monsters hier dan om de zoveel jaar doen? Waarom manifesteert zich op Roseland dan geen totaal andere toekomst?'

'Misschien omdat in de meeste van de mogelijke toekomstscenario's, zeg tachtig of negentig procent ervan, de gedrochten ontstaan en de hele wereld door oorlog wordt verwoest.'

'Maar is dat niet onvermijdelijk?'

'Nee. We hebben wat verschillen gezien tussen het ene hoogwater en het andere.'

'Zoals wat?'

'Eerst waren die reusachtige vleermuizen er bijvoorbeeld nog niet.'

'Dat is een verslechtering,' zei ik.

'Klopt. Maar als de dingen kunnen verslechteren, kunnen ze ook verbeteren.'

We zwegen de rest van de weg.

De gang kwam uit bij een zeer smalle roestvrijstalen wenteltrap. Ik ging voorop. De trap voerde zo'n vijftien meter omhoog. Bovenaan zag ik aan de koperen koepel, meer dan tien meter boven ons hoofd, dat we boven in de toren waren aangekomen.

De complete ruimte – zelfs de vloer – bestond uit glanzend koper. In het koper waren zilveren schijfjes in bepaalde patronen ingelegd, elk met het symbool van de eeuwigheid erop.

De chronosfeer was het spectaculairste, maar niet het meest overdonderende in het ruime vertrek. Wat me het meest opviel, was het vreemde licht. Het was niet te fel of te gedimd, zette ons in een gouden gloed die deed denken aan kaarslicht, maar dan zonder het geflakker. Hier hing een aangename ambiance, waardoor je je zelfs in deze bizarre ruimte op je gemak voelde, al was het iets wat ik nooit eerder had meegemaakt. Het duurde bijna een minuut voordat ik doorhad wat er precies zo raar was: er was geen lichtbron te bekennen. Geen lampen, geen muurkandelaars, geen verlichting aan de overkappende koepel. Boven en beneden, tot in alle hoeken en gaten, werd de ruimte gelijkmatig verlicht. Geen enkel plekje was donkerder of lichter dan het ande-re. Het leek alsof het licht net zo'n integraal onderdeel van de ruimte was als de lucht. Beter zou ik het niet kunnen omschrij-ven.

Ik wist nog dat het Nikola Tesla in 1889 gelukt was om van-uit zijn laboratorium in Colorado tweehonderd lampen tot op een afstand van veertig kilometer te laten branden, draadloos, door elektriciteit door de lucht te verplaatsen. Omdat hij con-stant met nieuwe ideeën bezig was, had hij zich snel daarna weer op nieuwe projecten geworpen. De technologie die voor dat ex-periment nodig was, is verloren gegaan.

Het verschil tussen het experiment in Colorado en deze to-renkamer was de afwezigheid van lampen. De gehele kamer leek als lichtbron te functioneren, al was er geen vacuüm en was er ook geen gloeidraad. Timothy en ik konden gewoon ademhalen, en ook voelden we geen elektrisch veld om ons heen. Geen schok-ken. Geen tintelend gevoel. Geen statische elektriciteit waardoor de haartjes op de rug van mijn handen overeind gingen staan.

Timothy en ik hadden geen schaduw, en ook de chronosfeer niet, of wat dan ook. Omdat het licht niet van één punt kwam maar overal om ons heen was, vielen nergens schaduwen.

De chronosfeer was net zo lastig te beschrijven.

De buitenkant bestond uit een reusachtige cardanische ring, die met zilver beslagen was. Het geheel was ongeveer vijfenhal-ve meter breed en acht meter hoog, met iets meer dan een me-ter loopruimte eromheen.

In deze ring zat een tweede, die met goud beslagen was, en binnenin bevond zich het wiel van een gyroscoop, met dit ver-schil dat het geen wiel was maar een gouden ei, tweeënhalve me-ter hoog en bijna twee meter in doorsnee op het breedste punt. Door dit ei was het waarschijnlijk geen gyroscoop in de strikte zin van het woord, maar iets wat geen naam had, althans geen naam die in mijn woordenboek stond.

Op ogenschijnlijk onnavolgbare manieren was de sierlijke binnenring verbonden met de buitenring, en beide beschreven soepel en geluidloos het patroon van een lemniscaat. Hierbij leken de banen elkaar soms te overlappen, maar de voortdurend in beweging zijnde ringen kwamen nooit tegen elkaar aan. Binnenin bevond zich het ei, op dit moment draaiend om zijn as, waarbij het puntigste deel onveranderlijk bovenaan bleef.

De wonderbaarlijk draaiende binnenring wierp geen schaduwen. Maar aan de buitenkant van de baan die beschreven werd, leek de lucht – of het licht zelf – rimpelingen te vertonen.

Timothy wees naar het ei en zei: 'Dat is de capsule. Dat is wat zich door de tijd heen kan verplaatsen, en ook buiten de tijd kan komen. Hij biedt plaats aan een of twee personen. Het is mogelijk om iemand alleen heen te sturen, en als de capsule niet op PARKEREN staat, komt hij hier leeg weer terug.'

Ik had heel wat vragen, maar daar was het nu niet het juiste moment voor. Ik zag een koperen deur in de koperen wand, pakte Timothy bij de hand en liep ernaartoe, om de chronosfeer heen.

De deur bood toegang tot een trap, waarlangs we een verdieping lager konden komen, waar Annamaria zat te wachten.

Omdat ik geen sleutel van deze koepel had, pakte ik twee dollarbiljetten uit mijn portemonnee, vouwde ze op, en stak ze tussen de deur en de deurpost, zodat de deur niet dicht kon vallen en we altijd weer naar binnen konden. Voor twee dollar had ik toegang tot miljoenen jaren van het verleden.

# 49

Vlak voordat ik wilde aankloppen, ging de deur al open. Anna-maria stond midden in de kamer, met het gezicht naar ons toe, alsof er een ogenblik eerder een stem had omgeroepen: '*Odd Thomas heeft het gebouw betreden.*'

Links van haar stond de golden retriever, Raphael, en rechts van haar Boo, mijn spookhond.

De gordijnen zaten dicht, en de tiffany-lampen waren uit. Het enige licht kwam van drie brede glazen potten met een lange hals, een doorzichtig en twee cognackleurig. In elke pot brand-de een pit die op een laagje olie dreef.

Toen Annamaria haar rechterhand uitstak, ging Timothy on-middellijk naar haar toe, alsof hij haar kende. Toen hij haar hand pakte, boog ze zich om hem een zoen op zijn voorhoofd te geven.

Op de dag dat ik Annamaria voor het eerst tegenkwam, in Magic Beach, zag ik al dat ze liever olielampen dan elektrisch licht had. Ze zei dat de zon ervoor zorgde dat planten konden groeien, dat van planten essentiële oliën werden gemaakt, en dat die olie nog jaren daarna met behulp van een pitje kon branden, waarmee ze 'het licht van vroeger' teruggaven. Dat vond ze een leuker idee dan elektrisch licht.

In mijn gastenverblijf had ik geen olielampen gezien. Misschien had ze om deze gevraagd. Of misschien had Constantine Cloyce ze in hoogsteigen persoon naar haar toe gebracht.

Ze leidde Timothy naar de bank, waarop ze naast elkaar plaatsnamen, in het midden. Raphael kwam er met een sprong bij liggen, rolde zich op, en legde zijn hoofd op de schoot van de jongen. Boo vlijde zich tegen Annamaria aan.

Een van de lampen stond op de salontafel. Recht daarboven tekenden zich een paar waterige, trillende kringen van licht en schaduw op het plafond af, de weerspiegelingen van de glazen pot.

Annamaria hield de rechterhand van de jongen met beide handen vast. Ze zaten elkaar glimlachend aan te kijken.

Op de kleine eettafel stond nog een olielamp, die ook trillende kringen op het plafond projecteerde.

Daarnaast stond een grote ondiepe blauwe schaal, gevuld met water, waarin een grote bloem met wasachtige bladeren dreef. Eerst hadden er drie bloemen in de schaal gelegen.

'Wie zie je als je naar me kijkt?' vroeg Annamaria aan de jongen.

Hij zei: 'Mijn moeder.'

'Maar ik ben je moeder niet, hè?'

'Nee,' zei Timothy. 'Niet mijn moeder. Maar misschien zou u dat wel kunnen zijn.'

'Denk je dat?'

'Dat zou ik wel leuk vinden,' zei hij. Voor het eerst klonk hij meer als een kind dan als een oude man in het lichaam van een kind.

Ze streek het haar van zijn voorhoofd weg en legde haar hand erop, alsof ze wilde controleren of hij koorts had.

Hier gebeurde iets belangrijks, snapte ik, al had ik geen idee wat dat dan precies was.

De derde olielamp, de doorzichtige, stond in het keukentje op het aanrecht. Doordat de pit onzuiver was, flakkerde de vlam, die steeds langer werd tot hij in de lange smalle hals van het pot-je kroop en daarna weer terugzakte naar de olie waarop de pit dreef.

Annamaria nam Timothy's hand weer in haar handen en zei: 'Hoe is het je gelukt al die jaren jezelf te blijven?'

'Boeken,' zei de jongen. 'Duizenden boeken.'

'Dat moeten dan wel goede boeken zijn geweest.'

'Sommige wel, andere niet. Gaandeweg kom je er vanzelf achter welke boeken je moet hebben.'

'Hoe ben je daar dan achter gekomen?'

'Eerst door hoe je je voelt.'

'En later?'

'Door te lezen wat er op de bladzijde staat, en ook wat er niet staat.'

'Tussen de regels door,' zei ze.

'Onder de regels,' zei hij.

Ik stond zo buiten dit gesprek dat ik het gevoel had dat ik niet het vijfde wiel aan de wagen was, maar eerder het vijfde wiel aan een driewieler.

Plotseling werd ik afgeleid door kabaal buiten, geraas en gekletter. Ik liep naar een van de ramen toe, trok het gordijn opzij en drukte mijn voorhoofd tegen het glas, om beter naar beneden te kunnen kijken.

Buiten dromden opgewonden gedrochten rond de voet van de toren, zowel de lelijke als de nog lelijkere soort. Ik hoorde ze snuiven en grommen, en toen klonk weer het harde gebeuk toen een van hen keihard met een bijl tegen de tralies van een van de ramen sloeg, pal onder me.

Ook als ze het metselwerk kapot zouden slaan om de tralies los te kunnen wrikken, zouden de ramen te smal voor ze zijn. Deze beesten waren primitief, emotioneel en geestelijk labiel, een soort wandelende varkenskoteletten, maar ze waren niet zo stom of door het dolle heen dat ze hun woede zinloos op de ramen zouden koelen als er ook een voordeur was.

Die deur was met ijzer versterkt, niet geheel van ijzer. De randen waren met ijzer verstevigd, en er liepen ijzeren banden overheen, maar toch waren er ook stukken eikenhout waar ze een bijl in konden zetten. En hoewel het een buitengewoon dikke deur was die een aanval van brute dommekrachten moest kunnen weerstaan, was hij niet berekend op een aanval door gedrochten die met bijlen en klauwhamers gewapend waren.

Victoria had gezegd dat de gedrochten nooit eerder zo goed bewapend waren en dat ze anders altijd eenvoudige knuppels bij zich hadden. Ze had gezegd dat de monsters steeds slimmer werden.

Een van hen begon te krijsen toen hij me voor het raam zag staan en stak een gebalde vuist naar me op. Met zijn woede stak hij de anderen aan, en allemaal keken ze omhoog naar me, schreeuwend om bloed en zwaaiend met hun vuisten en wapens.

Ik dacht aan Enceladus en de titanen, die verpletterd werden onder de stenen die ze op elkaar gestapeld hadden om naar de hemel te kunnen klimmen en het tegen de goden op te nemen. Maar ik was niet een van de goden, en de eerste verdieping was niet zo hoog als de hemel.

Ik draaide me om en onderbrak Annamaria en Timothy in hun nauwelijks te doorgronden gesprek. 'De gedrochten zijn er. Als ze de deur bestormen, hebben we hooguit nog tien minuten.'

'Dan zullen we ons daar acht minuten na de bestorming wel mee bezig gaan houden,' zei Annamaria, alsof de woeste menigte slechts een schoonheidsconsulente was die ons een nieuwe lijn huidverzorgingsproducten wilde showen.

'Nee, nee, nee. Je hebt geen idee waar die gedrochten toe in staat zijn,' zei ik tegen haar. 'We hebben nog niet de tijd gehad om het erover te hebben.'

'En daar hebben we nu ook geen tijd voor,' zei ze. 'Wat ik met Tim te bespreken heb, heeft een hogere prioriteit.'

De jongen en de honden leken het met haar eens te zijn. Ze

keken me glimlachend aan, geamuseerd door mijn zenuwachtige opwinding over de komst van een paar overspannen varkens die een barbecue in gedachten hadden, een waarbij de rollen waren omgedraaid.

'We moeten naar boven,' zei ik. 'De enige manier waarop we hier weg kunnen komen, is via de route die Tim en ik genomen hebben om hier te komen.'

'Ga jij alvast maar, jongeman. Wij komen wel zo gauw we hier klaar zijn.'

Ik wist dat het geen zin had om nog langer op haar in te praten. Ze zou elk van mijn dringende argumenten weerleggen met een paar geruststellende woorden, of met een enigmatisch zinnetje waarvan het me minstens drie jaar zou kosten om erachter te komen wat ze precies bedoelde.

'Oké,' zei ik. 'Goed, is prima, oké, ik ga wel naar boven, en daar blijf ik dan wel op jullie zitten wachten, en op de gedrochten, en op dat spookpaard, op de fanfare, op iedereen die maar zin heeft om te komen, maakt niet uit, ik blijf daar wel zitten wachten.'

'Mooi,' zei Annamaria, waarna ze haar aandacht weer op Timothy richtte.

Ik verliet de suite, deed de deur achter me dicht, en rende niet omhoog, maar naar beneden. In de hal hoorde ik de monsters buiten rondlopen. Ze maakten verschillende varkensgeluiden, maar ook geluiden die zo menselijk waren dat ik de vliegende paniek kreeg. Ik kreeg de indruk dat ze elkaar aan het oppeppen waren, als sporters voor de aanvang van een belangrijke wedstrijd.

In mijn suite pakte ik van de hoogste plank in mijn slaapkamerkast de in plastic verpakte stapel bankbiljetten die ik had gekregen van Hutch Hutchison, de bejaarde acteur, voordat ik uit Magic Beach vertrok, slechts een paar dagen geleden. Als ik Roseland voor altijd dichtgooide en ervandoor ging, zouden Annamaria en ik dit geld goed kunnen gebruiken.

Gedurende de tijd dat ik in Magic Beach voor meneer

Hutchison had gewerkt, was er een vriendschap tussen ons ontstaan. Aanvankelijk weigerde ik zijn geld aan te nemen, maar hij drong er met zoveel vriendelijkheid en charme op aan dat hij beledigd zou zijn geweest als ik zijn aanbod definitief had afgeslagen.

Toen meneer Hutchison negen was, waren heel wat banken failliet gegaan in de Grote Depressie. Als gevolg daarvan had hij altijd een zeker wantrouwen tegenover dergelijke instituten gehouden. Hij bewaarde stapels bankbiljetten in zijn vrieskist, stevig ingepakt in witte plastic vuilniszakken en met teflontape afgesloten.

Op elk pakje stond een code. Als er RUNDERTONG op stond, zaten er biljetten van twintig dollar in. ZWEZERIK bevatte de helft twintigjes en de helft honderdjes. Toen Hutch me zo'n pakketje had gegeven, verpakt in een roze cadeautasje met gele vogeltjes erop, had hij niet willen zeggen om hoeveel geld het ging, en tot nu toe had ik daar niet naar gekeken.

Ik was vergeten wat voor code er op dit pakketje stond. Toen ik het uit de kast haalde, zag ik dat er ZWOERD op stond. Blijkbaar wordt het universum bestierd door iemand met veel gevoel voor humor.

Met het geld in de hand verliet ik mijn suite, en ik deed de deur achter me op slot.

De gedrochten hadden zich nog niet op de voordeur geworpen.

Snel liep ik de wenteltrap op, langs de suite van Annamaria, helemaal naar boven, waar ik er met gebruikmaking van twee dollarbiljetten voor had gezorgd dat de deur niet in het slot kon vallen.

Toen ik het grote vertrek betrad, stapte Constantine Cloyce van achter de deur tevoorschijn en beukte de kolf van zijn geweer met pistoolgreep in mijn gezicht.

# 50

Ik was weer in Auschwitz, doodsbang om twee keer dood te gaan. Ik was aan het graven, maar dat ging de bewaker niet snel genoeg. Hij schopte me tot drie keer toe. De stalen neus van zijn laars haalde mijn linkerwang open. Er stroomde geen bloed uit me, maar grijze poederige as, en tegelijkertijd begon mijn gezicht naar binnen te klappen, alsof ik geen mens was maar een opblaasbare pop, een holle pop vol stro dat tot as en roet was vergaan zonder dat ik er erg in had gehad. En in het gat dat ik niet snel genoeg groef, verscheen een stoel, waar de dichter T.S. Eliot op zat, die me twee regels uit een van zijn bundels voorlas: 'This is the way the world ends. Not with a bang but a whimper.' Zo zal de wereld vergaan. Niet met een knal maar met pathetisch gejank.

Ik werd wakker op de koperen vloer, boven in de toren, en even snapte ik niet hoe ik daar gekomen was. Maar toen begon het me weer te dagen. Wolflaw... Nee, Cloyce. Constantine Cloyce, met zijn grijze ogen die de tint van geborsteld staal hadden, zijn klassieke kin naar voren gestoken, zijn kaken op elkaar geklemd, zijn kleine mond met volle lippen verwrongen in een minachtende grijns, Cloyce die de kolf van zijn geweer in mijn gezicht beukte.

Mijn gezicht deed pijn. Ik proefde bloed. Er hing een waas voor mijn ogen. Toen ik een paar keer met mijn ogen knipperde, hielp dat niets; het enige effect was dat mijn hoofd nog erger begon te bonzen.

Ik hoorde hem zachtjes zingen. Eerst kon ik het liedje niet thuisbrengen, maar op een gegeven moment besefte ik dat het een bekend Amerikaans nummer was, 'Let's Misbehave' van Cole Porter.

Ik durfde me niet te bewegen, omdat ik bang was zijn aandacht te trekken voordat ik helder genoeg uit mijn ogen kon kijken om me te verdedigen, en daarom bleef ik liggen, op mijn buik, met mijn gezicht naar rechts, ongeveer een minuut, tot mijn blik wat helderder was geworden.

Op de grond, ongeveer een halve meter van me af, lag het plastic pakketje met geld. Ik wist niet hoeveel erin zat, maar ik snapte wel dat het bedrag geen enkele onderhandelingsruimte bood, omdat Cloyce miljardair was.

Achter het pakketje met geld doemde de chronosfeer op. Ik zag Cloyce niet, alleen de binnenring die geluidloos en traag een lemniscaat beschreef. De ring beschreef onophoudelijk het onmogelijke patroon. En doordat elke kubieke centimeter gelijkmatig werd verlicht, vielen er geen schaduwen waaraan ik mogelijk kon zien waar mijn tegenstander zich ophield.

Ik lag op mijn rechterarm. Toen ik de vingers van die hand bewoog, voelde ik het leer van mijn holster. Langzaam, zonder de rest van mijn lichaam te bewegen, wurmde ik mijn hand in de richting van mijn Beretta – tot ik merkte dat het wapen was weggehaald.

Op de grond tussen mij en het pakketje geld lag een tand. Ik liet mijn tong langs mijn tanden glijden en merkte dat er niet één maar twee tanden misten. Ik werd misselijk door de smaak van bloed die in mijn keel en mond zat.

Aan zijn stem te oordelen stond hij achter me, een paar stappen van me af.

Omdat ik geen wapen had, leek ik de meeste kans te maken als ik snel overeind kwam en bij hem weg sprintte, om de chronosfeer heen, om het ding tussen mij en hem te houden tot ik bij de koperen deur was, of bij de roestvrijstalen trap.

Ik schoot overeind, maar toen ik me op handen en voeten had opgericht, begon het me te duizelen en schoot de pijn door me heen. Cloyce trapte mijn linkerarm onder me vandaan, waardoor ik weer werd gevloerd.

Nu zong hij zachtjes een ander nummer van Cole Porter: 'I Get a Kick Out of You'.

Ik snapte dat zijn muziekkeuze een voorbode was van wat er komen ging, maar ik bezat niet de kracht om me ertegen te verweren. Hij schopte me tegen mijn heup, twee keer in mijn linkerzij, en ik voelde een rib breken.

Toen hij met een laars op mijn rug ging staan en zijn volle gewicht erop zette, leek de gebroken rib vlam te vatten en dwars door mijn lijf te branden.

Nu begreep ik wat mijn droom te betekenen had.

Wat de nazi's de Joden wilden aandoen, en de zigeuners en de katholieken, was om ze twee keer te vermoorden. Dat is waar alle tirannen op uit zijn, zij die alle macht van de staat naar zich toe hebben getrokken, zoals Hitler, en zij met iets minder absolute macht, zoals Cloyce. Fysieke vernietiging is hun te min. Ze proberen je angst in te boezemen, om je geest te verpletteren, ze proberen je voortdurend door propagandapraatjes en genadeloze spot in verwarring te brengen, ze martelen je en stoppen je in werkkampen om meer dan alleen je lichaam te breken. Als het even kan, willen ze je reduceren tot een bang dier, tot iemand die alle geloof heeft verloren, dat hem daarvoor nog op de been hield, iemand die vindt dat hij terecht wordt vernederd, die zo gedeprimeerd raakt dat hij niet meer in welke vorm van rechtvaardigheid dan ook gelooft, die niet meer gelooft in de waarheid en dat het leven zin heeft. Eerst vermorzelen ze je ziel, en daarna willen ze je lichaam vernietigen, en als ze het goed gedaan hebben, werk je murw geslagen mee aan je eigen fysieke – tweede – dood. Ze dienen allen in het leger der verdoemden, en als hun geloof in het kwaad sterker is dan het geloof van hun slachtoffers in het bestaan en de kracht van het goede, zijn ze zeker van hun overwinning.

We kunnen daar alleen maar op reageren door moed te tonen en terug te vechten, of anders laf in de situatie te berusten. Of misschien bestaat er nog een derde optie: doen of we ons bij de situatie neerleggen.

Terwijl de gebroken rib in mijn zij brandde en golven van pijn over mijn gezicht trokken, smeekte ik hem me niet nog meer pijn te doen, me niet te doden. Ik smeekte, ik kroop voor hem door het stof, ik wierp me aan zijn voeten, ik gaf mezelf geheel aan hem over, en dat alles met mijn gezicht tegen de vloer gedrukt. De tranen kwamen eigenlijk vanzelf, door de folterende pijn die door me heen trok, maar mogelijk dacht hij dat ik huilde van angst en zelfmedelijden.

Hij greep me van achteren beet, bij de kraag van mijn sportjasje, zei dat ik moest gaan staan en trok me overeind. Vervolgens gooide hij me zo hard tegen de muur dat de pijn in mijn borst me als een spijker doorboorde, helemaal tot aan mijn schedeldak, waar mijn bewustzijn werd lekgeprikt en de duisternis mijn geest binnendrong. Bijna raakte ik buiten westen, maar de zwarte golf ebde weg.

Nu zong Cloyce 'Anything Goes'. Eigenlijk zong hij niet maar zei hij de woorden op, snauwend, met zijn gezicht vlak voor het mijne. Hij was een lange man, gespierd, sterk. Nu hij met zijn geweerkolf alle kracht uit me had geslagen, wilde hij me met zijn blote handen doodslaan. Zijn adem rook zurig en smerig. Hij pakte me bij mijn haar en bij mijn kruis, en tussen de regels van het liedje door opperde hij dat ik hem seksueel ter wille moest zijn, net als al die doodsbange vrouwen dat hadden gedaan voordat hij ze van kant had gemaakt.

Met mijn rechterhand zocht ik in de zak van mijn sportjasje, maar ik vond niets dan een paar reservekogels en de sleutel van de voorraadkast aan het roze plastic koord.

Plotseling doemde Tesla naast ons op. Zijn magere hoofd was vertrokken van woede. Hij stak zijn handen uit naar Cloyce, maar hij greep in het niets, dwars door hem heen, zoals hij ook dwars door mij was gelopen.

Misschien dacht Cloyce dat ik had gehoopt dat hij me zou sparen, want hij zei: 'Dat zal je niet helpen. Het is hem niet, alleen maar een aspect van hem, het onbedoelde gevolg van een experiment. Hij stuitert door de tijd omdat hij eigenlijk nergens thuishoort.'

Hij trok aan mijn haar, kneep in mijn kruis, en begon te lachen, hogelijk geamuseerd door de tranen die over mijn wangen stroomden en door mijn ogenschijnlijke hulpeloosheid.

Ik pakte de sleutel tussen duim en wijsvinger, en met alle kracht die ik nog overhad, stak ik de gekartelde baard van de sleutel in het zachte weefsel onder zijn kin, zo diep als ik kon, mogelijk tot aan zijn tong. Vervolgens draaide ik de sleutel met een wilde beweging om.

Terwijl het bloed over mijn hand stroomde, deinsde Cloyce achteruit, zijn handen naar de wond brengend, jammerend van de pijn, waarschijnlijk in de overtuiging dat ik hem met een mes gestoken had.

Voordat het tot hem doordrong dat hij niet dodelijk gewond was geraakt, strompelde ik bij hem weg, raapte het geweer op, draaide me om, laadde het wapen door, en schonk hem zijn tweede dood.

# 51

Naar de stilte te oordelen waren de gedrochten nog niet begonnen met het bestormen van de voordeur, maar ze zouden nu vast al begonnen zijn de deurkruk te betasten en te onderzoeken. Het zou niet lang meer duren voordat ze met hun bijlen gingen zwaaien.

Mijn kaak deed pijn van oor tot oor, de twee afgebroken tanden in mijn gebit bonsden, en de rechterkant van mijn gezicht begon op te zetten, waardoor mijn oog aan die kant dicht kwam te zitten. Ik slikte steeds vers bloed dat uit mijn mond kwam, en ook bloedde ik een beetje uit mijn neus. Geen van de elementen die tezamen mijn kruis vormden, voelden lekker, maar gelukkig kon ik me verplaatsen zonder daarbij pathetisch te janken.

Paranormaal magnetisme werkt het best als ik me concentreer op het gezicht en de naam van de persoon die ik wil opsporen. Soms werkt het ook als ik een bepaald voorwerp wil vinden en me er dan een beeld van voor de geest haal.

Ik kon me geen voorstelling maken van de hoofdschakelaar waar Tesla het over had gehad, omdat ik geen idee had hoe die eruitzag. Maar Nicola Tesla was altijd zo obsessief met details en ordening in de weer geweest dat het me sterk leek dat hij bij dat stomme ding geen bordje had gehangen met daarop in grote letters het woord HOOFDSCHAKELAAR. Ik concentreerde me op dat woord, in de hoop dat het ding ergens in dit vertrek was, het centrale punt van de tijdsregulatiemachinerie.

Ik liep een minuutje om de chronosfeer heen, maar daarna voelde ik een drang om er dichterbij te komen, door de vaste buitenring heen, in de richting van de binnenring, die onophoudelijk lemniscaatvormen beschreef. Zelfs van dichtbij kon ik niet zien hoe de ring zulke ingewikkelde patronen beschreef en het om zijn as draaiende ei – de capsule – onveranderlijk op zijn plaats bleef, precies in het midden.

Later zou ik meer over gyroscopen lezen, althans zoveel als ik als snelbuffetkok aankon. Ik zoog de kennis niet op, maar kreeg voldoende inzicht om me af te vragen of dit bij nader inzien misschien een elektrostatische gyroscoop was, waarin de rotor – of in dit geval het ei – op zijn plaats gehouden werd door een elektrisch of magnetisch veld. Maar als ik het goed begrijp, moet de rotor van een elektrostatische gyroscoop zich in een vacuüm bevinden, en dat was bij dit ei niet het geval.

Ik stapte op de binnenring af, maar merkte dat het bijna ondoenlijk was om bij het ei te komen. Ik zou doodgeslagen worden als ik probeerde dwars door de rondtollende ring te lopen.

Maar toen ik nog dichterbij kwam, werden er nieuwe patronen in een andere cadans beschreven, nog steeds een lemniscaatfiguur, en nog steeds een deel van de ruimte doorklievend, wonderwel zonder tegen de buitenste ring aan te komen, maar nu was er een pad naar het ei ontstaan.

Ik vertrouwde er volledig op dat die gouden kaken me niet abrupt in tweeën zouden klieven en liep in de richting van de capsule, zonder angst, zonder schaduw. Toen ik er een metertje vandaan was, begon het ei langzamer te draaien, steeds langzamer, en kwam uiteindelijk tot stilstand. De capsule leek zonder ondersteuning in de lucht te zweven, zo'n dertig centimeter boven de vloer, de bovenkant ongeveer een halve meter hoger dan mijn hoofd.

Een deel van het ei, bijna anderhalve meter hoog, ging omhoog, zonder dat er bovenaan scharnieren zichtbaar waren. In de capsule stonden twee leren cockpitstoelen klaar, met een console ertussenin.

Toen ik naar binnen stapte, me omdraaide en in een van de stoelen plaatsnam, ging het luik dicht, en verscheen er een eenvoudig bedieningspaneel binnen mijn bereik.

Bovenaan bevonden zich veertien kleine displays. Op de eerste vier stond het huidige jaartal; de maand, de dag, het uur, de minuten en de seconden werden op de volgende tien displays aangegeven. Ik zag zwarte cijfers, geverfd op ronddraaiende cilinders, als in een ouderwetse fruitautomaat. Voor zover ik kon nagaan, was de aangegeven tijd juist.

Onder de eerste tijdsaanduiding bevond zich een tweede, waarvan de displays leeg waren. Met veertien knoppen, een onder elk display, kon ik de cilinders draaien om de gewenste datum in te stellen waar ik naartoe wilde reizen.

Het andere bedieningspaneel bestond uit vijf gemarkeerde drukknoppen, zo groot als de knoppen op speelgoed voor kleine kinderen. Op de eerste, helemaal links, stond DATUM VASTZETTEN.

Daarnaast zat een knop waarop REIZEN stond. Daaronder bevond zich de knop voor PARKEREN. Tussen die twee was op de console het woord OF geverfd. Als de Roselanders veertig jaar van hun leeftijd wilden halen, nam ik aan dat ze op REIZEN drukten. Als ze de capsule tussendoor wilden verlaten, ondanks de mogelijke risico's die daaraan verbonden waren, moesten ze op PARKEREN drukken, en niet op de knop daarboven.

Naast de eerste twee knoppen bevond zich een knop waar LANCEREN op stond, en daarnaast weer een, met het woord TERUGKEREN erop.

Tijdreizen voor dummy's.

Terwijl ik om de chronosfeer heen was gelopen voordat ik op het ei was afgestapt, had ik zonder er erg in te hebben het kaartje van de zigeunermummie uit mijn portemonnee tevoorschijn gehaald. Nu staarde ik naar het kaartje dat ik in mijn hand had: JULLIE ZIJN VOORBESTEMD VOOR ALTIJD BIJ ELKAAR TE BLIJVEN.

Als ik in de tijd terugging naar de dag waarop Stormy bij een terreuraanslag om het leven was gekomen, kon ik de capsule parkeren, stiekem uit het Roseland van die tijd glippen – toen ze mij daar nog niet kenden – en naar Pico Mundo teruggaan.

Dan kon ik Stormy waarschuwen dat ze de volgende dag doodgeschoten zou worden. Hoewel mijn verhaal te absurd voor woorden leek, zou ze me om twee redenen geloven. Ten eerste wist ze heel goed dat mijn leven altijd al vol heeft gezeten met bizarre ongerijmdheden, en dergelijke voorvallen had ze al vaker met me meegemaakt. Bovendien logen we nooit tegen elkaar en trokken we elkaars woorden en motieven nooit in twijfel.

JULLIE ZIJN VOORBESTEMD VOOR ALTIJD BIJ ELKAAR TE BLIJVEN.

Maar omdat ik in het verleden niets kon doen wat van invloed zou zijn op het heden waaruit ik was vertrokken, zou ik belanden in een wereld waarin Stormy nog steeds doodgeschoten zou worden. Maar de Stormy met wie ik dan terugging naar het heden, zou nog steeds dezelfde Stormy zijn, geen kloon of zielloze robot, maar helemaal Stormy Llewellyn in levenden lijve. Net als Timothy zou ze dan een levende paradox zijn.

Ik zou haar stem dan weer horen, en haar lach. Haar hand weer in de mijne. Haar lieftallige, liefhebbende ogen. Haar gezicht, zo'n heerlijk gezicht. Haar zoen.

Ze zou nooit ouder worden. Maar als ik ervoor kon zorgen dat Roseland van mij werd, zouden we deze machine kunnen gebruiken, en dan zou ook ik nooit ouder worden. Dan zou de voorspelling van de zigeunermummie werkelijkheid worden en konden we hier voor altijd bij elkaar blijven.

Ik had ondraaglijk veel pijn door de verwondingen die me waren toegebracht. Ik liet mijn tranen stromen, al had die pijn daar niets mee te maken. Misschien huilde ik zelfs van vreugde.

Met mijn paranormaal magnetisme had ik niet de hoofdschakelaar gevonden die ik zocht, maar wel had ik gekregen wat ik wilde, wat ik zo nodig had, waar mijn hart naar verlangde.

Ik voerde de gewenste datum op de tweede klok in. Ik drukte op DATUM VASTZETTEN.

Ik aarzelde toen ik een keuze moest maken tussen REIZEN en PARKEREN.

Ik dacht aan de risico's, die eigenlijk niet in te schatten waren, en aan de consequenties, die talrijk waren, en waarvan sommige vernietigende gevolgen zouden hebben. Ik wist dat ik ontzettend veel spijt van mijn keuze zou kunnen krijgen, en hield mezelf ernstig voor dat je nooit met mensen om mag gaan alsof ze speelgoedpoppen zijn. Ik was me ervan bewust dat de mens vaker wel dan niet door zijn hart misleid wordt. Desondanks huilde ik.

En toen drukte ik op LANCEREN.

Misschien ging de capsule weer op hoge snelheid ronddraaien, maar daar merkte ik dan niets van. Ook voelde ik niet of het ei omhoog of naar beneden ging, of zijwaartse bewegingen maakte, of naar voren of naar achteren schoot. Wel voelde ik enige beweging, maar die was van een soort die ik eigenlijk niet kende: een naar binnen gerichte beweging, alsof ik een horloge was dat na lange tijd werd opgewonden. Dat is geen adequate beschrijving van het gevoel, maar iets anders kan ik niet verzinnen.

Terwijl ik terug in de tijd ging, nam de pijn af. Ik voelde dat mijn ribben heelden en dat het bloed uit mijn mond trok. Met mijn tong constateerde ik dat ik al mijn tanden weer had, en de zwelling in mijn gezicht nam snel af, zodat mijn oog niet meer werd dichtgedrukt.

Ik merkte onmiddellijk dat de capsule een zijwaartse glijbeweging maakte en uit de tijd raakte. Mijn hart klopte niet meer, en ik zoog geen lucht meer in mijn longen. In dit tijdloze rijk hoefde ik niet te ademen om in leven te blijven, en ook hoefde mijn bloed niet door mijn lijf gepompt te worden.

Ik vond het jammer dat er geen ramen in de capsule zaten, want anders had ik kunnen zien wat er om me heen gebeurde, maar onmiddellijk toen deze gedachte bij me bovenkwam, besefte ik hoe fout en gevaarlijk het was om zo te denken. Wat er buiten de tijd te zien was, zou immens verbijsterend en indrukwekkend zijn, zo wonderbaarlijk dat het niet in taal zou zijn uit te drukken. Wat er te zien viel, was misschien zo overdonderend en angstwekkend en zou misschien zo diep gaan dat het niet de bedoeling was dat een mens daar getuige van was. Misschien zou je je verstand er dan bij verliezen.

Toen de tijd weer werd omgedraaid, begon mijn hart weer te kloppen, en ook mijn longen werkten weer volledig automatisch.

Ik had niet op TERUGKEREN gedrukt, omdat ik niet voor PARKEREN had gekozen. Ik was niet helemaal teruggegaan naar de tijd toen Stormy Llewellyn nog leefde, maar slechts een dag, niet om een dag jonger te worden, maar om de schade teniet te doen die Constantine Cloyce me had toegebracht. Ik gebruikte de machine op dezelfde manier als de Roselanders wanneer ze het verouderingsproces teniet wilden doen.

Stormy had altijd gezegd dat ons leven een trainingskamp was, waarin we werden voorbereid op een leven vol dienstbaarheid en avontuur, het leven dat tussen deze wereld en onze uiteindelijke bestemming in ligt, iets wat sommigen de hemel noemen. Hoewel ze katholiek was, was ze niet orthodox in haar ideeën. Als ze nu inderdaad verwikkeld was in een of ander geweldig avontuur, had ik niet het recht, ook al hield ik zielsveel van haar, om de tijdslijn van haar leven te verstoren, omdat op die manier – welke manier dat precies was, had ik niet helder voor ogen – de lol die ze op dit moment had, misschien onderbroken zou worden.

Toen het erop leek dat het ei tot stilstand was gekomen, probeerde ik puur uit nieuwsgierigheid of ik de bestemmingsdatum op een toekomstig jaar kon zetten. Maar zoals ik al had vermoed, bleek dat niet mogelijk.

Omdat we over een vrije wil beschikken, liggen de dagen van

morgen niet vast en kunnen we de dagen een voor een ervaren. Ik zou niet naar de toekomst kunnen reizen, omdat er niet één toekomst bestaat, maar een groot aantal *mogelijke* uitvoeringen ervan. Het verleden ligt in steen verankerd, als een fossiel uit de jura, maar door wat we elke dag doen en laten zijn we voortdurend bezig de toekomst vorm te geven.

Toen het luik omhoogging en ik nog in mijn stoel zat, schrok ik doordat ik merkte dat er iemand in de stoel naast me zat. Tesla. Zijn smalle gezicht, zijn haviksneus, zijn blik die zo doordringend was als straling.

'Meneer,' zei ik, zo overdonderd door zijn aanwezigheid dat ik verder niets wist te zeggen.

'Een gigantisch en afschuwelijk misverstand, dit allemaal,' verklaarde hij, en vervolgens stak hij een tirade af, al behield hij daarbij zijn waardigheid. 'J.P. Morgan, Westinghouse, alle geldschieters, ze knijpen je af als je geld voor research nodig hebt, maar zelf spinnen ze er garen bij, en vervolgens kijken ze heel zuinig als je het budget voor je volgende project indient. Ze hebben geen visie!'

'Meneer,' zei ik.

In het hoge vertrek, achter de rondtollende binnenste ring, verscheen Annamaria met Timothy.

'Absoluut geen visie! Winst maken is alles wat ze willen; het gaat hun niet om kennis, om de verwondering, om de geheimen van God! Cloyce en Chiang profileerden zichzelf als lieden met een visie, en ze hadden al het geld in de wereld. Maar ze ontpopten zich als regelrechte boeven, leugenaars, *geestelijke dwergen!*'

'Meneer,' zei ik.

Van achter Annamaria en de jongen klonk een bonzend geluid. Er werd op de met koperwerk beslagen deur gebeukt. De gedrochten hadden zich inmiddels blijkbaar toegang tot de toren verschaft en probeerden nu de deur van ons laatste bolwerk in te trappen.

'Geestelijke dwergen,' herhaalde Tesla. 'Een stelletje bijgelovige dwazen. Perverse idioten! Dat waren ze, perverse idioten, demonen! We moeten de hoofdschakelaar omdraaien.'

'Meneer, de varkens komen eraan.'

Hij probeerde de afgesloten console tussen onze stoelen open te maken, maar zijn hand ging er dwars doorheen. 'Hemeltjelief! Ik ben niet Tesla, maar een doorslag, een product van de typemachine des tijds, niets dan een onbedoeld gevolg, ontstaan tijdens een van de eerste experimenten met de chronosfeer. Ik stuiter door de jaren heen, ik hoor nergens thuis, werkelijk nergens. Ik ben van nul en generlei waarde!'

Ik deed de console open, waar een pook in bleek te zitten die je ook in snelle sportwagens aantreft: geen knop bovenop, maar een echte hendel. Er stond HOOFDSCHAKELAAR op.

'Haal hem over!' zei Tesla gejaagd. 'Maak een eind aan dit allemaal, en aan mij.'

Voordat ik dat deed, zei ik: 'Ik had u graag wat beter leren kennen, meneer Tesla.'

'Insgelijks. Van wat ik van je heb gezien, zou ik zeggen dat je een deugdzame kerel bent, die genoeg lef en hersens heeft om grootse dingen te verrichten.'

'Nee, dat meent u niet, meneer. Ik doe altijd maar wat er zoal in me opkomt.'

Hij haalde zijn schouders op. 'Dat doen we allemaal toch?'

Toen ik de pook resoluut naar achteren trok, verdween Tesla. Om de capsule kwamen de binnenste ringen, die eerst onophoudelijk en geluidloos hadden rondgedraaid, met een doordringend en knarsend geluid tot stilstand.

De gedrochten trapten de deur open.

# 52

Ik kroop uit het ei en ging naar Annamaria en Tim toe, die onder de imposante gouden ribbenkast van de levenloze machine stonden.

De jongen had mijn Beretta opgeraapt, die Cloyce had weggegooid nadat hij het wapen van me had afgepakt. Nadat ik Victoria in de tunnel was tegengekomen, had ik nieuwe kogels in het magazijn gedaan.

Er waren vier gedrochten binnengekomen, en aan zeventien kogels had ik misschien niet genoeg om ze uit te schakelen. Ik verwachtte niet dat ze zo sportief waren me in de gelegenheid te stellen mijn wapen tussendoor bij te vullen.

Ik had gedacht dat het hoogwater onmiddellijk zou verdwijnen als ik de hoofdschakelaar eenmaal had omgezet. Ik snapte niet waarom de gedrochten niet net als Tesla in het niets oplosten, en op dat moment leek het totaal niet uit te maken dat ik een buitengewoon lekker pannenkoekenrecept kende.

Annamaria en Tim en ik stonden met onze ruggen naar elkaar toe, zodat we de vier beesten in de gaten konden houden terwijl ze op hun hoede om de chronosfeer heen liepen, nog buiten de buitenste ring. Ze gromden en grauwden en leken de machine niet te vertrouwen. Ze snoven, trokken gekke bekken, schudden hun kop alsof ze iets onaangenaams roken, en snoten hun vlezige snuit zodat hun handen onder slijmerige fluimen kwamen te zitten. Ze veegden hun handen vervolgens aan hun flanken af, alsof ze ons niet alleen angst wilden aanjagen maar ons ook nog met walging wilden vervullen.

Het zweet parelde op mijn voorhoofd.

'Als ze alle vier tegelijkertijd op ons afkomen,' zei ik, 'duiken jullie naar de grond, zodat ik alle ruimte heb om ze neer te knallen.'

'Ze zullen ons niet aanvallen,' verzekerde Annamaria me. 'Deze onprettige situatie is bijna voorbij.'

'Maar het is best mogelijk dat ze ons gaan aanvallen,' vond ik.

'Je maakt je te veel zorgen, Oddie.'

'Mevrouw, ik wil niet vervelend overkomen, maar u zou zich misschien wat meer zorgen mogen maken.'

'Wat leveren al die zorgen op? Alleen maar meer zorgen.'

Dit had onze eerste ruzie kunnen zijn geweest, al had het meer weg van een onbeduidend verschil van inzicht, maar toen onderbrak de grootste van de vier gedrochten ons door met een lage, rauwe stem enkele woorden uit te brengen, waardoor de rillingen langs mijn rug gleden: 'Vrouw met baby.'

Tot dusverre was er geen enkele aanleiding om aan te nemen dat deze monsters in staat waren zich in taal uit te drukken, laat staan dat ze *onze* taal spraken.

'Geef me kind,' zei het ding.

De spreker had een grotere kop dan de anderen, met een minder plat voorhoofd. Misschien was hij de enige die kon praten.

'Geef me kind,' zei hij nog een keer.

Het zweet brak me nu aan alle kanten uit. Ik zweette werkelijk als een otter.

'Jullie verkeren niet in de positie iets van me te mogen eisen,' zei Annamaria tegen het pratende gedrocht. 'Jullie hebben hier geen zeggenschap.'

'We doden,' zei het monster. 'We eten baby.'

'Ga hiervandaan,' zei ze. 'Ken je plaats en ga hiervandaan.'

Langzaam kwamen de vier onze kant op, net zo schaduwloos als wij, met een bleke huid en plukjes grijs borstelig haar, maar desalniettemin vier figuren der duisternis, alsof hun schaduwen zich in hen hadden teruggetrokken om zich daar te vermenigvuldigen tot legioenen die hen met de zwartste haat vervulden. Drie hadden een bijl bij zich, de vierde een hamer.

Ik nam de Beretta in beide handen, richtte op een van de drie die nog niets gezegd hadden.

De prater zei: 'Ik ben op de wereld om baby te eten, jouw baby, díé baby.'

'Dit is niet je tijd,' zei ze rustig, 'noch zal de tijd ooit aanbreken waarin je mij zult vermoorden of dit kind van mij zult aanraken. Ga weg. Ga naar je ellende.'

Misschien lag het aan mij, of misschien lag het aan mijn gemoedstoestand van dat moment, die te wensen overliet, maar het scheen me toe dat er meer aan de hand was dan ik kon bevatten. Dat gevoel had ik in het gezelschap van mijn mysterieuze vriendin wel vaker, maar nu was dat gevoel wel heel sterk.

'Ga naar je ellende,' herhaalde ze.

Ze stormden op ons af – ik had het voorspeld – maar daarbij vervaagden hun contouren in een rimpeling, alsof ze door een barrière van hete lucht moesten breken om bij ons te komen, en vervolgens losten ze op in het niets.

'Het wordt hier echt heel heet,' zei Tim.

Ik had de hitte toegeschreven aan de penibele situatie, maar het bleek geen subjectieve reactie op de stress te zijn geweest. Het werd inderdaad steeds heter in het vertrek.

Timothy had me verteld dat de machinerie waarmee de tijd geregeld kon worden ook de energie voor Roseland leverde, doordat de vrijkomende thermodynamische krachten daarvoor gebruikt werden. Ik vroeg me ineens af of Tesla zo slim was geweest een hoofdschakelaar te maken die niet alleen de tijdmachine stop-

zette maar het ding dan ook met de opgeslagen hitte vernietigde.

'We kunnen hier maar beter weggaan,' zei ik. 'De boel gaat
zo de lucht in.'

'Zorgen leveren alleen maar meer zorgen op,' zei Annamaria.

'Ja, ja, ja, ja,' zei ik. Ik duwde Tim en haar om de chronosfeer
heen, om ze bij het lijk van Cloyce weg te houden, pakte het
plastic pakketje met geld, en liep achter hen aan over de inge-
trapte deur naar de trap.

Gedrochten die we op de trap zagen, losten in het niets op als
we dichterbij kwamen, en de gedrochten die buiten joelend met
wapens zwaaiden, hadden ons kunnen aanvallen als ook zij niet
met het terugtrekkende getijde van de misplaatste tijd in het niets
waren opgelost.

Raphael en Boo zetten het plotseling op een lopen, de oren
plat tegen de kop en de staart laag.

Terwijl we zo snel mogelijk door het eucalyptusbos een heenkomen zochten, hoorde ik dat er hoog in de toren iets ineen-
stortte, een gigantisch kabaal dat als een carillon van ongestem-
de klokken klonk. Toen ik achteromkeek, stortte het dak in en
stoof er goudkleurig stof uit alle ramen. De muren trilden, en
een regen van stenen kwam tussen de bomen neer.

Toen we de rand van het glooiende gazon bereikten dat naar
het hoofdgebouw voerde, zagen we dat de honden daar waren
blijven staan, met hun nekharen recht overeind. Ze keken in de
richting van het langgerekte grasveld rond het Enceladus-beeld
dat zich in zuidelijke richting uitstrekte, bij het huis vandaan.
Het was niet het beeld van de titan dat er de reden van was dat
Raphael en Boo hun tanden hadden ontbloot.

In de verhullende schaduwen onder de eiken aan de westkant
van dat gazon bewoog iets. Eerst was het niet meer dan een omvangrijke vale vlek, een vormeloze massa die zich door het bos
voortsleepte. Hier en daar braken wat takken af die in de weg
zaten, en de boomtoppen trilden. Het wezen uitte een angst-

wekkende, hoge kreet, vol weemoed en verlangen, de kreet waar ik elke ochtend op Roseland wakker van was geworden, de kreet die nooit van een fuut afkomstig was geweest. Dat ik nu wist dat dit doordringende geluid afkomstig was van zo'n groot schepsel, bezorgde me meer rillingen dan toen de bron ervan me nog niet bekend was. Voor zover ik kon zien, had dit ding ongeveer het formaat van een olifant, al was het geen dier dat ooit eerder op de aardbodem had rondgelopen. Even was het zichtbaar aan de rand van het bos, een wegkwijnend wit monster, met dikke verkankerde huidplooien die extreme misvormingen vertoonden, wel duidelijke gelijkenis vertonend met de andere varkensachtige gedrochten die op Roseland hadden rondgelopen, maar veel wanstaltiger dan de ergst vervormde van die kleinere soort. Misschien zou het tussen de bomen tevoorschijn zijn gekomen als het hier nog een paar minuten langer was gebleven, of misschien zou het zich niet buiten de schaduwen hebben gewaagd, zoals de meest afzichtelijke monsters uit onze nachtmerries zich nooit volledig aan ons tonen. De dingen die zich in dromen aan ons openbaren, zijn vaak aspecten van onszelf waarmee we niet rechtstreeks geconfronteerd willen worden, en misschien was deze landreus zich bewust van zijn afschrikwekkende aard, durfde hij zichzelf niet bloot te geven en had hij schaduwen nodig, zoals een schuldbewuste ziel een rechtvaardiging voor zijn daden nodig heeft.

Terwijl de tijdreguleringsmachinerie zichzelf vernietigde, trok het hoogwater zich van de kust van onze tijd terug. Het wezen in het bos verdween in de toekomst waarin de lucht geel was en er grote stromen roet langs de hemel trokken.

De topografie van de uitgestrekte gazons veranderde doordat ondergrondse kamers en gangen instortten. Toen we naar het hoofdgebouw renden, vlogen de luiken omhoog die voor de deuren en ramen hadden gezeten. Ramen sprongen, en de glinsterende glasscherven vielen op de terrassen.

Het oorspronkelijke koetshuis, dat los van het hoofdgebouw

stond, was in 1926 gerenoveerd, toen duidelijk werd dat de auto al snel niet meer weg te denken zou zijn uit het straatbeeld. De sleutels van de verschillende voertuigen hingen aan een rek.

Ik koos een Cadillac Escalade. Boo sprong dwars door de laadklep voordat ik de kans had gekregen die open te doen, en Raphael volgde hem.

Ik zei tegen Annamaria: 'Wat gebeurt er met Tim als we eenmaal buiten de poort zijn?'

De jongen klampte zich aan haar vast toen ze zei: 'Dan gebeurt er niets. Hij blijft leven en wordt gelukkig.'

'Maar hij zei…'

'Wat is geweest, is er niet meer, jongeman. En nu zullen we zien wat er zal komen.'

Het was niet het moment om een van onze verbijsterende gesprekken te voeren. Ik nam achter het stuur plaats, en zij ging met de jongen achterin zitten.

Toen we langs het huis reden, begon het gebouw te imploderen, en het fundament zakte in, inclusief de geheime kamers die er mogelijk onder gelegen hadden. Dikke rookwolken stegen op van een of andere brand die ondergronds woedde.

Als resultaat van de zichzelf vernietigende machinerie zou er misschien net zo weinig overblijven van Roseland als van het huis Usher nadat het in het stinkende moeras was weggezonken.

Toen we langs de zuilen aan de voorkant van het huis reden, zag ik meneer Hitchcock bij het pad staan. Bijna was ik gestopt om hem te vertellen dat ik nu wel tijd voor hem had, maar dat was eigenlijk niet zo.

Met een brede glimlach keek hij naar de puinhopen van Roseland. Cloyce was waarschijnlijk een buitengewoon vervelende filmstudiobaas geweest.

Het wachthuisje was door een groot gat in de grond verzwolgen, en waarschijnlijk was Henry Lolam samen met het huisje verdwenen.

Ik wilde net uitstappen om de poort open te doen, toen de

ommuring in elkaar begon te zakken en tegelijkertijd leek weg te smelten. De hekken van de poort raakten los uit het smeltende steen en vielen kletterend op de grond. Ik reed eroverheen, zo snel als ik durfde, en wilde hier zo snel mogelijk vandaan, zonder daarbij de aandacht van de politie te trekken die we eventueel zouden tegenkomen.

Voordat ik vijftig meter had afgelegd, denderde Madra op de prachtige hengst voorbij. Haar witte nachtgewaad wapperde tegen de flanken van het paard aan. Nog één keer keek ze om, en ik zag dat ze glimlachte voordat ze met haar Friese paard naar de volgende wereld galoppeerde.

Aan weerszijden van de weg stonden oude eiken. Het wolkendek dat zich de hele dag al in het noorden had opgehoopt, liet in één keer alle regen los. Even raakte ik weer in de greep van de angst, toen de wereld achter een waas verdween, maar toen ik de ruitenwissers aandeed, bleek de wereld er gewoon nog te zijn.

Ik reed door de heuvels naar de snelweg die langs de kust liep en ging vervolgens in zuidelijke richting. De horizon lag verborgen achter mist, waardoor de grijze zee naadloos overging in grijze lucht. Een zilverkleurige regen sloeg schuin neer, en de banden vlogen sissend over het natte wegdek.

# 53

We lieten de Escalade achter op een parkeerterrein bij een supermarkt, en huurden een huisje met drie slaapkamers in een rustig plaatsje aan de kust. Het dak was voor de helft begroeid met gele bougainville, en het huisje keek op zee uit.

Normaal gesproken zou de huiseigenaar naar onze identificatiepapieren hebben gevraagd, maar Annamaria's glimlach, aanraking en harde valuta bleken te volstaan.

Roseland kreeg veel aandacht in de pers, maar al snel zakte de opwinding, toen de binnenlandse veiligheidsdienst zich ermee begon te bemoeien, op een manier die grondwettelijk gezien twijfelachtig was. Op internet werd het landgoed beschreven als een broeinest van terroristen die bezig waren geweest een duivels complot uit te broeden. Die theorie leek te worden gestaafd door de aanwezigheid van militairen en wetenschappers die op het terrein verschenen om de puinhopen te onderzoeken.

In de eerste maand in ons nieuwe onderkomen sliep ik alleen op een kamer, en Tim lag bij Annamaria in bed, omdat hij bang was om alleen te slapen. Hij was niet meer de persoon die hij was geweest. Nog steeds was hij de jongen die duizenden boeken had gelezen en zich daardoor ontwikkeld had, maar hij praatte nooit over Roseland, alsof hij er geen herinneringen aan had. Soms had hij het over zijn moeder, en dan vertelde hij hoezeer hij haar miste, maar hij leek ervan overtuigd te zijn dat ze was overleden toen ze van een paard was gevallen. Van zijn vader kon hij zich niets herinneren.

Ik vroeg Annamaria niet hoe ze deze verandering bij Tim kon verklaren, want ik was bang dat ik er toch niets van zou snappen. Ik heb in de loop der jaren geleerd dat het maar beter is om geen mysteries na te jagen als mijn zesde zintuig me daar niet toe aanzet.

Tim raakte van opwinding bijna buiten zinnen toen hij merkte dat zijn haar begon te groeien. Hij zei dat het nog nooit was gegroeid, al moest hij toegeven dat dat dan wel een rare zaak was. Toen hij voor het eerst naar de kapper ging, maakten we er een feestje van door naar de spelletjeshal te gaan en ijs te gaan eten.

Daarna sliep hij op een aparte kamer, in zijn eigen bed.

Hier aan de kust heb ik deze memoires geschreven in wat in de psychologie bekendstaat als een 'flow'. De woorden kwamen als vanzelf, alsof ze me gedicteerd werden.

De honden doen hun gebruikelijke hondendingetjes. Omdat Raphael Boo net zo duidelijk kan zien als ik, heeft hij een speelkameraadje, maar mijn spookhond is bij het spelen steeds in het voordeel.

Ik droom niet meer over Auschwitz en ben niet bang om twee keer dood te gaan.

Ik droom over Stormy, over de jaren die we samen hebben gehad, jaren waarin we veel hebben beleefd, en ik droom over hoe het zou kunnen zijn als we uiteindelijk weer bij elkaar zijn, al is dat iets waar je alleen over kunt dromen.

Mijn reis is nog niet ten einde. Op een gegeven moment zal ik weer een teken krijgen dat ik op pad moet. Ik leer door daar naartoe te gaan waar ik naartoe moet.

Annamaria zegt dat ik vanzelf zal weten wanneer we verder moeten, omdat ik dan 's nachts wakker zal worden door het getingel van het belletje dat ik altijd om mijn hals draag.

Ze is nu in haar achtste maand, maar haar buik wordt niet meer dikker. Als ik zeg dat ze zich moet laten onderzoeken, zegt ze dat ze al een hele tijd zwanger is en ook nog een hele tijd zwanger zal blijven, wat dat dan ook maar mag betekenen.

Twee dagen geleden, 's avonds, tijdens het eten, zag ik dat ze midden op tafel een ondiepe groene schaal met water had neergezet, en daarin dreef een van die bloemen met van die grote, dikke bladeren. Ze zei dat ze die van een boom in de buurt had geplukt, en ik ben er al een paar keer een flinke tijd naar op zoek geweest, maar heb hem nog niet kunnen vinden.

Ik vroeg of ze me de truc met de bloem wilde laten zien. Het bleek dat ze die truc al wel aan Tim had laten zien, op Roseland. Maar ze zegt dat het eigenlijk niet zomaar een trucje is, en dat ze me dat pas wil laten zien als ik er de juiste benaming voor weet. Kun je nagaan.

Onze vriendin uit Magic Beach, Blossom, die zichzelf het Gelukkige Gedrocht noemt, belde om te zeggen dat ze ons over anderhalve week komt opzoeken. Als kind werd ze zwaar verminkt toen haar vader haar in een dronken bui in brand had gestoken. Waarom zijn het zo vaak kinderen, en waarom zijn het zo vaak hun ouders? Misschien komt het gewoon door de aard van deze slepende strijd. Maar goed, het lijkt me heerlijk om Blossom weer te zien, want ze is een prachtig mens, ondanks haar toegetakelde gelaat.

Gistermorgen, vlak nadat Tim onder de douche was geweest, kreeg hij het stellige idee dat hij nog steeds niet schoon was. Hij ging weer onder de douche, en daarna nog een keer. Daarna zag ik hem langdurig in de keuken zijn handen wassen, huilend.

Hij wist niet waarom hij zich zo voelde, maar ik wist dat het kwam doordat hij zijn tijd op Roseland nog niet zo grondig was vergeten als zou moeten.

Omdat zelfs Annamaria hem niet tot bedaren kon brengen, ben ik met hem op de veranda gaan zitten, als mannen onder elkaar, ieder met een chocoladereep. Terwijl we naar de vogels keken die door de lucht zwalkten, vertelde ik hem waar het bij een chocoladereep om ging.

Waar het bij een chocoladereep om gaat, is niet de wikkel, wel? Nee, en waar het bij een colaatje om gaat, is niet het blikje. Als je 's nachts niet kunt slapen en over jezelf ligt na te denken en je jezelf laag voor laag analyseert, moet je nooit vergeten dat we als persoon misschien verre van perfect zijn, met al onze tegenstrijdigheden en minderwaardige verlangens, maar dat het daar niet om gaat, net zomin als het bij een chocoladereep om de wikkel gaat.

Tim zei dat hij daar net zo weinig van snapte als ik van Annamaria, maar dat hij zich toch een stuk beter voelde. En in feite gaat het daar alleen maar om: dat we er over en weer voor zorgen dat de ander zich wat beter voelt.

Een tijdlang vond ik het helemaal niet fijn dat ik meneer Hitchcock in dat dalletje op Roseland mijn hulp had ontzegd. Ik was bang dat hij niet meer naar me terug zou komen.

Maar vanochtend, toen ik op de veranda koffie zat te drinken, wandelde hij over het strand voorbij, gekleed in een driedelig pak en nette schoenen. Hij zwaaide naar me zonder zijn pas in te houden. Als ik eerdaags weer op de veranda koffie ga drinken, denk ik dat ik hem daar zal aantreffen.

Soms ben ik een beetje bang voor wat de regisseur van *Psycho* me te vertellen heeft. Maar aan de andere kant heeft hij ook *North by Northwest* en soortgelijke films gemaakt, die niet alleen spannend maar ook grappig waren. En ook heeft hij een aantal geweldige romantische verhalen verfilmd. En zoals jullie zo onderhand misschien wel weten, ben ik dol op romantische verhalen.

En dus wacht ik maar tot het belletje 's nachts zal gaan rinkelen. Ik droom over Stormy, maak lange wandelingen in de buurt, op zoek naar Annamaria's mysterieuze boom, neem samen met Tim een duik in de zee, en wacht tot het belletje zal gaan rinkelen.